EN AVANT
COMME AVANT !

MICHEL FOLCO

EN AVANT
COMME AVANT !

roman

ÉDITIONS DU SEUIL
*27, rue Jacob, Paris VI*e

CE LIVRE EST ÉDITÉ PAR HERVÉ HAMON

Dessin p. 383 : Phil Casoar

ISBN 2-02-050728-5

www.seuil.com

Mémoires
du
général-baron Charlemagne Tricotin
1763-1813

Publiés sous les auspices de son fils
le docteur Carolus Tricotin
d'après les Archives récemment exhumées
et les Chroniques singulières des Tricotin
de Racleterre-en-Rouergue.

Au lecteur, s'il y en a.

Je n'ai point connu mon père vivant. Il fut assassiné à Turin le jour de son mariage alors qu'il sortait de la cathédrale San Giovanni au bras de ma mère.

Son corps, bien embaumé, repose présentement dans le caveau des Tricotin du cimetière piémontais de San Coucoumelo.

La publication de cette partie de ses Mémoires n'aurait pu se faire sans la récente découverte des Archives couvrant la période la plus méconnue de mon père, sa période prérévolutionnaire.

Ces documents séjournaient au fond d'une grotte des Temps archaïques du Rouergue, à l'intérieur d'un coffre de marine déposé à l'abri de l'humidité sur quatre pierres plates. Ainsi ont été retrouvées les correspondances couvrant sa période parisienne de raffiné à l'hôtel du Point d'Honneur de la rue Saint-Honoré.

Se trouvait également dans ce coffre les annales et les carnets de route de la Légion franche des maraudeurs Tricotin, incluant la totalité des pièces comptables de la si controversée Tannerie Tricotin Frères et Sœur *du Pont-de-Cé.*

Étaient aussi entreposés cinquante kilogrammes (50) de documents administratifs et militaires ayant trait à la « pacification » de la Vendée, la Treizième Colonne infernale, ainsi que toutes les pièces afférentes au procès en destitution fait à mon père en 1794.

J'aime espérer que ces Mémoires seront utiles à l'Histoire de son temps, et qu'ils contribueront à mieux faire apprécier par la génération présente mon si discrédité géniteur.

Docteur Carolus Tricotin

Première partie

Chapitre 1

Les femmes sont des démons qui vous font entrer
en Enfer par la porte du Paradis.

Chassez la nature avec une fourche,
Elle reviendra toujours en courant.
(Naturam expelles furca tamen usque recurret.)

Bellerocaille, dimanche 29 septembre 1781.

– Non ! Comment cela non ? Mais qu'est-ce à dire alors ?

Jamais encore l'abbé Colin Beaulouis n'avait été confronté à pareille situation. Il dévisagea Charlemagne qui avait croisé les bras et affichait un air détaché, peu approprié à la gravité de la situation. A ses côtés, Bertille semblait respirer difficilement dans sa robe rose. L'émotion lui agrandissait les yeux et faisait trembloter sa lèvre inférieure. La surprise était totale, l'humiliation itou.

Les enfants de chœur rirent niaisement et celui qui tenait l'encensoir continua à l'agiter machinalement au bout de son bras. Les éventails cessèrent de brasser l'air moite. Un silence incrédule tomba dans la nef. Trop éloignés de l'autel pour avoir entendu, les Trécoupant de Vannes questionnèrent leurs voisins, les Jeanjean de Réalmond.

– Que se passe-t-il, hein ?

– C'est l'promis qui vient de dire non.

– Oh oh oh ! Ma Doué !

– Ah ! ces Pibrac, tout de même ! Y font jamais rien comme les autres.

Pas moins de vingt-six familles d'exécuteurs avaient bravé l'exécrable réseau routier rouergat pour être présentes aux épousailles de la fille de Justinien Pibrac, maître exécuteur de la baronnie de Bellerocaille. En tout, quatre-vingt-six invités alignés sur huit rangs dans une église vide de tout siège, ceux-ci ayant été déménagés en début de soirée par les paroissiens afin qu'aucun arrière-train de bourreau ne les corrompe.

Chacun était mis dans ses meilleurs atours rouges. Mieux que les véhicules ou les attelages, la vêture révélait la véritable condition des familles. Certains maîtres, tels les Outredebanque d'Arras ou les Férey de Rouen, cumulaient jusqu'à vingt mille livres par an et portaient perruques poudrées, habits à la française, tricornes en feutre galonnés, manchettes de mousseline, culottes en satin, bas de soie et souliers à grosse boucle. D'autres, comme les Hérisson de Melun ou les Tapetout de Gien, qui déclaraient *annus excellens* les années où ils avaient pu épargner deux mille livres, étaient en cheveux, coiffés d'un modeste tricorne, veste de cadis, culottes de toile grise et bas de filoselle. Quelques-uns, tels les Verdier de l'Ardèche ou les Noirceur de Lozère, marchaient dans des sabots du dimanche aux formes variables selon les provinces.

On tendit l'oreille lorsque le fiancé dit à la fiancée d'une voix forte et claire :

– Ze veux bien t'épouser, ma Bertille, mais z'est bourrel que ze ne veux plus être.

Se tournant vers le père de la jeune fille, il répéta :

– Z'ai troqué d'avis, maître Pibrac, ze ne veux plus être votre valet, z'est bien trop triste comme occupazion.

Des murmures désapprobateurs s'élevèrent. Les témoins, qui se tenaient derrière les promis, étaient comme pétrifiés dans leurs souliers. Le dauphin Justinien baissait ses yeux pour cacher son plaisir. Il n'aimait pas sa sœur et il était ravi de ce qui lui arrivait : cette peste allait désormais en rabattre. A ses côtés, le visage congestionné par l'émotion, les yeux un peu égarés, le valet d'échafaud en premier, Basile Plagnes, le grand-père de la promise, serrait et desserrait ses mains déformées par l'arthrite. Lui aussi paraissait avoir des difficultés à respirer.

Oublieux qu'il était encore dans l'église, Charlemagne coiffa son tricorne à plumes. Il entendit le crépitement d'un papillon de nuit se brûlant à la flamme d'un cierge. Dehors, l'orage d'arrière-saison tonna sans que personne n'y prête attention. Le vent s'était levé et les chevaux sur la place du Trou sabotaient le pavé.

Pâle comme sucre sous sa perruque à bourse, maître Pibrac, qu'on appelait « le Troisième », faisait de gros efforts pour contrôler les émotions contradictoires qui l'empêchaient de penser droit. Il tenait les alliances dans la main droite, et il serrait la garde de son épée dans la gauche (pour empêcher le dard de traîner par terre).

Le regard de Pauline Pibrac, la mère de la promise, allait et venait de sa fille à celui qui aurait dû devenir leur gendre. L'énormité de l'offense l'accablait. On allait s'en gausser des années durant, dans la baronnie et au-delà, compte tenu des nombreuses provinces représentées par les quatre-vingt-six invités. Bertille était désormais sentencée au célibat à vie et à l'état de fille mère. Sans oublier le coût de la cérémonie qui équivalait à celui de sept pendaisons et de trois bûchers à trente fagots, ce qui n'était pas rien.

– On ne se dédit pas face à l'autel ! C'est bien trop tard, finit par articuler le Troisième.

Charlemagne n'était pas de cet avis.

– Za zerait trop tard zi z'avais dit oui. Z'ai zuste attendu d'être zertain. Ze veux touzours marier votre garze, maître Pibrac, mais ze ne veux plus être votre valet, z'est tout.

Parler les bras croisés, coiffé d'un tricorne qu'il avait eu le bon goût d'empanacher avec onze plumes d'oiseaux différents, lui prêtait un air irrévérencieux dont il n'était pas conscient. En réalité, il évaluait mal la gravité du tintouin que son refus venait de provoquer.

– Vous savez pourtant que vous ne pouvez avoir l'une sans l'autre ! Cette clause est mentionnée dans le contrat que nous avons signé par-devant monsieur le notaire ! Alors que veut dire cet odieux revirement ?

Les exécuteurs ne se reproduisant qu'entre eux, on ne pouvait épouser la fille d'un bourreau sans en devenir un soi-même. La hache, le gibet et l'habit écarlate figuraient dans le trousseau de la mariée.

– Ze viens de vous le dire. Z'ai bien médité et z'ai troqué d'avis.

Non, il ne serait pas valet d'échafaud ; non, il ne vivrait pas dans l'oustal Pibrac ; non et encore non, il ne porterait pas la livrée rouge tomate pour le restant de ses jours (c'était bien trop long). D'ailleurs, maintenant, il concevait mal comment il avait pu s'accommoder d'un pareil arrangement. Il n'en demeurait pas moins navré d'avoir à contrarier ainsi maître Pibrac qui l'avait recueilli à demi mort, qui l'avait pansé, curé, abrité, nourri, et qui l'avait même instruit sur

15

toutes sortes de matières, telle la science des nœuds coulants, ou celle des cinquante endroits où l'on pouvait faire mal sans jamais tuer.

Le tonnerre gronda à nouveau. L'orage était sur le bourg, poussé par un vent soufflant en rafales. Comme pour protester, une pie se mit à jacasser sur la place.

Charlemagne se tourna vers Bertille et remarqua ses yeux secs, son visage empourpré, ses poings serrés, sa mine butée, autant de signes qu'il sous-estima. Il sourit aimablement et lui proposa d'une voix désarmante :

— Partons pour Verzailles voir le roi. Il me connaît de nom, il nous prendra dans zes housards.

Il eut un geste vers le ventre rebondi de la jeune fille signifiant qu'il tenait compte du marmot qui poussait à l'intérieur depuis la Saint-Jean.

Bertille se rua sur lui, bras tendus devant elle, les traits déformés par une expression déplaisante qu'il ne lui connaissait pas. La bourrade le projeta en arrière contre la rampe en fer forgé séparant la nef de l'autel. Il bascula jambes par-dessus tête et perdit sa coiffure. Son crâne rebondit sur le dallage.

— C'est inadmissible ! cria quelqu'un.

L'esprit en omelette, la respiration coupée, la bouche ouverte, Charlemagne resta allongé sur le dos, le regard flou braqué sur la voûte obscurcie par des siècles de fumée de cierge, se demandant où gîtaient les pensées quand on ne les pensait pas.

Toutes proches, plusieurs voix parlèrent en même temps.

— Il ne peut pas se défiler ainsi, mon maître, le déshonneur est bien trop grand.

— C'est qu'il doit revenir sur son non ! De gré ou de force, macarel !

— Y faut le contraindre à dire oui, après on verra.

— S'il dit encore non, foi de moi, je lui traverse la panse et je l'étrangle avec ses boyaux.

— Amen !

— Ah, mais faites excuse, cela ne se peut ! L'Église unit seulement ceux qui le désirent et qui le disent clairement. Ce qui n'est point le cas ici, assurément.

— Reposez-lui la question, monsieur l'abbé, et vous verrez que cette fois il le dira son oui.

Le front en sueur du gros ecclésiastique se plissa. Ne s'étant jamais trouvé devant une telle circonstance, il ignorait si le rituel l'autorisait à renouveler la formule. Dressant son index bagué, il dit :

– Veuillez m'espérer un instant.

Tous le virent tourner les talons et disparaître dans la sacristie dont il referma la porte derrière lui. Il y eut aussitôt un brouhaha de voix excitées, comme quand le maître sort de la salle de classe.

Charlemagne sentit qu'on l'empoignait aux épaules et qu'on le relevait sans ménagement. La douleur aux reins lui coupait l'usage des jambes. Basile Plagnes dut le soutenir. Le visage sévère du vieux valet était si proche du sien qu'il aurait pu dénombrer chaque poil blanc de sa barbiche en pointe. Des plaques rouges illuminaient ses joues luisantes d'une transpiration qui puait la vieillesse.

– Fais écoute, mon gars, car aussi vrai que je suis un Plagnes, si cette fois tu ne donnes pas ton oui, je te désentripe ici même, foi de moi.

Tout dans son ton indiquait qu'il s'agissait d'un vrai serment et non d'une simple menace. Basile pensait ce qu'il disait.

Perplexe à un degré que l'on imaginait mal, le Troisième avait lâché la garde de son épée et manipulait machinalement les alliances, les faisant passer d'une main dans l'autre. Il était mortifié par l'ampleur de sa méprise. Il avait voulu cette union et deux raisons l'avaient incité à la hâter. D'abord Bertille, tempéramentueuse à l'excès et qui s'était fait engrosser avant l'heure, ensuite, ce besoin pressant et constant de personnel d'échafaud.

Bien que tenté de sortir de son dilemme en saignant le renégat d'un coup de pointe à la carotide, maître Pibrac réussit à se contenir, au prix d'un léger tremblement des mains et de quelques grincements de dents. Il avait beau pendre, décapiter, rouer, brûler, bouillir vif et tourmenter assidûment depuis quatre décennies, il ne se sentait pas le droit de trucider sans un jugement exécutoire, écrit et avalisé par les autorités compétentes. En vérité, il n'imaginait que trop bien le sort qu'on lui réserverait si, d'aventure, il était atteint et convaincu de crime de sang, fût-il d'honneur.

Basile Plagnes dévisagea sévèrement Charlemagne.

– Comment as-tu la vergogne de dire non, alors que tu l'as mise dans l'état où tu l'as mise ?

Sur ce dernier point, Charlemagne disposait de sérieuses objections. Si faute il y avait eu, elle était amplement partagée.

Non loin des enfants de chœur, Bertille mordillait sa lèvre infé-

17

rieure pour l'empêcher de trembler. Sa mère lui murmurait à l'oreille tandis que Marion, sa sœur, lui caressait les épaules pour l'apaiser. Bertille semblait peu encline à se représenter devant l'autel. Elle eut un geste dédaigneux dans la direction de Charlemagne.

— Mais qu'il y retourne donc dans sa caverne, puisqu'il ne me veut plus, ce sauvage !

Première-née des six enfants Pibrac, Bertille avait toujours considéré comme une grande injustice de ne pas pouvoir devenir maîtresse exécutrice sous le seul prétexte qu'elle était de la race des croqueuses de pomme, et que seuls les mâles pouvaient être commissionnés. Elle vivait dans un état de frustration et d'indignation chronique qu'elle reportait souvent sur son jeune frère, âgé de neuf ans, le dauphin Justinien et futur Quatrième.

L'abbé Beaulouis réapparut de la sacristie en tapant dans ses mains pour capter l'attention.

— Le rituel m'autorise à poser la question une seconde fois, mais il n'y aura pas de troisième... Encore faut-il que l'intéressé soit en état d'y répondre.

Basile aida Charlemagne à revenir près de l'autel, tandis que Pauline incitait Bertille à l'y rejoindre.

— Il serait préférable qu'il puisse se tenir debout par lui-même, dit l'abbé, de plus en plus énervé par ces retards et ces complications.

Il avait reçu trente livres pour sa prestation nocturne et vingt-cinq pour les vingt-cinq cierges qui éclairaient la cérémonie. Mais quelle mauvaise idée avait donc piqué ces bourreaux de vouloir se marier à minuit sonnante, imitant en cela les nobles de haut parage comme les bourgeois de haute richesse ?

Jamais l'abbé n'avait vu autant de bourrels en une seule fois. Un spectacle étrange. Ah oui, il fallait les œiller, tous vêtus de rouge, tous arborant l'épée, et la plupart accompagnés de leurs femelles, de leurs petits, de leurs valets en premier et en second... Ah oui, une bien curieuse engeance en vérité.

— Z'ai mal au dos, dit Charlemagne en soutenant ses reins à deux mains.

Lui aussi était mécontent de la tournure prise par les événements. N'ayant point prémédité son refus, il n'avait pas prévu cette difficile issue. Tout en ramassant son tricorne qui avait roulé au pied du lectrin, il se demanda si la porte de la sacristie était munie d'un loquet intérieur. Il alla se replacer près de Bertille qui détourna la tête avec affectation.

Se penchant vers elle comme pour lui parler à l'oreille, il glissa son pied sous la robe et lui écrasa les orteils en pesant de tout son poids (cent quarante livres à jeun). La jeune fille poussa un cri perce-tympan qui traversa la nef telle une décharge de foudre. Des exclamations outragées en plusieurs patois éclatèrent dans toutes les directions.

– Ah ! le maudit lunatique !

– Quel scorpion ! Quel infâme panaris que celui-là !

– *Té, té, boutchicou !*

– Par toutes les dents de ma poule !

– *L'as vista, aquela saumassa !*

– Tout ceci est bien ignoble, ah oui, ah oui !

– Ce paltoquet inabécédaire *a cagat dins mon esclop.*

Charlemagne bondit vers la sacristie, ouvrit la porte et se précipita à l'intérieur. Il eut le temps d'entendre l'abbé Beaulouis déclarer d'une voix lasse :

– Vous comprendrez que, dans ces conditions, ce mariage ne puisse plus avoir lieu.

Chapitre 2

Une erreur peut devenir exacte quand celui qui
l'a commise s'est trompé.

Lucifer les Belles Ailes

L'huis avait un loquet. Charlemagne le rabattit. Des coups brutaux ébranlèrent le battant.

— Ouvre, maudit fourbe, que je te dévisse la nuque ! (Voix furieuse de Basile Plagnes.)

— C'est assez, maintenant ! Voilà qui dépasse tout !... Je vous enjoins de ne point démolir ma porte. (Voix excédée de l'abbé.)

— Faites le tour et fermez-lui la ruelle ! (Voix à peine contenue du Troisième.)

Il y eut des raclements de bottes sur le dallage, suivis de plusieurs hurlements pointus (cris douloureux de Bertille essayant de marcher).

Une veilleuse éclairait la sacristie qui sentait bon le lin frais, la bougie à la cire d'abeille, l'encaustique et l'encens. Une armoire, une crédence aux portes ouvragées, un vieux fauteuil, un long banc, une table aux pieds sculptés représentant des chimères composaient le mobilier. Un chandelier à trois branches et une bible étaient posés sur la table. Une peinture de saint Laurent sur son gril était suspendue au-dessus de la porte donnant sur la ruelle. La serrure était verrouillée et pas de clef en vue, et les deux fenestrons percés dans le mur étaient trop étroits pour laisser passer quoi que ce soit de plus volumineux qu'un petit chat. Charlemagne était enfermé.

Dans la nef en émoi, l'abbé Beaulouis intimait à l'assistance d'évacuer instamment les lieux et d'aller désormais se faire marier ailleurs.

Il y eut des bruits de course dans la ruelle, puis des coups s'abattirent contre la porte, accompagnés de vives injonctions.

– Ouvre donc, exécrable hypocrite, mais ouvre donc que je t'arrache la tête !

– Et puis quoi encore !

Charlemagne traîna la table en chêne massif et la dressa avec effort contre le battant, puis il bloqua l'autre porte avec le banc. Résultat : s'il ne pouvait pas sortir de la sacristie, personne ne pouvait y entrer.

Des piétinements sur les dalles lui indiquèrent que l'église se vidait.

– On n'a qu'à l'enfumer comme un blaireau, proposa dans la ruelle une femme à l'accent breton.

Il reconnut la voix de Marguerite Le Paistour, une virago quinquagénaire qui devait sa célébrité au fait d'avoir été maître exécuteur de la cité de Lyon sous le nom de Monsieur Henri. Bertille, évidemment, l'admirait.

– Allez-vous-en, vieille bique à bouc ! Ze ne zerai zamais des vôtres !

Un coup de tonnerre éclata si fort et si près que les vitraux des fenestrons vibrèrent dans leur châssis. Quelques instants plus tard, un tohu-bohu de voitures et de chevaux quitta la place du Trou.

Naviguant d'une porte à l'autre, il tenta de deviner à l'ouïe l'évolution de la situation. Il eut une pensée pour sa pie Clopante qu'il ne pouvait pas prévenir.

Le silence se fit côté nef et côté ruelle.

Charlemagne alluma les bougies du chandelier à la flamme de la veilleuse et ouvrit l'armoire. Il vit des chapes et des chasubles de différentes couleurs suspendues à des cintres. Il vit des étoles, des aubes, des amicts, et, dans un coin, des surplis et des soutanes d'enfants de chœur. Le grand tiroir du bas renfermait quelques nappes d'autel joliment brodées. Il ouvrit l'une des quatre portes de la crédence et trouva un ostensoir dans son étui, un encensoir de rechange avec sa navette, une sonnette bronzée et un flacon de vin de messe à peine entamé. Il le renifla, identifia du vin de Marcillac, but une lampée à la régalade. Comme c'était du bon vin, il en but une autre. Les effets dans son estomac vide ne se firent pas attendre.

– Z'est du fameux, s'entendit-il déclarer à voix haute.

Euphorique, il eut faim. Il n'avait rien mangé depuis la collation prise en fin de relevée. Il but une troisième lampée en s'interrogeant sur ce qu'il allait faire à présent. N'ayant pas ourdi sa rétractation, il ne disposait d'aucun plan, et ces dernières années vécues en forêt ne l'avaient guère prédisposé à songer à l'avenir. En forêt, l'existence était exclusivement vouée aux besoins matériels ; en hiver, il pensait au printemps, jamais au-delà.

Il ouvrit les autres portes de la crédence et trouva sur une étagère des purificatoires servant à essuyer le calice après la communion, des corporaux sur lesquels l'abbé Beaulouis posait l'hostie durant l'office, des burettes des saintes huiles, des burettes d'autel, une custode en argent décorée d'un Jésus mal en point sur son gibet et un coffret rectangulaire au couvercle sculpté d'une représentation de la Cène. Il l'approcha du chandelier pour examiner les douze personnages attablés autour du Christ. Judas était reconnaissable à l'absence d'auréole au-dessus de sa tête et à la bourse qu'il tenait à la main, grosse des fameux trente sicles. En ces temps-là, on s'achetait un esclave avec une pareille somme. La vision des plats garnis et des pains sur la table de ce dernier souper chatouilla un peu plus son appétit.

Il but une quatrième gorgée de Marcillac, rota, ouvrit le coffret et découvrit, rangées en dix rouleaux de cinquante, cinq cents hosties destinées aux eucharisties dominicales. Chaque rouleau portait le sceau triangulaire des Petites Sœurs du Dernier Repas, un ordre de recluses qui monopolisait depuis plus de trois siècles la fabrication d'hosties pour la baronnie de Bellerocaille et les paroisses alentours.

Il en posa une sur sa langue qui fondit rapidement avec un goût fade qui lui rappela les communions d'antan, cette époque bienheureuse où, avec ses frères et sa sœur, ils avaient été unis et insouciants à tout ce qui n'était pas eux, où ils avaient été heureux, jusqu'au jour où leur grand-père Baptiste Floutard les avait séparés comme on arrache les cinq doigts à une main.

Il but une nouvelle lampée de Marcillac et mangea une deuxième hostie. Mis en appétit, il en piocha trois autres et les goba pareillement. Dommage qu'elles fussent aussi insipides, car, après tout, c'était de la pâte à pain, même s'il n'y avait ni sel ni levain. Il but une sixième gorgée de vin et eut alors l'idée de les assaisonner avec les saintes huiles. Afin d'avoir plus de corps sous la langue, il en regroupa cinq, versa dessus une goutte d'huile – qui s'avéra être d'olive – et les avala. Il recommença avec dix autres, toujours pour obtenir plus de consistance, puis il en prit dix autres encore, et

22

lorsque la boîte et les burettes furent vides, il but une septième et dernière gorgée, le flacon étant vide lui aussi. Passablement pompette, il se leva, rota, réajusta son tricorne et rangea le désordre.

La voix de l'abbé Beaulouis retentit derrière la porte :

– Allez ouste, déguerpissez maintenant car ils sont tous partis et la place est vide.

Charlemagne tendit l'oreille côté ruelle sans rien distinguer d'autre que le souffle coléreux des rafales de vent.

– Ze ne le crois pas, monzieur l'abbé, ze crois plutôt qu'ils zont là-dehors à m'attendre. Ils zont rusés, vous zavez.

– Mais puisque je vous dis qu'ils sont partis ! Et puisque je vous dis qu'il vous faut vider les lieux, vous aussi ! Allez, ouste, ouste ! Sinon j'en appelle au guet !

Charlemagne dégagea le banc, tira le loquet, ouvrit la porte. L'abbé avait le visage empourpré et son front transpirait sous sa perruque calottée.

– Ze pourrais peut-être rezter izi, monzieur l'abbé ? Il va bientôt pleuvoir et ze n'ai plus d'endroit où faire ma nuit. Ze partirai demain matin avec l'ouverture des portes.

Un hennissement en provenance de la place du Trou le fit tressaillir.

– Maudit Zudas ! gueula-t-il à l'ecclésiastique qui eut un haut-le-corps indigné.

C'est alors que le Troisième surgit de derrière le battant, sa longue rapière au clair.

Charlemagne se pétrifia, bras écartés, cœur battant, subitement dégrisé par cette pointe triangulaire qui pesait sur sa trachée, à un demi-doigt de la pomme d'Adam, là où la peau était si fine. Une légère poussée du poignet aurait suffi à l'acier pour y pénétrer comme dans du beurre en août.

Le vieux Basile apparut à son tour, lui rabattit les bras dans le dos et les ligota en serrant méchamment ses nœuds.

Maître Outredebanque, l'exécuteur d'Arras, maître Pradel, l'exécuteur de Rodez, maître Zelle, l'exécuteur du bailliage de Soissons, et Honoré Plagnes, le valet d'échafaud en second des Pibrac, quittèrent les piliers derrière lesquels ils étaient embusqués. Honoré avait armé le chien de son tromblon.

– Vous allez me tuer zuste parze que ze ne veux plus être votre bourrel ?

Personne ne lui répondit.

Basile ayant terminé ses nœuds, le Troisième rengaina. Charlemagne se précipita alors sur l'ecclésiastique et lui déchargea un fort coup de sabot à mi-jambe. L'abbé se mit à jurer tout en sautillant à cloche-pied tant la douleur était vive.

– Aouille ! Mauvais chrétien ! Comment oses-tu ?

Basile bondit sur Charlemagne, referma ses bras autour de lui et serra à broyer.

Charlemagne se débattit en agitant convulsivement ses jambes et en grognant comme un sanglier pris dans un roncier. L'étreinte du corpulent sexagénaire se fit si concassante qu'il crut son dernier souffle poussé. Il eut la sensation pénible que ses côtelettes se repliaient vers l'intérieur et tentaient de lui percer les poumons, ce qui était le cas. Il cessa de respirer. Ses yeux s'inondèrent de larmes. N'étant plus irrigué, son esprit se brouilla, il cessa de voir et commença à se pâmer. Une voix cria dans le lointain :

– Lâche, Basile, lâche-le, tu le tues.

Basile lâcha. Charlemagne s'écroula, yeux exorbités, bouche ouverte comme un poisson fraîchement pêché, respirant avec un bruit de soufflet percé. A peine se redressait-il que l'abbé Beaulouis lui allongeait une formidable tourniole qui manqua lui dévisser le cou du torse et qui envoya son tricorne valdinguer.

– Je vous prie, monsieur l'abbé, de ne point nous l'esquinter plus, sinon monsieur le juge-prévôt va nous chercher des poux, dit le Troisième.

Place du Trou, il restait quatre berlines sur les trente-deux du cortège initial. Les valets sur les banquettes brandissaient des torches et les flammes, en faisant danser les ombres sur les pavés, inquiétaient les chevaux qui encensaient en renâclant. D'autres exécuteurs, dont Marguerite Le Paistour, sortirent de la ruelle où les avait postés le Troisième et les rejoignirent sur le parvis.

Le vent cessa, le tonnerre roula très proche et une série d'éclairs fulminants illuminèrent la place.

Le petit groupe marcha vers le bâtiment de l'Hôtel de la Prévôté qui faisait face à l'église. Ils dépassaient le puits quand une pie unipattiste s'envola d'un encorbellement et vint tournoyer au-dessus d'eux. Charlemagne poussa plusieurs jacassements d'alerte.

– Tue-la, dit Basile à son fils Honoré.

Le valet en second déchargea son tromblon en direction de la pie qui volait sans crainte. Criblé de plombs, l'oiseau tomba comme une pierre. Charlemagne poussa un cri de rage si fort que les chevaux des attelages furent effrayés. L'un d'eux rua dans les brancards et il y eut un craquement de bois brisé.

— Elle vous avait rien fait, elle ! hurla-t-il très fort, puis, avant que les valets père et fils puissent intervenir, il flanqua son pied saboté contre la cuisse du Troisième qui marchait devant lui et qui faillit en perdre l'équilibre.

Au même instant, un grêlon de la taille d'un abricot rabattit le chapeau de maître Outredebanque sur son nez. Un grêlon tout aussi gros cogna l'épaule de Charlemagne qui crut à une pierre. Un nouveau grêlon claqua comme une détonation en tombant sur l'auvent de la poste aux chevaux Calmejane ; un autre et encore un autre s'éclatèrent sur les pavés, tandis que dans un boucan infernal l'orage crevait de tous les côtés à la fois. Un déluge de glace s'abattit sur le bourg et ses alentours.

— Manquait plus que ça ! lança une voix stridente.

Basile et Honoré saisirent Charlemagne chacun par un bras et l'entraînèrent au pas de course vers la prévôté. Les autres suivirent en débandade.

Terrorisés, meurtris, les chevaux des attelages s'élancèrent dans une dangereuse sarabande à travers la place. Les conducteurs jetèrent leurs torches et essayèrent de récupérer les brides en beuglant de douleur sous l'impact des grêlons.

Qui donc manufacturait de tels cailloux de glace et comment pouvaient-ils voyager ainsi dans les cieux alors qu'ils pesaient le poids d'une pierre ?

Réveillé en sursaut, Bellerocaille s'anima. Des chandelles s'allumèrent, des portes claquèrent, on s'interpella d'une pièce à l'autre, puis on disposa en hâte toutes sortes de récipients partout où les toitures avaient cédé.

Charlemagne reçut plusieurs grêlons sur l'occiput avant d'arriver sous le hall obscur. Jamais encore il n'en avait vu d'aussi gros.

Quand la grêle cessa, la pluie prit le relais et tomba des heures durant, parachevant les destructions en noyant le bourg et la baronnie sous des milliasses de muids d'eau céleste.

Chapitre 3

Pour redresser quelque chose de tordu, il faut
d'abord le retordre.

Mémoires de Jeanot, maître cloutier, 1760

Le sergent de permanence Charfouin s'approcha de la fenêtre pour
essayer de voir la grêle tomber dans la nuit noire. Assis près du râtelier à piques, Dégun, le planton de service, perçait des châtaignes
tout en surveillant une touque de vin sucré qui chauffait sur un
brasero : chaque châtaigne percée était enfouie dans les braises.

– Y en a qui vont le regretter de pas avoir récolté, dit-il avec une
pointe de satisfaction dans la voix.

Le formidable raffut des lauzes fracassées par centaines couvrait
celui du tonnerre qui grondait par intervalles.

– Crénom de nom ! C'que ça dégringole ! Et du grêlon comme un
œuf de cane ! s'exclama le sergent en exagérant son accent ruthénois.

Fier de ses origines citadines, il tenait à ce que les locaux ne
l'oublient pas.

Soudain, la porte s'ouvrit et maître Pibrac fit irruption, suivi de
plusieurs individus. Ils poussaient devant eux un jeune gars décoiffé
aux mains ligotées dans le dos. Ils étaient tous armés et tous en habits
rouges. L'un d'eux ôta son chapeau et l'agita pour l'égoutter, un
autre trépigna dans ses bottes, tandis que ceux qui possédaient des
mouchoirs s'épongèrent le visage, le cou et les mains.

– Sergent Charfouin, encachotez-moi ce malfaisant, ordonna le
Troisième en se frottant là où le sabot lui avait fait mal.

– Malfaisant vous-même ! s'époumona Charlemagne plus enfuri-
bondé que jamais.

Ses cadenettes détressées pendaient en désordre sur ses épaules,
et ses mains, liées trop serrées, avaient enflé et noirci, entraînant des

26

douleurs qui lui remontaient des bras jusqu'aux épaules. Plusieurs grêlons avaient contusionné le haut de son crâne et sa joue giflée le cuisait comme si on l'avait passée à la flamme. Ah ! quel méchant abbé !

La physionomie pleine de colère contenue de maître Pibrac dissuada Charfouin d'argumenter sur l'heure indue ou même sur la légalité d'une prise de corps par un exécuteur en tenue de noces. Il ouvrit le registre des écrous et commença par inscrire la date d'une écriture joliment moulée.

Ce dimanche 29 septembre 1781, vers deux heures du petit matin...

En supplément à sa fonction de sergent du guet soldé à vingt livres l'an, Charfouin était guichetier du maître geôlier Fernand Cantalamesse qui, pour cela, lui baillait douze livres l'an. S'il n'avait été la victime consentante du jeu et des égrillardes de la rue des Branlotins, Charfouin aurait été certainement un parti convenable.

– Pour quel motif vous le voulez écroué votre bonhomme ?

– Pour rupture de contrat.

Charfouin fronça les sourcils et fit la moue en se donnant l'air de celui qui n'a aucun goût à perdre son temps.

– Faites excuse, maître Pibrac, c'est qu'elle est de basse justice votre affaire, elle est du ressort de monsieur le juge consulaire, et point de monsieur le juge-prévôt.

Pas moins de quatre justices pesaient sur la baronnie de monsieur le baron Boutefeux de Bellerocaille : la sienne tout d'abord, une haute et basse justice disposant d'une salle de tribunal en son château, d'un juge seigneurial, d'une prison, d'un geôlier, d'un exécuteur et de fourches patibulaires à quatre piliers. Venait ensuite une justice municipale, dotée d'un juge consulaire faisant office de procureur fiscal.

Puis il y avait une justice royale, représentée par un juge-prévôt tout-puissant, possédant une brigade de maréchaussée, un hôtel, des geôles et un geôlier-tourmenteur.

Enfin, il y avait une justice religieuse, que représentait l'abbé Colin Beaulouis, mais dont le tribunal, l'officialité et le juge ecclésiastique siégeaient à l'évêché de Rodez.

En livrant son prisonnier à l'Hôtel de la Prévôté, le Troisième avait choisi la justice royale, personnifiée dans le bourg par monsieur le juge-prévôt Hubert Cantagrel du Plessis-Bassoules.

27

– Il s'agit d'une rupture de contrat aggravée de violences. Je déposerai demain ma plainte auprès de monsieur le juge. En attendant, activez-vous, il se fait tard, dit le Troisième d'une voix chaleureuse comme un coup de pied sur le nez.

On entendit le vin bouillonner sur le brasero. Le planton retira la gamelle, remplit un gobelet et l'offrit au sergent.

– C'est quoi son nom ? demanda Charfouin en soufflant sur le liquide brûlant pour le refroidir.

Le Troisième hésita avant de répondre.

– Charles Leloup… de Montpellier.

– Quel âge tu as ? demanda Charfouin à Charlemagne qui resta silencieux.

Le Troisième répondit pour lui.

– Il va sur ses dix-neuf ans.

Le sergent termina l'écrou par un signalement sommaire du prévenu.

> *Age 18 ans révolus.*
> *Taille 5 pieds, 5 pouces environ.*
> *Cheveux châtaigne hirsutes.*
> *Sourcils fournis.*
> *Yeux marron.*
> *Pommettes saillantes.*
> *Nez droit.*
> *Bouche pleine.*
> *Dents blanches.*
> *Menton normal.*
> *Visage itou.*

Charfouin alluma une lanterne. Ils le suivirent dans un couloir ouvert sur une salle rectangulaire qui sentait la soupe de châtaigne, le tabac froid et le suif de chandelle. Une table, un fauteuil, un tabouret, un siège-questionnaire harnaché de larges sangles de cuir étaient rangés contre le mur. Des couvertures pliées s'empilaient dans un coin à côté de bottes de paille. Des chaînes, des manilles, des bracelets de contention pendaient à des crochets par taille décroissante. L'enclume et le marteau utilisés pour le ferrage à froid attendaient près de la cheminée. Une dizaine de marques de justice alignées sur un râtelier certifiaient que le maître des lieux était dûment qualifié de tourmenteur.

Un volatile au bec noir et crochu était enfermé dans une cage suspendue au plafond. Charlemagne crut reconnaître un perroquet, mais son corps était entièrement déplumé sur le devant.

Le sergent Charfouin cogna contre la porte du geôlier-tourmenteur Fernand Cantalamesse (il fallait l'appeler « monsieur le conservateur »). Le battant s'ouvrit sur un grand vieillard voûté, habillé d'un habit bleu à parements rouges et blancs rappelant les couleurs de la maréchaussée. Son crâne auréolé de longs cheveux blanc filasse était chauve comme un genou. A quatre-vingt-quatre ans, Fernand Cantalamesse était le Beaucailloussien le plus antique du bourg, peut-être même de la baronnie.

– La bonne nuit sur vous, monsieur le conservateur. Vous ne dormez donc jamais ?

– La bonne nuit sur vous, maître Pibrac, comment voulez-vous fermer l'œil avec un pareil tintouin ?

Il eut un geste en direction du mauvais temps qui crépitait dehors. En parlant, ses lèvres mobiles découvraient de grandes et belles dents en ivoire, étonnantes chez un humain aussi vieillardé. Sa voix rauque aux inflexions rouergates du siècle dernier était amicale à l'égard du Troisième. Il avait connu son père le Deuxième et il avait diversement apprécié son grand-père, le Premier, le fondateur de la lignée.

Contrairement à son concurrent de la prison seigneuriale, le maître verrou Armand Beaulouis (aucune parenté avec l'abbé), Cantalamesse se flattait de gérer ses geôles dans un honnête et constant souci de rentabilité.

Il avait acheté sa charge de geôlier avec l'épargne accumulée durant ses vingt ans de service dans la maréchaussée, et, pour cinq cents livres de plus, il s'était payé l'option de tourmenteur. Il recrutait lui-même son personnel et devait pourvoir à l'entretien des prisonniers. En dédommagement de ses frais et de l'achat de sa charge, il percevait le « sol du roi » sur chaque détenu et avait licence de procurer – à ceux qui en avaient les finances – toutes sortes de commodités, telles que des cellules individuelles, des repas à volonté, des cartes à jouer et de la lecture, des catins et du pétun dans les mêmes proportions. Avec un tel système, le roi bénéficiait de la vente des charges et s'offrait ainsi l'économie d'une administration pénitentiaire.

– C'est pour un écrou, monsieur le conservateur. Une rupture de contrat avec en supplément des violences aggravantes, annonça le sergent Charfouin.

Il voulut délier les poignets du prévenu mais ne put y parvenir.

29

— C'est trop savamment serré.

Avant que Basile ait pu s'interposer, il avait ouvert son couteau à lame pliante et avait tranché les garcettes.

— C'était du bon chanvre à trois livres, protesta le valet d'échafaud en serrant les poings.

Charlemagne grogna lorsque le sang retourna subitement dans ses mains exsangues, provoquant une douleur plus violente que mille onglées.

Perturbé par les cris, les bruits et toute cette agitation inusitée à cette heure de la nuit, l'oiseau s'agita en allant et venant sur son perchoir, tel un prisonnier faisant les cent pas. Le geôlier entreprit de fouiller Charlemagne avec soin, palpant le fond de ses poches, inspectant ourlets et revers, l'obligeant à se déchausser pour examiner l'intérieur de ses sabots.

— Tu n'as donc pas un sou vaillant, où alors ce sont eux qui t'ont déjà visité ?

Le geôlier accompagna sa remarque d'un regard soupçonneux vers Basile et Honoré qu'il n'aimait pas, et réciproquement.

— Tous mes avoirs zont dans ma çambre.

— Quelle chambre ?

— A l'ouztal Pibrac.

Le geôlier allait marquer son étonnement, quand le Troisième intervint sèchement :

— J'expliquerai tout cela demain en déposant ma plainte auprès de monsieur le juge-prévôt. Pour l'instant, encagez-le et qu'on en termine.

— Ze me venzerai ! menaça Charlemagne.

— Dans ce cas, fais vite, mon garçon, car sous peu tu vas être condamné, et devine alors qui sera mandaté pour exécuter la sentence ?

Le Troisième tourna les talons et s'en alla, dos raide, poings serrés, entraînant derrière lui ses valets et ses invités.

Cantalamesse dodelina de la tête avec une expression circonspecte.

— Eh bé, eh bé, ça, tu peux te vanter de l'avoir drôlement hérissonné le Pibrac. Je l'ai jamais vu avant ainsi. Eh bé, eh bé.

Chapitre 4

Le crime des oiseaux mis en cage est de savoir voler.

Souvenirs d'un pigeon ramier

Monsieur le conservateur s'engagea dans un étroit escalier à vis. Charlemagne le suivit chargé d'une couverture, d'un pichet d'eau et d'une botte de paille. Le sergent Charfouin passa devant et les éclaira avec sa lanterne.

Ils arrivèrent dans une cave au plafond bas et au sol pavé de galets, tous récoltés sur les rives du Dourdou. Des veilleuses à huile disposées çà et là éclairaient d'une lueur jaunâtre un bat-flanc de planches d'une vingtaine de pieds. Deux formes enroulées dans des couvertures dormaient enchaînées à des anneaux au mur. Le long du mur, séparées par un intervalle de quatre pieds, s'alignaient cinq cages forgées de gros barreaux de fer carrés. Chacune des cages était numérotée.

Un détenu enchaîné reposait sur de la paille dans la cage I. La II était vide, mais la III était meublée d'une table, d'une chaise, d'un coffre à vêtements, d'un paravent déplié cachant à demi un pot de chambre et d'un grand lit dans lequel dormait un prisonnier. Plusieurs livres étaient posés sur la table, à côté d'un flambeau, d'un bol et d'un tonnelet à vin de deux boisseaux.

Les cages IV et V étaient vides.

Le geôlier déverrouilla la V, à peine plus grande qu'une souillarde et où trônait un seau en bois pour tout mobilier. Un anneau de fer était pitonné dans le mur sous un soupirail rectangulaire.

— Maître Pibrac a dit qu'il s'appelle Leloup, monsieur le conservateur, dit Charfouin juste pour montrer qu'il savait.

Cantalamesse ne cacha pas sa surprise.

– Leloup ? Comme maître Leloup de Montpellier ?

Charlemagne se garda de répondre. Il ne connaissait pas ce bourrel et n'avait jamais visité Montpellier : prendre un faux nom avait été une initiative du Troisième lors de la signature du contrat.

Cantalamesse le poussa doucement à l'intérieur de la cage en expliquant d'une voix conciliante :

– Je te fais crédit pour ta bienvenue qui est de quinze sols, mais tu devras réclamer ton bien au Pibrac, sinon je me rembourserai sur tes habits. Pour ta litière, prends-en soin car je les change par quinzaine... Ah, au fait, quel genre de contrat as-tu rompu ?

Charlemagne fit mine d'examiner ses ongles.

– Z'ai pas dit oui à mon mariaze.

Des ricanements en provenance des dormeurs révélèrent que tous ne dormaient pas.

Charfouin approcha sa lanterne pour mieux l'examiner.

– C'est donc toi le gendre qui devait marier la Bertille !

Comme tout le monde, le sergent connaissait la jolie garce du bourrel pour l'avoir reluquée lors d'exécutions : elle aimait s'afficher en compagnie de son père et allait parfois jusqu'à lui servir de valet d'échafaud.

– Les violences aggravantes, c'est pour l'avoir engrossée, c'est ça, hein ? Crénom de nom !

Le geôlier joua avec ses clefs en disant :

– Alors comme ça, le mariage n'a pas eu lieu ? Eh bé, eh bé, j'entends mieux son humeur grimaude, maintenant.

Charlemagne haussa les épaules. Malgré la faible lumière, il vit que l'un des yeux du vieil homme était marron et mobile, tandis que l'autre était bleu et fixe.

Cantalamesse referma la grille, tourna la grosse clef trois fois dans le gros verrou en acier de Saint-Étienne. Charlemagne brisa le lien de la botte et répandit la paille en litière sur le sol de galets. Le geôlier et le sergent se retirèrent. Dehors, la pluie continuait à tomber forte et drue.

Charlemagne renifla la couverture et lui trouva une mauvaise odeur rance d'origine humaine. Il s'enroula quand même dedans et s'allongea en chien de fusil sur la paille, regrettant son tricorne qui lui aurait servi d'oreiller. Il demeura prostré un long moment, dégoûté jusqu'à l'os par sa condition. Il eut des pensées garnies de mauvaises intentions à l'égard de l'abbé Beaulouis qui l'avait dupé. Puis il eut une pensée navrée pour Clopante, immédiatement suivie d'une pensée assassine pour ses assassins.

La pie n'avait que quelques jours quand il l'avait trouvée au pied d'un arbre. Elle était tombée de son nid et il l'avait disputée à un hérisson qui lui avait coupé une patte et allait la dévorer. Il l'avait soignée, baptisée, nourrie à la main et il lui avait appris à siffler *A la claire fontaine* et *Marlbrough s'en va t'en guerre...* Décidément, il n'avait jamais rencontré chez les animaux cette cruauté que les hommes savaient mettre dans leurs comportements. Il songea alors à Bertille et se demanda combien d'orteils il avait pu lui écraser : certes, il avait fait de son mieux en pesant de tout son poids, mais les cerceaux de la robe à paniers l'avaient gêné.

La pluie ayant considérablement rafraîchi le fond de l'air, il ne tarda pas à se morfondre de froid malgré la couverture qui se révéla receleuse de plusieurs espèces de vermines, affamées pour la plupart. Au bout d'un moment, il se leva et fit quelques mouvements pour lutter contre la froidure et l'ankylose. Ses reins meurtris protestèrent. Il se rallongea et songea cette fois à Clotilde et à Dagoberte, ses louves qui avaient fondé leur clan au printemps et qui, désormais, n'avaient plus besoin de lui. Évoquer ses louves l'amena inévitablement à évoquer ses frères et sœur. Eux seuls pouvaient le sortir de cette cage.

Trop agité pour trouver le repos, il essaya de s'égayer l'esprit en répertoriant le nombre de loups qu'il connaissait par leur prénom. Il en dénombra trente-neuf, soit l'ensemble des quatre meutes de la forêt de Saint-Leu. Trente-neuf loups et louves qu'il pouvait nommer à la vue, à l'odeur, ou à la simple écoute de leur hurlement, car pas un n'avait le même. Il soupira. Puis il s'efforça d'imaginer ce qui serait arrivé s'il avait dit oui. La cérémonie nuptiale terminée, les mariés, la famille et les invités seraient retournés à l'oustal où les attendait un grand régal digne d'un banquet consulaire. A l'heure présente, Charlemagne aurait été enconnant benoîtement sa jolie Bertille dans le confort de sa nouvelle chambre de gendre Pibrac, et de valet d'échafaud en second.

Loin de l'apaiser, ces pensées l'agitèrent un peu plus ; alors, pour se calmer, il compta le nombre de fois qu'ils avaient forniqué ensemble : la première fois, c'était dans la chambre même de la jeune fille, en présence de sa sœur cadette qui avait fait semblant de dormir, les trois fois suivantes dans les soupentes de l'oustal, une fois dans l'entrepôt derrière les potences démontables, deux fois dans la crypte familiale, et une huitième et dernière fois dans la nuit d'avant-hier, entre deux merlons de la tour nord, avec la Voie lactée pour ciel de lit.

Il soupira de nouveau et son humeur s'assombrit, tel un caméléon tombé sur une soutane. Repoussant la couverture, il se releva et s'intéressa au soupirail percé haut dans le mur. L'ouverture rectangulaire était si étroite que même un nain aurait renoncé à s'y glisser. Il retourna le seau d'aisance, monta dessus et ne vit que de la nuit bien noire. La pluie avait cessé et le calme était revenu, à peine troublé par le clapotis des toits qui s'égouttaient.

Il descendit du seau et arpenta la cage comme s'il avait l'intention de la mesurer. L'examen des barreaux se révéla particulièrement décourageant : trois pouces d'épaisseur, profondément scellés dans le sol comme dans le plafond et pas du tout rouillés. Il s'intéressa à la grosse serrure mais fut gêné par la faible lueur des veilleuses.

— Ah, mais c'en est assez de toupiller ainsi ! grogna une voix pleine de sommeil.

— Z'ai du mal à m'endormir, z'ai de trop mauvaises penzées qui m'éçauffent la bile, expliqua-t-il d'un ton monocorde.

L'homme marmonna quelque chose d'inintelligible et se tut.

Charlemagne vérifia au toucher l'état du mortier qui cimentait les galets : il le trouva sec, compact, peu enclin à l'effritement. Admettant à contrecœur qu'il ne pourrait pas s'évader cette nuit, il retourna s'allonger sur la litière et s'enroula dans la couverture puante.

Chapitre 5

On vit tranquille aussi dans les cachots, est-ce
une raison pour s'y trouver bien ?

Jean-Jacques Rousseau, *Le Contrat social*

Bellerocaille s'éveillait bruit après bruit, tel un orchestre accordant
ses instruments.

– *Ici, vit un beau coq bien fort !* claironna dans son patois un galli-
nacé dans sa cour près des remparts.

D'autres lui répliquèrent çà et là dans le bourg :

– *Ici aussi vit un beau coq, bien plus beau et bien plus fort !*

Les sabots d'une servante se rendant à la fontaine claquèrent sur
les pavés. Les ferrures d'un volet grincèrent en s'ouvrant. Un âne se
mit à braire dans un jardin et les cloches des cinq églises semblèrent
lui répondre en sonnant prime à l'unisson.

Charlemagne reprit conscience et tous les événements de la nuit lui
revinrent aussitôt à l'esprit. Il se leva, les reins en compote, la peau
irritée par mille morsures vermineuses et démangeantes. Il avait
faim et soif et se sentait aussi heureux qu'un chien étranglé. Il renifla
l'eau dans le pichet avant d'en boire une gorgée, puis il s'intéressa
aux quelques graffitis qui couvraient le mur blanchi à la chaux : il lut
près de l'anneau *J'ai fin*, et plus loin *Adieu ma vie*, et encore plus
loin *Langue bien pendue te fera pendre.*

Un bol de vin à la main, l'occupant de la cage numéro III l'observait par-dessus ses besicles. Âgé d'une quarantaine d'années, en
robe de chambre bleue à revers mauves, l'homme était grassouillet,
la tête ronde, le nez pointu et des lèvres gourmandes qu'il remuait
sans cesse. Des pattes d'oie aux coins des yeux lui prêtaient un air
enjoué qui finissait par agacer. Il donnait l'impression de n'avoir

jamais pris un repas en retard, ni d'avoir dormi dans un mauvais lit de sa vie.

– Je me présente, Auguste Folenfant, et si j'ai bien ouï hier au soir, vous vous appelez Leloup.

Charlemagne hocha la tête.

Libraire rue Magne à l'enseigne *Le Point à la Ligne*, Auguste Folenfant avait été condamné par le juge-prévôt Cantagrel à huit ans de galères pour avoir reproduit et diffusé des écrits d'une grande obscénité. Le libraire appréhendait depuis quatre mois le passage de la chaîne d'automne qui l'emporterait au bagne de Toulon. Seul le vin réussissait à émousser son anxiété.

– Pardonnez ma curiosité, mais j'ai également ouï que vous aviez refusé la fille Pibrac. C'est pourtant une jolie garce faite au tour, si j'ai bon souvenir.

Il but une longue gorgée de vin en fermant les yeux.

Charlemagne ne dit mot et préféra remonter sur le seau d'aisance pour regarder par le soupirail. Il vit une petite cour carrée percée en son centre d'un puits à margelle. D'innombrables débris de lauzes jonchaient les pavés. Un gros chien noir, l'air affairé, traversa la cour en évitant les flaques. Charlemagne poussa plusieurs abois de bienvenue qui déroutèrent l'animal vers le soupirail. Sa truffe intriguée et frémissante apparue dans la mince ouverture. Charlemagne imita alors les gémissements d'un chiot qui se soumet devant un adulte. Le gros chien se mit à aboyer joyeusement en tortillant de l'arrière-train. Charlemagne rétorqua par quelques jappements enjoués. Ses civilités accomplies, le chien noir retourna à ses affaires matinales et Charlemagne descendit du seau. Le libraire continuait à le regarder avec intérêt.

– Vous lui avez demandé de vous procurer une lime ? lança-t-il en buvant une nouvelle rasade de vin.

– Ze lui ai dit bonzour, z'est tout.

Il remit le seau d'aisance à l'endroit et pissa dedans. La vue de son onzième doigt lui rappela Bertille et il en fut contrarié. Il termina ses eaux en ruminant sur son incapacité à gouverner les allées et venues de ses pensées dans sa propre cervelle. Il n'avait aucun désir de songer à Bertille, alors pourquoi surgissait-elle de nulle part sans y avoir été invitée ? Et pourquoi, macarel de macarel, l'esprit pensait araignée quand il voulait penser papillon ?

Il reboutonnait sa culotte à pont, lorsque monsieur le conservateur et ses clefs apparurent, accompagné de sa bru, Julie née Bistouille, une laideronne dodue attifée dans une robe de deuil au corset étroitement serré qui faisait saillir exagérément sa grosse poitrine blanchâtre. Un christ en argent accroché à un collier du même métal pendait dans le sillon de ses seins. Elle portait à deux mains une marmite fumante de soupe à la châtaigne. Raton, son fils de neuf ans, la suivait, chargé de gobelets, d'écuelles, de cuillères en bois et de tranches de pain noir.

Julie servit d'abord les deux prisonniers du bat-flanc qui étaient occupés à traquer la vermine dans les plis de leurs vêtements. Lavoie et Pintade, vieux d'une trentaine d'années chacun, étaient des faux-sauniers de Figeac surpris par les gabelous de la Ferme générale alors qu'ils transportaient à dos de mulet dix minots de sel du Quercy. Du sel qui se négociait à cinq livres le minot dans cette province, alors qu'il en coûtait trente en Rouergue. Pour avoir résisté et fait usage de leur tromblon, le juge-prévôt Cantagrel les avait condamnés à vingt-cinq années de galères.

Julie répondit de bonnes grâces à leurs questions sur les dégâts commis par la grêle.

– Aïe, aïe ! C'est qu'on compte plus les toits percés et les cheminées effondrées. Et puis toutes les caves et les celliers du bourg d'en bas sont inondés, et aussi toutes les vignes et tous les vergers qui sont ruinés jusqu'à la racine.

Cantalamesse ouvrit la cage numéro I pour qu'elle puisse servir le billardeur Marcellin Escampobariou, le seul détenu à être enchaîné au cou, aux chevilles et aux poignets. Âgé d'une quarantaine d'années, barbu, le cheveux long et hirsute, le corps décharné était revêtu seulement d'une chemise et d'une culotte très sales et très élimées (il avait vendu le reste de ses vêtements les premiers jours de son encellulement). Un billardeur était un filou à l'enrôlement. Escampobariou comptait treize primes d'engagement à son actif : six dans l'infanterie de ligne, cinq dans la cavalerie, une dans la Royale et une dans la Compagnie des Indes. De passage à Bellerocaille, il avait eu le guignon de se faire reconnaître par un capitaine en recrue du Royal-Rouergue qui l'avait sévèrement épousseté à grands coups de plat de sabre avant de le livrer à la maréchaussée.

Le juge-prévôt Cantagrel l'avait condamné à la flétrissure et aux galères *à vie*. L'approche inéluctable de la chaîne le terrorisait au point de lui faire perdre le sommeil mais pas l'appétit.

Julie ignora le libraire qui parut ne pas s'en offusquer et servit Charlemagne avec la dernière ration et la dernière tranche de pain. Alors qu'elle se penchait pour vider ce qui restait dans la marmite, Charlemagne se sentit émoustillé à la vue du christ en argent qui dansait entre ses lourdes mamelles. Depuis qu'il savait les garces détentrices du pouvoir de lui procurer de la volupté, il ne pouvait plus les considérer avec les yeux innocents d'avant. Il renifla son écuelle et constata l'agréable présence de bouts de lard flottant sur la soupe. Il renifla aussi le pain, avant de le rompre en morceaux et de le détremper dans l'épais liquide.

— Tu devrais prévenir ta famille sur ta méchante situation, comme ça, ils pourraient te visiter, suggéra le geôlier d'une voix bienveillante.

— Ze veux bien, mais comment faire ?

— Si tu sais écrire, tu peux leur expédier une brève. Si tu sais point, je peux m'en charger pour toi.

Charlemagne approuva. Il n'aurait jamais songé à un tel procédé.

— Ze peux écrire.

— Alors je t'apporterai le nécessaire tout à l'heure, comme ça, ta lettre partira avec la patache de demain.

— Mais ze n'ai pas d'arzent pour payer.

Cantalamesse le fixa de son étrange regard bicolore.

— D'où tu sors à la fin ? Tu n'as rien à payer puisque c'est toi l'expéditeur. Même à Montpellier, on sait ça !

Les expéditeurs craignaient que si le port était acquitté par avance leurs missives fussent mal ou point du tout acheminées ; aussi, le courrier était payé à la réception par le destinataire.

Monsieur le conservateur revint quelques instants plus tard accompagné d'une servante du Croquenbouche chargée d'un grand plateau encombré de plats. Il y avait une truite au lard baignant dans de l'huile sous un semis d'ail et de persil, une terrine de pâté de faisan, une pleine assiette de ris d'agneau poêlés aux morilles, une tranche de pain blanc épaisse comme une meule à aiguiser les couteaux, trois chopines de rouquin de Roumégoux.

Pendant que la servante entrait dans la cage du libraire et déposait le plateau sur la table, Cantalamesse entra chez Charlemagne et lui remit un écritoire.

— Tu gribouilles sur ce côté-ci de la feuille et après tu la plies en quatre et tu écris le nom du destinataire sur ce côté-ci.

Charlemagne posa l'écritoire sur ses cuisses et réfléchit un long moment avant d'écrire avec application :

> *C'est moi*
> *figachon calabouche bocaillou*
> *oulala vitou barabo tanac*
> *caramba pourdubon.*

Comme on hausse la voix pour être mieux entendu, il avait moulé d'énormes lettres de douze lignes pour être mieux lu.

Il se relut, corrigea une faute de syntaxe, plia la feuille en quatre et inscrivit au dos : *Pour Monsieur l'Avocat Alexandre Pagès-Fortin de Racleterre.*

Cantalamesse s'étonna :

– Tu connais ce maître chicaneur, toi ? Pourtant t'es de Montpellier...

– Ze le connais, z'est tout.

– Hum, hum.

Désœuvré, Charlemagne consacra l'heure suivante à la traque de la vermine dans sa couverture, rêvant à chaque prise qu'il s'agissait de l'abbé Beaulouis, de Basile ou d'Honoré Plagnes, qu'il écrasait entre les ongles de ses pouces.

En début de relevée, le libraire Folenfant reçut la visite de Madeleine, son épouse. Il lui tourna aussitôt le dos en proférant un juron capable de faire rougir un cadenas et sa clef, puis il se remplit un bol de vin et le vida d'une traite.

C'était cette bigote la responsable de son arrestation. Elle s'était confessée à ce vautour déguisé d'abbé Beaulouis qui l'avait aussitôt dénoncé au juge-prévôt. Depuis, c'était elle qui payait la location du mobilier, qui payait le vin, le tabac et les quatre repas qu'il commandait quotidiennement au Croquenbouche. Elle venait chaque jour que Dieu faisait avec un tabouret et un tambour à broder, elle s'asseyait devant la cage III et elle brodait deux heures durant des bouquets de roses, sans jamais dire un mot.

Aujourd'hui pourtant, elle parla, mais ce fut pour désigner à Cantalamesse l'occupant de la cage V.

– Pourquoi n'a-t-il pas les fers ?

– Parce qu'il est écroué pour un délit mineur, ma bonne commère.

Par contre, si monsieur le juge le déclare d'accusation pour sacrilège, alors je l'enferrerai, répondit Cantalamesse.

– Quoi, quoi, quoi, quel zacrilèze ?

Une expression pincée se peignit sur le visage de la femme Folenfant. Par sa faute, il n'y avait pas eu de messe ce matin, et commencer sa semaine sans avoir reçu l'eucharistie absolvatrice lui aigrissait la bile et la rendait aussi hargneuse qu'un taon qui a la goutte. Elle fit les cornes du malheur avec son index et son petit doigt dans sa direction.

– Quel zacrilèze ? répéta Charlemagne en haussant la voix.

Cantalamesse vint le sonder de son regard bleu et marron.

– L'abbé Beaulouis raconte que tu as briconné des hosties dans sa sacristie, et que c'est pour ça qu'il a tant grêlé et que toute la baronnie a été ravagée. Il a dû aussi annuler toutes ses messes.

Charlemagne, qui avait oublié (et digéré) depuis belle lurette son en-cas à l'huile d'olive, tomba des nues. On le vit serrer les mâchoires et les poings en sifflant entre ses dents, telle une vipère coincée sous une porte.

– Z'ai rien volé du tout ! Z'ai zuste dit non à mon mariaze... Et puis il faut être bien niais pour croire que ze peux ordonner à la grêle.

Charlemagne allait et venait dans sa cage, éparpillant sa litière à coups de pied rageurs.

Folenfant lisait en pétunant, un bol de vin à portée des lèvres. Dans la cage voisine, le billardeur Escampobariou frissonnait d'envie chaque fois qu'une effluve de Vrai Pongibon filait entre les barreaux jusqu'à ses narines.

Assis en tailleur face à face, Lavoie et Pintade faisaient et refaisaient dans leur patois les comptes de leur expédition contrebandière ratée. Les dix minots de sel leur auraient rapporté trois cents livres. Les cent livres d'investissement déduit (l'achat du sel et la location des mulets), il leur serait resté deux cents livres à se partager.

– Avec cent livres, j'aurais pu me payer un bœuf de l'Aubrac, ferré et avec son joug.

– Et moi, j'me serai acheté dix mérinos avec le chien pour les garder.

Soudainement, la cour de la prévôté se remplit de bruyants villageois et villageoises qui approchèrent des soupiraux en proférant toutes sortes de menaces à l'encontre du dénommé Leloup qualifié de « bien infâme profanateur très sacrilège ».

– Sois damné, graine de bourrel ! Tout mon toit est à refaire par ta faute !

– Et où elles sont nos saintes hosties, hein, où qu'elles sont ?

– Dis-le, dis-le, dis-le, mais dis-le donc !

– Rends-en quelques-unes au moins, pour qu'on ait notre messe aujourd'hui, s'écria une voix implorante féminine.

Un morceau de lauze passa par l'un des soupiraux et alla se briser sur un barreau de la cage d'Escampobariou qui s'agita dans ses chaînes en gueulant.

– C'est pas ici, peuchère !

D'autres morceaux de lauze furent alors lancés par le soupirail percé au-dessus du bat-flanc des faux-sauniers.

– C'est pas ici non plus ! s'écria Pintade.

Charlemagne se mit hors d'atteinte en s'adossant au mur. Il comprenait mal que l'on prêtât autant d'importance à si petite chose : il avait eu faim, elles étaient là, il les avait mangées. Où était le sacrilège ?

Folenfant, qui était en train de relire *Le Paysan perverti* et qui n'avait pas de soupirail donnant sur sa cage, interrompit sa lecture pour affirmer gravement :

– C'est assurément une très mauvaise affaire que l'abbé vous colle là. Vous risquez le bûcher avec une telle accusation.

– Mais ze n'ai rien zacrilézé du tout.

– C'est qu'il ne suffit pas de le dire, il faut le démontrer.

– Mais à qui, caramba !

– Aux juges de l'officialité, bien sûr. Et ce ne sont pas des engourdis, je vous le certifie ! Ils ont condamné un maître teinturier à avoir toutes ses dents mâchelières arrachées juste parce qu'il avait soupé gras pendant Carême. Lui, c'est sa servante qui l'a dénoncé...

Il essuya les verres de ses besicles avec un pan de sa robe de chambre en ajoutant :

– Si j'étais de vous, je les rendrais ces hosties.

Charlemagne eut un bref coup d'œil vers le seau d'aisance dans lequel il s'était vidé le matin.

Un caillou vola dans sa cage, fila entre les barreaux, rebondit contre le mur d'en face, tomba au sol.

– C'est là, c'est là ! s'exclama Escampobariou, soucieux avant tout d'être laissé en dehors de cette sombre affaire, ses propres malheurs lui suffisant amplement.

Divers projectiles furent précipités par le soupirail ainsi désigné : bouts de lauze, pierres, cailloux, morceaux d'auvent, bran canin ramassé dans la cour, et même un gros pavé, arraché place du Trou sans doute, qui roula dans le soupirail et chuta lourdement à côté de Charlemagne.

– Ah ! les bourriques !

Des coups de sifflet stridents et des voix autoritaires signalèrent aux prisonniers que le guet intervenait dans la cour. Les vociférations se turent et les vociférateurs et vociératrices se dispersèrent de mauvaise humeur. Quelqu'un suggéra d'aller s'en prendre à La Vipérine, la sorcière-guérisseuse qui vivait en forêt, forcément, elle devait y être elle aussi pour quelque chose dans cette apparition de grêle et cette disparition d'hosties.

Charlemagne glissa le pavé sous sa couverture et s'assit en tailleur dessus.

Quelque temps après, Julie et son Raton vinrent balayer les débris et autres immondices. Ce fut ensuite le retour de la servante du Croquenbouche porteuse d'une assiette de rillettes de porc, d'un lièvre au capucin, d'une omelette de cinq œufs au roquefort, d'une tranche de pain blanc épaisse comme une bible de Jérusalem, d'une tartelette aux pommes et de trois chopines de vin de Marcillac qu'elle retenait par le col entre ses doigts.

L'estomac dans les sabots, Charlemagne eut beau tousser, gesticuler derrière ses barreaux en trillant comme un vrai geai pour attirer son attention, rien n'y fit, le ci-devant marchand de papier croustilla son repas en l'ignorant superbement, brisant les os du lièvre pour en sucer bruyamment la moelle.

Le temps passa, faute de pouvoir faire autrement. Les vêpres carillonnèrent aux clochers des cinq églises, le crépuscule assombrit lentement la cave pénale. Folenfant enflamma les bougies de son flambeau pour continuer sa lecture ; plus tard, Raton vint allumer les veilleuses à huile.

– Z'ai faim, lui dit Charlemagne d'une voix très sérieuse.

Le gamin disparut dans l'escalier et monsieur le conservateur Cantalamesse arriva.

– Les pailleux n'ont droit qu'à une soupe par jour. Si tu veux manger, il te faut payer, mon garçon, c'est ainsi.

42

– Ze vous l'ai dézà dit que tous mes avoirs sont à l'ouztal Pibrac.

– A ce sujet, je peux te dire que maître Pibrac les a déposés ce matin au greffe. Dès que monsieur le juge-prévôt en aura fini avec, il te les rendra.

– Z'ai faim maintenant, moi.

L'octogénaire fit mine de réfléchir. Il savait déjà par son guiche-tier, qui le tenait du greffier Sanguinède, qu'une somme de quelques livres, plus deux ou trois objets d'une certaine valeur, telles une belle dague de vénerie et une longue-vue de qualité, figuraient parmi les biens du détenu.

– Je peux t'avancer un ragoût à cinq sols, proposa-t-il d'un ton bonasse.

– Avec du pain et du vin.

Cantalamesse sourit en dévoilant ses grandes dents superbes.

– Oui, mais alors avec trois sols de plus.

Charlemagne haussa les épaules qu'il avait larges.

Quelques instants plus tard, la bru du geôlier lui apportait une large tranche de pain, une écuelle pleine de ragoût de bœuf et une chopine d'une demi-pinte de piquette locale.

Un peu après les complies – neuf heures du soir –, Charlemagne hésitait encore sur l'endroit où creuser son trou lorsque Julie apparut une loupiote à la main, la clef des cages dans l'autre. Elle portait la même robe de deuil, mais sans son bonnet. Ses cheveux étaient défaits et tombaient en crinière sur ses épaules. Il la vit entrer dans la cage numéro III où Folenfant fumait la pipe, à demi allongé sur son lit. Elle souffla la loupiote et ramena la prison dans la pénombre. Charlemagne l'entendit déposer la clef sur la table et trifouiller dans ses jupons, puis il y eut toutes sortes de bruits mouillés, suivis de grognements, de respirations saccadées et de petits couinements poin-tus relevant presque du monde des muridés. Parfois, un commentaire enjoué échappait au libraire.

– Tourne-toi, ma mie, le pape va rentrer dans Rome !

– Oh oui, bien sûr, monsieur Auguste, mais ça sera dix sols de plus, pardi.

– Pardi.

De nombreux bruits de chaînes s'entrechoquant signalaient que les faux-sauniers et le billardeur s'étaient pris en main, captivés eux aussi par le combat lubrique qui se déroulait pratiquement sous leurs yeux et narines.

Charlemagne déplora que l'égrillarde ait soufflé la lumière. Il aurait bien aimé voir cette entrée du souverain pontifical dans la cité éternelle.

Quand tout fut consommé, Julie battit le briquet, ralluma la loupiote, reprit la clef et sortit sans oublier de refermer la grille. Folenfant alla pisser dans son pot. Il se versa un bol de vin et le but avec un claquement de langue satisfait. Il bourra sa pipe de tabac des Amériques, battit son briquet et l'alluma. Une bonne soirée d'honnête homme, en somme.

— Il est bien à plaindre, le goulu chapon besiclé. Parce que quand on s'ra dans la chaîne, comment qu'ça va lui faire défaut tout ça, pardi, pardi ! railla Escampobariou avec son accent provençal.

— Heureux celui qui n'attend rien, parce qu'il n'aura rien d'autre, répliqua le libraire en soufflant cruellement une bouffée de tabac dans sa direction.

Charlemagne capta son attention en cognant du sabot contre les barreaux.

— Zon mari zait qu'elle vient ze faire monter comme za ?

— Son mari est mort. C'était le fils du vieux Cantalamesse, et je vous assure que ça le dérange en rien que sa bru fasse la catin à trois livres, puisqu'il lui en soutire une au passage.

— Trois livres ! Z'est beaucoup pour zi peu de temps.

Folenfant médita le commentaire avant de répondre.

— Tout est plus coûteux en prison, mon cher, et puis la Julie, c'est un vrai fusil à trois coups. Elle les vaut, croyez-moi, même si elle n'est plus d'une prime jeunesse.

— Ahi, caramba ! Ze ne zavais pas qu'on fabriquait des fusils à trois canons !

Charlemagne découvrit ainsi qu'un « fusil à trois coups » était une ribaude qui utilisait sans distinction son conin, son huis postérieur et sa bouche.

— Ah bon.

L'information le rendit pensif. Il fit quelques pas dans la cage et déclara d'une voix décidée :

— Z'aimerais bien l'enconner, moi z'auzi.

— Comme je vous comprends. Il suffit de le lui demander demain, et de lui solder trois livres, pardi.

44

– Z'est tout ?

– Oui.

Charlemagne décida de changer sa poudre d'escampette. Initialement, il avait prévu d'ouvrir le sol en brisant les galets et le mortier avec le pavé, puis il aurait creusé un trou sous les barreaux, tel un loup sous un mur de bergerie. Il était cependant conscient des problèmes à surmonter. Le premier était le bruit, le deuxième l'obligation de terminer le trou dans la nuit, le troisième qu'il n'avait que ses doigts pour creuser et qu'il ignorait la composition du sol sous les galets, le quatrième était l'attitude des autres prisonniers pendant ses travaux.

Son nouveau plan consistait à louer la femme Julie et à l'estourbir après qu'elle eut ouvert la grille. La suite du plan restait encore imprécise, mais les grandes lignes consistaient à foncer droit devant et à culbuter absolument tout ce qui voudrait l'empêcher de passer. Une fois dehors, il se faisait fort de gagner les remparts et de sortir du bourg par un moyen ou par un autre.

Il rebâtit sa litière et se coucha en s'enroulant dans la couverture où l'attendait impatiemment toute une communauté de poux, de puces et de punaises, tous dotés de six pattes crochues et d'une bouche spécialement conçue pour mordre, déchirer, sucer.

Chapitre 6

Chaque fois qu'il plaît à Votre Majesté de créer
un office, Dieu crée un imbécile pour l'acheter.

Pontchartrain discutant avec Louis XIV

Les gens qui par eux-mêmes ou par leurs pères
ont été récemment anoblis, et à plus forte raison
ceux qui ne l'ont été que par des charges ou des
places, n'ont aucun rang parmi nous.

Mémoires du général-baron Thiébault

Aux origines, le roi était source de toute justice, et la rendre ne
pouvait être que son fait. Ce monopole était la plus pure représentation de sa souveraineté.

Quand à la fin du Xe siècle la royauté cessa pratiquement d'exister,
chaque seigneur s'autoproclama souverain en sa seigneurie et s'appropria le droit de haute et basse justices, le droit de battre monnaie,
celui de lever une troupe comme celui de guerroyer à l'envi. Le
royaume devint alors une fourmilière de petits États régis par autant
de petites justices privées. Ce fut par la reconquête de ce droit de
juger son prochain que les capétiens retrouvèrent leur souveraineté,
perdue par les lignées mérovingienne et carolingienne.

Dans le double but d'étendre sa justice et de refaire ses finances,
Louis le Quatorzième avait créé la charge de juge-prévôt partout où
existait une justice seigneuriale, consulaire ou ecclésiastique. Il avait
pourvu ce juge-prévôt de pouvoirs étendus et parallèles à ceux des
autres magistrats locaux et il l'avait habilité à instruire et à juger une
même affaire, lui conférant l'autorité sur une brigade de maréchaussée
– quatre hommes commandés par un maréchal des logis – ainsi que le
partage avec le seigneur local de l'emploi de son guet et de sa milice.

Louis avait signé ses lettres de charge en blanc et les avait confiées à ses intendants. La consigne était de ne les vendre qu'à deniers comptants et seulement à des gens estimés aptes à les recevoir selon leurs mérites et leurs services. Vendues fort cher – douze mille six cents livres –, ces charges avaient en compensation l'avantage d'être transmissibles à la descendance et d'anoblir le possesseur à la troisième génération.

Alibert Cantagrel, un ambitieux paysan du canton de Cassagnes, propriétaire de ses champs fromentaux, de ses bois et de ses prés, avait racheté à monsieur l'intendant l'office de juge-prévôt qui venait de se libérer à Bellerocaille. Il l'avait offert à son cadet Ludovic après l'avoir expédié une année durant à la faculté de droit de Montpellier apprendre le métier. Après vingt-huit ans d'exercice, Ludovic était mort d'une subite rupture du capricant. Son fils, Albert, lui avait succédé moyennant le rachat de la charge au roi.

Albert Cantagrel avait rendu la justice quarante-neuf années consécutives avant de trépasser à son tour d'un arrêt intempestif du cœur. Hubert, son fils aîné, frais sorti de la faculté, racheta la charge et, ce faisant, obtint l'autorisation tant attendue de faire précéder son nom du titre d'écuyer, le premier grade dans l'ordre de la noblesse, qui en comptait neuf.

Depuis, monsieur l'écuyer portait des perruques poudrées, chaussait exclusivement des souliers à talons rouges et à boucle d'argent, arborait l'épée lorsqu'il n'était pas en robe de fonction, et disait fréquemment « nous » de préférence à « je ». Il ponctuait ses phrases de « Diantre ! », « Ventre-saint-gris ! » et autre « Palsambleu ! ». Des jurons qu'il pensait être des plus aristocratiques.

En dépit de bien des efforts, Hubert Cantagrel était tenu dans un mépris opiniâtre par la noblesse locale, pour qui l'on naissait gentilhomme, on ne pouvait le devenir. Le très frais écuyer n'en revenait pas d'une pareille fatuité ! Pourtant, faites excuse, mais les Boutefeux de Bellerocaille, les Jouasse du Grand Séché ou même les Pointrail de la Roucoulette, tous ces hobereaux qui se haussaient tant le col de pouvoir remonter leur lignée en deçà de l'an mille, même eux avaient forcément été de roture à l'origine ! Sinon la présence d'aristocrates aux côtés d'Adam et Ève serait attestée dans les Écritures.

Un an plus tôt, il avait acheté le fief noble du Plessis-Bassoules, tombé en déshérence, et avait donné pour l'occasion une fête inaugurale où tout ce qui ne comptait pas dans la baronnie était venu, les autres s'étaient ostensiblement abstenus, l'humiliant jusqu'au centre de sa fine moelle.

Âgé de trente et un ans, Hubert Cantagrel en paraissait dix de plus dans ses habits sombres. Tout chez lui semblait empreint de mélancolie. Ses gestes étaient las, sa voix souvent inaudible, ses lèvres tombaient aux commissures et son front étroit se creusait de rides au moindre prétexte.

On l'aurait dit fatigué d'être réveillé et il entretenait une prédisposition tenace à trouver du mauvais partout et en toute chose. Un état d'esprit qui remontait à ce qu'il considérait comme sa première erreur judiciaire, commise à l'âge tendre de sept ans. Ce pénible événement était arrivé le jour où son père, de retour d'un voyage à Rodez, avait exhibé son nez besiclé. « A quoi ça sert donc ? » lui avait-il demandé. Son père avait alors assuré qu'il s'agissait d'ustensiles servant à mieux voir et à mieux lire. Plus tard, avisant les besicles sur le bureau, Hubert les avait chaussées sur son nez et avait été très choqué de ne voir au travers que du flou. Ainsi, son père lui avait menti !

Au lieu de s'en expliquer, il avait alors suspecté tout ce que son père disait ou faisait, jusqu'au jour où il avait découvert sa naïve erreur, alors ce furent ses propres pensées et raisonnements qu'il mit en doute systématiquement.

Ce dimanche 29 septembre, Hubert Cantagrel arpentait les combles détrempés de la prévôté en compagnie du concierge Recouly. Des rais de soleil traversaient la toiture criblée de trous et mouchetaient de taches de lumière le plancher jonché de débris de lauzes. Les solives de la charpente s'égouttaient comme du linge mouillé. Les archives centenaires conservées dans des sacs de grosse toile avaient souffert : certains sacs baignaient dans des mares d'eau noircie par l'encre qui avait bavé des documents.

– Y a pas un toit du bourg qu'ait point été percé, monsieur le juge. Ah oui, macarel ! Ce sont les maîtres couvreurs qui doivent la bénir cette foutue grêle, grogna le concierge avec une grimace dégoûtée.

Il avait la responsabilité de l'entretien de l'édifice et mesurait l'importance et le coût des travaux à venir.

– Les plafonniers idem, surenchérit Cantagrel en faisant allusion aux taches d'humidité apparues dans la nuit sur les plafonds de ses appartements.

Il avança vers les grands râteliers où étaient rangées verticalement les deux cent cinquante piques que les autorités distribuaient à la population en période de troubles. Il allait falloir sécher les manches de coudrier et graisser les pointes en fer de Biscaye. Autant de frais en perspective que le bourg allait rechigner à assumer, comme à l'accoutumée.

La voix essoufflée de l'appariteur Marty le héla du bas de l'escalier.

– Monsieur le juge, monsieur le juge ! Êtes-vous là-haut ?

– Nous le sommes.

– C'est monseigneur Beaulouis qui vous veut en l'instant. C'est pour une affaire grave qu'il dit, aussi je l'ai déjà fait entrer dans votre office.

L'appariteur ajouta :

– Il est dans les grandes fureurs, monsieur le juge… Et en plus on dirait qu'il boite.

Cantagrel se rendit d'abord dans ses appartements où Ursule, son valet de chambre, l'aida à épingler une perruque à bourse et à enfiler une robe d'instruction noire à rabat blanc. Il possédait aussi une robe d'audience rouge à rabat et manchettes en hermine, et une robe d'exécution noire à revers argent moucheté de rouge.

Son bureau occupait la moitié de l'étage de la prévôté et baignait dans une lumière venant de deux portes-fenêtres. Un lustre à trente bougies tombait du plafond et des tapis recouvraient un vieux parquet à bâtons rompus. Une cheminée au linteau blasonné de frais occupait un coin de la pièce, un cartel marquait neuf heure douze du matin.

Deux grands portraits en habit de cérémonie des précédents juges-prévôts, Ludovic et Albert Cantagrel, encadraient une peinture du roi Saint Louis. Ce dernier distribuait la Justice sous son chêne de Vincennes, la main levée, l'index et le majeur joints et dressés, comme désignant la direction des Cieux. Une devise en exergue agrémentait le cadre doré : *Le ROY le veut, la LOI l'ordonne.*

Une porte basse s'ouvrait sur le cabinet du greffe où le juge collectionnait les plaintes, les dépositions, les procès-verbaux d'instruction, les rapports de maréchaussée, les minutes des jugements du règne judiciaire de monsieur l'écuyer Hubert Cantagrel du Plessis-Bassoules. Chaque affaire classée était datée, numérotée et reliée de maroquin.

Le gros abbé Beaulouis, étalé sur l'un des fauteuils à accoudoirs, déchiquetait avec ses dents les broderies du joli mouchoir de dentelle qui lui avait pourtant coûté cinq livres. Il était dans une riche soutane de damas barrée à la taille d'une ceinture de soie à grains d'orge qui disparaissait malheureusement sous les bourrelets de sa débordante bedaine.

En retrait près de la porte-fenêtre, un tricorne emplumé entre les mains, le bedeau Lamentin observait l'agitation peu dominicale qui animait la place du Trou. Des petits groupes de villageois discutaient en faisant de grands gestes vers les débris de cheminées jonchant le sol qui attestaient de la violence de l'orage. Des commères portaient des chaises et des prie-Dieu à l'intérieur de l'église, tandis qu'un attroupement de servantes argumentaient mains sur les hanches près du puits. Des hommes montés sur le toit de la poste aux chevaux Calmejane recensaient les lauzes brisées en jurant : plus de la moitié était à remplacer.

Cantagrel entra dans la pièce et dit de sa voix lugubre :

– Que pouvons-nous pour vous être agréable, monsieur l'abbé ?

L'abbé quitta le fauteuil et s'exprima précipitamment :

– Un sacrilège proprement inouï, monsieur le juge ! Une profanation à vous glacer l'âme jusqu'aux orteils !

L'émotion faisait resurgir l'accent rouergat de son enfance qu'il se donnait tant de mal à effacer. Il fit quelques pas en agitant son mouchoir comme pour chasser une mouche et Cantagrel vit qu'il boitait de la jambe droite.

– Cessez de vous étonner sur les causes du fléau de cette nuit ! Même Dieu à des limites à Sa sainte patience ! Et ces limites ont été tellement outrepassées que le tournis m'en a baratté l'esprit !… J'en ai été contraint d'abolir mes deux grand-messes.

Une telle relation de cause à effet ne choqua personne, car nul ne prenait cette catastrophe céleste pour naturelle, mieux, tous pensaient que l'ampleur des dégâts impliquait forcément un responsable.

– Quel genre de sacrilège profanatoire ? demanda Cantagrel qui ne possédait pas encore ce délit dans sa collection d'affaires reliées.

Un blasphème était une insulte directe à Dieu, à la Vierge ou aux saints, alors qu'un sacrilège se commettait par des actes et non par des paroles. Un sacrilège pouvait attirer la vengeance divine sur la communauté et tous ceux familiers avec le caractère atrabilaire du Seigneur tout-puissant savaient qu'Il s'était emporté pour bien moins que ça.

– Il s'agit du vol de cinq cents hosties, monsieur le juge ! Et j'y ajouterai la disparition de mes saintes huiles ainsi que celle de mon vin de messe.

L'abbé désigna le tricorne emplumé que le bedeau vint déposer sur le bureau.

– Je veux que vous livriez ce profanateur sacrilège à notre officialité de Rodez, monsieur le juge. Ils auront vite fait de nous l'expédier aux flammes du bûcher purificateur comme il le mérite absolument. Mais, avant, il devra avouer ce qu'il a fait de mes hosties.

L'abbé agita son poing devant lui comme s'il plantait un clou. Cantagrel regarda le tricorne emplumé sans comprendre.

– Nous entendons mal votre affaire, monsieur l'abbé. Nous ne pouvons pas faire donner notre maréchaussée pour un simple délit relevant de votre officialité. Adressez-vous donc à votre évêque.

Les joues rondouillardes du religieux se tachèrent de rouge. Des veinules gonflèrent sur ses tempes. Ses yeux s'écarquillèrent.

– Un simple délit ! Cinq cents hosties !

N'importe quel laïc osant *toucher* à une seule hostie, sauf cas de force majeur, incendie, tremblement de terre, déluge, était convaincu de sacrilège de première importance, alors en *voler* cinq fois cent !

– Je n'ai que faire de votre maréchaussée, puisque vous détenez déjà ce misérable ! Il a été écroué cette nuit. C'est maître Pibrac qui l'a pris de corps et l'a livré à votre justice. Il vous suffit donc de lui faire restituer mes hosties, puis de l'expédier sous escorte jusqu'aux cachots de notre évêché à Rodez.

– Que vient faire maître Pibrac dans cet embrouillamini ? Ne deviez-vous pas marier sa fille hier au soir ?

L'abbé s'impatienta.

– Si fait, monsieur le juge, mais le promis s'est dédit au dernier moment et on peut dire sans moutarde que maître Pibrac l'a fort mal pris. Il l'accuse, à juste titre, de rupture de contrat aggravée de violences, mais vous m'accorderez qu'il s'agit d'un grief bien trivial comparé à l'énormité du sacrilège qui nous préoccupe.

Cantagrel secoua une petite cloche de bronze qui fit apparaître Marty, l'appariteur.

– Qui était de guet cette nuit ?

– Le sergent Charfouin, monsieur le juge.

– Mobilisez-le sur-le-champ, afin qu'il nous apporte son livre d'écrou.

L'appariteur disparut dans le couloir en laissant la porte ouverte derrière lui.

– Savez-vous le nom de votre sacrilège ?

– Charles Leloup, monsieur le juge. Maître Pibrac me l'a présenté comme le neveu du bourrel de Montpellier.

Pertuisane de fonction dans une main, registre des écrous dans l'autre, le sergent Charfouin entra dans le bureau, intimidé par la présence de l'abbé.

– Marty dit que vous me vouliez, monsieur le juge.

– Avez-vous écroué cette nuit ?

– Oui, monsieur le juge. Maître Pibrac a fait une prise de corps et me l'a confié vers les deux heures du petit matin.

L'abbé afficha l'air satisfait de celui-qui-l'avait-bien-dit.

Gêné par son encombrante pertuisane, Charfouin déposa le livre d'écrou sur le bureau. Cantagrel chaussa ses besicles et tourna les pages en questionnant d'une voix distraite :

– Si cet individu a été interpellé durant la cérémonie, à quel moment a-t-il trouvé loisir de sacriléger votre sacristie ?

– Après avoir dit non, il s'est barricadé dans la sacristie pour échapper à la colère légitime de maître Pibrac. Il y est resté environ une heure, puis il a cru pouvoir sortir, mais les bourrels l'attendaient et il s'est fait prendre, conclut à sa façon l'abbé Beaulouis, désignant une nouvelle fois le tricorne emplumé.

Cantagrel tapota sa tempe avec deux doigts joints, signe pour ceux qui le connaissaient qu'il se disposait à prendre une décision.

– Nous ne pouvons faire donner la Question à un prévenu qui ne nous a pas été adressé. Il vous faut donc déposer une requête en plainte auprès de notre greffier afin que nous puissions instruire votre affaire en bonne légalité.

Le sacrilège n'était pas un cas royal, mais la soustraction frauduleuse de la chose d'autrui – autrement dit le vol – l'était.

Les sourcils de l'abbé se soulevèrent en accent circonflexe. Il n'approuva ce marché qu'après s'être assuré que la condamnation aurait lieu place du Trou et s'exécuterait par le feu du bûcher.

Le juge-prévôt avait cependant ajouté :

– Si l'homme est coupable, évidemment.

L'abbé balaya l'air de la main.

– Bien sûr qu'il l'est !

Il fut interrompu par le retour de l'appariteur Marty, qui déclara d'un air pincé que le consul Jouasse, deux de ses conseillers et quelques jeunes gens de la bachellerie demandaient à être reçus en priorité.

— Ce serait à propos du charivari de cette nuit, ajouta-t-il en regardant avec curiosité le tricorne emplumé sur le bureau.

Les traits du visage du juge-prévôt s'affaissèrent encore un peu plus.

Se tournant vers l'abbé, il dit d'un ton comminatoire :

— Y a-t-il eu un charivari organisé contre la noce Pibrac ?

L'abbé balaya la question d'un nouveau geste de la main.

— Des gamineries, monsieur le juge. De l'encre versée dans les bénitiers, rien de plus sérieux.

Cantagrel regarda l'appariteur.

— Courez prévenir monsieur l'assesseur Briou et monsieur le greffier Sanguinède que leur présence est souhaitée.

— Je ferai respectueusement remarquer à monsieur l'écuyer que nous sommes dimanche et que ces messieurs ne sont point céans.

— Nous ne le savons que trop bien, mon bon Marty, aussi, allez les quérir tous deux en leur logis, et précisez qu'une plainte va être déposée par monsieur l'abbé au nom du Seigneur, aussi Il ne nous tiendra point rigueur de briser le repos dominical. Quant à monsieur le consul, dites-lui de nous rejoindre, mais sans ses conseillers, nous sommes déjà assez nombreux ici.

— Et ceux de la bachellerie ?

— Qu'ils espèrent, diantre de vertudieu !

L'appariteur tourna les talons et s'en fut.

L'abbé Beaulouis remercia le juge pour sa prévenance par un bref hochement de son double menton, puis il insista à nouveau sur l'importance majuscule de retrouver ses hosties.

— Les prochaines ne me seront pas livrées avant jeudi. Que vais-je faire si entre-temps se présente une extrême-onction ? Vous vous rendez compte, monsieur le juge, monter au Paradis sans saint viatique...

Le vicomte Abraham Jouasse du Grand Séché entra d'un pas lent, saluant le juge-prévôt d'un simple mouvement du menton. Les conseillers municipaux Jean Fabrègue et Lucien Fafin suivaient derrière.

Chef de nom et d'armes de l'une des plus anciennes lignées du Rouergue – son arbre était antérieur à la première croisade –, soixantenaire d'âge, le vicomte Abraham était le consul élu de Bellerocaille pour la seizième année consécutive. Ses traits, surtout ses joues, avaient cette mollesse que l'on rencontrait chez les rejetons de vieille race. Sa vaine coquetterie perçait dans la façon qu'il avait de s'étirer la peau du front sous la perruque afin de diminuer les rides du visage. Adeptes au siècle précédent de la religion protestante réformée, les Jouasse avaient enduré plusieurs dragonnades qui avaient détruit en partie leur château du Grand Séché. Salomon Jouasse, le père d'Abraham, avait mis fin aux persécutions en abjurant.

Le juge-prévôt considéra le consul tel un chien examinant un lampadaire avant de s'exonérer dessus.

L'abbé eut un sourire respectueux à l'intention de monsieur le vicomte tandis que son bedeau Lamentin demeurait en retrait, captivé par l'animosité presque palpable qui existait entre le juge royal et le consul municipal. Tout le monde savait que les deux hommes se haïssaient presque autant que la barbe détestait les rasoirs, ou les crottes de nez les index aux ongles longs. Le consul parla en détachant chaque syllabe, comme s'il devait les décoller de son palais.

— Nous exigeons une instruction immédiate sur la disparition nocturne de quatre cent vingt pavés de la rue du Paparel.

Cantagrel entendait mieux la présence des deux conseillers. Maître Fabrègue, le négociant en draps, et maître Fafin, l'apothicaire, tenaient boutique rue du Paparel.

Il lança un regard appuyé à l'abbé tout en s'interrogeant sur un éventuel lien entre la disparition de ces quatre cent vingt pavés et celle des cinq cents hosties.

— Tant de pavés pèsent leur poids. Il aura fallu nécessairement un véhicule pour les emporter, sans doute deux. Quant à leur extraction, elle n'a pu être que longue et bruyante...

Maître Fabrègue prit la parole :

— C'est le Pibrac et sa noce qui les ont emportés, monsieur le juge. Je les ai vus faire de mon fenestron et cela s'est déroulé un peu avant la minuit.

Un bruit grelottant se fit entendre dans le lointain, mais personne n'y prit garde.

— Ainsi, maître Pibrac, s'en allant marier sa fille, se serait arrêté rue du Paparel, et là, au vu et au su de tous, il aurait emporté quatre cent vingt pavés. Est-ce bien cela, maître Fabrègue ?

— Parfaitement, monsieur le juge. Et avec le déluge d'hier au soir, l'endroit s'est transformé en un tel bourbier que l'on n'y peut plus circuler, aussi nous faut-il repaver notre rue au plus vite.

– Quels motifs auraient animé notre exécuteur à un tel vandalisme ?

– Ces pavés coûtent trois livres pièce, monsieur, ce qui élève le préjudice à mille deux cent soixante livres, intervint le consul Jouasse en levant la main comme pour une mise en garde.

Cantagrel affecta un air chagrin.

– Pensez-vous que ce vol de pavés soit un cas royal ?

Le consul semblait avoir prévu la question.

– La fonction essentielle de votre brigade n'est-elle pas la haute surveillance des routes, des grands chemins et des voies publiques ?

– Certes…

Le consul leva à nouveau sa main en l'air.

– La rue du Paparel étant une voie publique, les pavés qui s'y trouvent tombent sous cette haute surveillance.

Un bruit grandissant de grelots se mêla au fracas de roues ferrées roulant vite sur les pavés. Sur la cheminée, le cartel sonna la demie de neuf.

Lamentin le bedeau, proche des portes-fenêtres, fut le premier à voir le carrosse vermillon des Pibrac débouler grand train place du Trou, écartant précipitamment devant lui poules, chiens et villageois. Les quatre chevaux crottés jusqu'aux timons portaient des colliers de grelots en cuivre autour du cou.

– Arrière, les sacs à bouse ! Place, place ! tempêta comme à son habitude Basile Plagnes, faisant claquer son fouet, lançant la voiture droit sur l'Hôtel de la Prévôté.

A ses côtés sur la banquette trépidante, se tenait son fils Honoré Plagnes, enturbanné de pansements jusqu'aux sourcils, un tromblon posé en travers des cuisses.

Quelques instants plus tard, de violents éclats de voix retentissaient, suivis d'une terrible déflagration et de nombreux cris et hurlements.

Chapitre 7

Non seulement notre charge exige des forces
et des qualités hors du commun, mais elle est
payée de la plus noire ingratitude. On va
jusqu'à nous reprocher de tuer *de sang-froid*.
Comment pourrait-il en être autrement ? Que
se passerait-il si notre bras tremblait ?

Nicolas Malzac, *Le Métier dans le sang*

Le Troisième avait les traits mâchés de celui qui n'a pas fermé
l'œil de la nuit, ce qui était le cas. Son regard d'habitude bienveillant
était empreint d'une lassitude qu'il ne cherchait pas à dissimuler. Il
était, pour tout dire, d'une humeur massacrante.

Malgré la terrible débâcle, le grand régal prévu avait été servi et
s'était déroulé dans un silence empreint d'une tristesse à s'avaler la
langue. Bertille n'y avait pas assisté, bien sûr. Sitôt revenue à l'oustal, elle avait été transportée dans sa chambre de jeune fille où elle
avait hurlé quand son père avait palpé son pied. Il avait dénombré
trois phalanges, trois phalangines et trois phalangettes écrasées, plus
quelques tendons lésés. Bertille allait devoir rester immobile des
semaines, peut-être des mois, avant de pouvoir marcher à nouveau.
Ce qui allait compliquer sa grossesse.

Le Troisième l'avait délaissée pour aller colmater les brèches com-
mises par les grêlons au toit de l'oustal. Puis Adeline, sa petite dernière âgée de cinq mois, s'était mise à pleurer continuellement sans
que sa mère puisse la calmer. Il avait alors passé le reste de la nuit
dans son cabinet de travail, les coudes appuyés sur le bureau, la tête
entre les mains, à ressasser ce qu'il aurait dû dire ou ne pas dire, faire
ou ne pas faire. Une chose était certaine : il n'aurait jamais dû organiser ce mariage.

Dès potron-minet, des invités étaient prêts au départ. Le Troisième avait poliment tenté de les en dissuader.

– Après le déluge de cette nuit, le grand chemin est détrempé et vous risquez bien des difficultés dans les raidillons, même avec un attelage de quatre. En vérité, je vous l'assure, vous devriez espérer demain.

Il s'était coupé la joue en se rasant, et il s'était emporté contre Pauline après qu'elle lui eut incorrectement épinglé sa perruque. Il s'était changé et avait choisi son habit vermeil flamboyant à revers noirs lustrés qu'il portait pour les grandes exécutions, ce qui en disait long sur son humeur présente. Ah oui, il avait également rabroué sa mère qui ne cessait de le tarabuster, puis il s'était rendu dans la chambre qu'occupait Charlemagne et avait regroupé ses possessions dans une vieille carnassière en peau de louve.

Une dague de vénerie dans son fourreau, un ceinturon, une longue-vue dans un étui de cuir craquelé, un livre *(Le Roman de Renart)*, une paire de souliers à boucle de cuivre, un collier de trophées, une chemise, une culotte verte, une paire de bas, une dizaine de collets en crin de cheval, une couverture de cheval à damiers, et les restes d'une avance sur son premier salaire de valet d'échafaud en second, huit livres, huit sols et neuf deniers.

Après un moment de réflexion, il retira le collier de trophées auquel était suspendu un compromettant sceau des Armogaste. Il écarta également les collets qui signaient trop la braconne ainsi que *Le Roman de Renart* qui portait sur la page de garde : *Ce livre appartient à Dagobert Tricotin.*

Neuf heures sonnaient à toutes les pendules et horloges de l'oustal quand le Troisième monta dans son carrosse conduit par Basile et Honoré en livrée rouge tomate à revers anthracite. Honoré se remettait mal du baquet de cailloux reçu la veille sur le crâne et se plaignait de migraines taraudantes. Il avait aussi des difficultés à conserver les yeux ouverts.

Dans un bruit de grelots bien rythmé, le carrosse roula sous le grand porche qui portait encore les festons et les guirlandes de la fête. Plusieurs voitures rangées le long du mur d'enceinte étaient chargées de malles et de sacs de voyage. La voiture contourna le gigantesque dolmen autour duquel s'orientait la croisée du

Jugement-Dernier et dépassa les fourches patibulaires, bien en évidence sur leur plate-forme.

Albagnac du Grandbois, petit cadet d'une famille de grande noblesse, y pourrissait, décapité depuis une cinquantaine de jours, pendu au pilier central par les aisselles. Le jeune homme avait assaisonné la soupe de son frère aîné d'un vigoureux poison dans le but de sauter une branche sur l'arbre généalogique. Sa tête, aux orbites vides, était fichée sur un crochet et avait eu les cheveux et une partie du visage arrachés par les grêlons et la tempête.

Le carrosse s'engagea sur le chemin communal mis à mal par l'orage. A une demi-lieue de là, perché au sommet de son neck volcanique, tel un gros bourdon posé sur un majeur dressé, le château en granit détrempé de pluie des Boutefeux de Bellerocaille brillait au soleil matinal.

Le causse offrait un spectacle de grande détérioration. Les peupliers et les aulnes qui escortaient la rivière avaient leurs feuilles déchiquetées et de nombreuses branches brisées pendaient par des lambeaux d'écorce.

Le fouet claqua comme un coup de mousquet.

– Arrière, pets de lézard ! Arrière, viles pouilleux ! Place, place ! beugla Basile du haut de sa banquette de conducteur.

Le Troisième se pencha à la portière et vit un troupeau de moutons marqués pour l'abattoir qui franchissait le Pont-Vieux en bêlant à qui mieux mieux, loin d'imaginer son sort. Le Dourdou gonflé d'eau marron filait dessous en bouillonnant autour des piliers.

Les commis de l'octroi et les archers du guet étaient à leur poste sous la haute voûte de la porte ouest. Les premiers vérifiaient et taxaient les marchandises entrantes, les seconds contrôlaient le trafic allant et venant. Basile fit résonner son fouet sous la voûte luisante d'humidité et l'attelage s'ébranla dans un bruit de grelots, s'engageant directement dans la rue Droite, ignorant la rue du Paparel pourtant plus directe.

La plupart des maisons étaient ouvertes et des femmes, le bonnet en bataille, armées de balais et de serpillières, expulsaient vigoureusement de l'eau dans la rue.

– C'est bien de vot' faute tout ça ! s'écria l'une d'elles en menaçant le carrosse de son balai dressé.

Avec une belle adresse, Basile fit aussitôt claquer son fouet à un pouce seulement du nez de la mécontente, la faisant retraiter précipitamment dans son couloir.

La lourde voiture déboula sans ralentir place du Trou, ébranlant les pavés à vingt toises à la ronde, expulsant devant elle tout ce qui pouvait fuir en vitesse. Le Troisième entendit avec surprise des cris haineux venant de commères sur le parvis de l'église.

– Soyez damnés, les Pibrac !

On les tenait, eux aussi, pour responsables de la grêle.

Les chevaux s'arrêtèrent devant le perron à trois marches de l'Hôtel de la Prévôté. Honoré descendit de la voiture avec précaution (d'habitude, il sautait à terre). Il ouvrit la portière et abaissa le marchepied. Le Troisième sortit. Honoré passa son tromblon à l'épaule tandis que Basile descendait à son tour, ankylosé par ses rhumatismes.

Avertis par les bruits de grelots, caractéristiques des attelages du Pibrac, Nicolas Fraysse, le fils du meunier du moulin de la Belle-Onde, Tristan Favaldou, l'aîné de l'armurier-fourbisseur, Isidore Calzins, le fils du maître charpentier, et Jean Calmejane, celui du maître de poste, tous quatre de la bachellerie, se raidirent dans leurs habits du dimanche.

La bachellerie regroupait l'ensemble des célibataires du bourg et de ses alentours et avait pour vocation de veiller à ce que les Belle-cailloussiennes n'épousent que des Beaucailloussiens. La finalité était d'éviter qu'une dot ou des terres échappent à la jeunesse locale et ne fassent grossir le nombre des vieux garçons. La bachellerie s'arrogeait itou le droit de juger la conformité morale des unions.

Six ans plus tôt, elle avait organisé un sévère charivari à l'encontre de maître Lacombe, un notaire de soixante-seize ans qui avait épousé une jeunette de seize, fille sans dot d'une famille de laboureurs. Les charivarisseurs avaient barricadé les rues menant à l'église et bombardé le cortège avec du fumier de cochon. Ils avaient ensuite encerclé la maison du notaire et fabriqué un grand tapage toute la nuit en cognant sur des casseroles avec des louches métalliques.

L'an dernier, le fils des Souillac avait fait scandale en engrossant sa cousine, une nigaude certifiée, qui avait aggravé le scandale en voulant faire baptiser l'enfant. La bachellerie, juchée sur les toits, avait alors déversé des boisseaux de purin de cheval sur la mère et l'enfant, le cousin, le parrain et la marraine qui se rendaient à l'église.

En mariant sa fille à un étranger à la baronnie, maître Pibrac avait dû se présenter au siège de la bachellerie et quémander une dérogation d'épousailles. Il l'avait obtenue, ainsi que la garantie qu'il n'y aurait pas de charivari, en échange d'une donation volontaire de quarante livres et d'un muid de rouquin de Roumégoux. Pourtant, le cortège avait trouvé la porte ouest close alors qu'elle aurait dû être ouverte selon les accords passés. Ensuite, il y avait eu ce baquet de lavandière rempli de pierres et placé en équilibre sur les battants qui avait assommé Honoré Plagnes et, plus loin, ils avaient trouvé les pavés de la rue Paparel enduits de suif de mouton sur les dix pieds les plus grimpants de la chaussée. Résultat : le valet des Férey de Rouen s'était fêlé le coccyx en glissant cul par-dessus tête, deux voitures avaient dérapé et s'étaient entrechoquées, endommageant le carrosse des Outredebanque d'Arras, défonçant la portière et le hausse-pied, blessant au canon l'un des chevaux de l'attelage. Pour franchir cet obstacle, le Troisième avait ôté tous les pavés ensuiffés et se les était appropriés en guise de dédommagement.

Il y avait eu ensuite l'humiliante découverte d'une église Saint-Laurent vidée de ses chaises, de ses prie-Dieu et bancs, tous déménagés en début de soirée par les paroissiens. L'épisode de l'encre noire déversée dans les trois bénitiers se situait juste après, et pas moins d'une dizaine d'invités s'y étaient laissé prendre. Aussi, la vue de Tristan Favaldou, l'actuel président élu de la bachellerie, porta à ébullition le calme très relatif du Troisième qui marcha sur lui et l'apostropha.

– De quel droit, messieurs, nous avez-vous fait un charivari, alors que vous avez accepté mon bon argent et mon bon vin ? Il va falloir tout rendre, messieurs les malhonnêtes, tout rendre !

Favaldou tendit ses reins comme pour se grandir avant de répliquer d'une voix mal assurée :

– Vous aviez oublié de nous prévenir que votre garce était déjà grosse de quatre lunes.

Le Troisième ignora la remarque.

– Non seulement il va vous falloir tout restituer, mais vous allez me rembourser aussi les frais occasionnés par vos farces mesquines.

Réalisant qu'il se trouvait devant les responsables de ses migraines, Honoré arma son tromblon et fronça les sourcils. Soudain du sang coula de ses oreilles et de ses narines. Il ouvrit la bouche, les yeux révulsés, et tomba en avant, pressant la détente de son arme qui vomit avec fracas une volée de plombs de la taille d'une cerise.

Jean Calmejane et Nicolas Fraysse s'effondrèrent en criant, fauchés aux genoux et aux chevilles. Un plomb rebondit contre la première marche de l'escalier et, sifflant comme un frelon, alla fracasser le pied de la table de l'appariteur, près de l'entrée. Sous le choc, le tiroir s'éjecta de ses rainures et répandit par terre son contenu de paperasses. Des archers surgirent de la salle de garde, et des bruits de course retentirent dans le couloir du premier étage.

Le Troisième s'agenouilla près d'Honoré qui gisait sur le dos, les yeux révulsés, la bouche entrouverte, la respiration haletante. Il ôta l'épingle qui retenait le bandage autour de sa tête et le déroula avec douceur.

– Qu'est-ce qu'il a, qu'est-ce qui lui prend ? bredouilla Basile très pâle, les bras ballants.

– C'est le choc d'hier, j'ai peur que ce soit plus sérieux que je ne le pensais, admit le Troisième d'un ton navré.

– Son crâne a dû se fissurer sans ouvrir la peau, c'est pour ça que je n'ai rien remarqué, et il a peut-être une hémorragie qui lui oppresse la cervelle.

Le Troisième leva la tête et vit le juge-prévôt Cantagrel, le consul Jouasse et le sergent Charfouin dévalant l'escalier.

– Que signifie cette détonation ?

Le Troisième tira Honoré vers la salle de garde où il savait trouver de l'eau en soutenant sa nuque avec précaution. Basile ramassa le tromblon et le passa en bandoulière, cachant mal les douleurs de son arthrite.

Tristan Favaldou et Isidore Calzins assistaient le fils Calmejane et le fils Fraysse qui bêlaient de douleur en regardant leurs jambes percées de trous saignant.

– Ventre-saint-gris ! Va-t-on nous dire ce qui se passe ici ? s'écria Cantagrel, la voix funèbre à souhait.

Chapitre 8

L'infaillibilité de la justice constitue sa base la
plus solide. C'est un dogme auquel il ne faut
porter la plus petite atteinte, sinon...

Saint Louis sous son chêne

Il n'y a pas une partie du corps humain qui n'ait
été l'objet d'un supplice particulier.

Mémoires des Pibrac de Bellerocaille

Lundi 30 septembre 1781.

Paré de sa robe noire à rabat blanc de magistrat instructeur, monsieur le juge-prévôt Cantagrel examinait avec circonspection les
preuves produites par l'abbé Beaulouis disposées sur son bureau : un
flacon de vin de messe, un coffret rectangulaire ayant contenu des
hosties, une burette vidée de ses saintes huiles, un tricorne emplumé.

La plainte de l'abbé, celle de maître Pibrac ainsi que la copie du
contrat de mariage liant le sieur Charles Leloup de Montpellier à la
demoiselle Bertille Pibrac de Bellerocaille étaient alignées à côté des
onze plaintes portées par les villageois.

Ses maîtres de la Faculté avaient enseigné à Cantagrel deux procé-
dures réputées infaillibles dans la recherche de la vérité. La première
était d'enquêter et de collecter les preuves, les présomptions, les
indices proches et les indices lointains, puis d'en faire l'addition en
sachant que deux indices lointains faisaient une indice proche, quatre
indices proches faisaient une présomption, et qu'il fallait deux présomptions pour faire un quart de preuve. Ainsi, quatre quarts de preuve
faisait une semi-preuve, deux semi-preuves faisaient une preuve com-
plète, et, enfin, trois preuves complètes faisaient une preuve parfaite.

La seconde procédure consistait à obtenir l'aveu complet du coupable. L'aveu était d'autant plus important que la loi interdisait aux juges de prendre leur décision selon leur intime conviction, l'intime conviction étant défavorablement considérée comme une simple opinion. Ils devaient au contraire s'appuyer sur des preuves déterminées et absolues. Pour obtenir des aveux, le magistrat instructeur disposait soit de la bonne volonté de l'intéressé, soit de l'utilisation rationnelle de la Question.

Assis derrière sa table, le greffier Sanguinède datait et numérotait une feuille vierge de mise en accusation.

Des bruits de sabots et de bottes dans le couloir annoncèrent la venue de l'accusé. Le sergent Charfouin entra, poussant devant lui un jeune homme qu'il plaça au centre de la pièce, face au bureau.

Le juge-prévôt examina son accusé. La première chose à considérer dans un interrogatoire, lui avait-on enseigné, était la condition de l'individu, un homme du commun devant être interrogé autrement qu'un homme d'une condition plus distinguée.

L'accusé avait un regard brun et vif, des pommettes saillantes aux joues encore duvetées et roses de bonne santé. Il portait un habit vert, fripé, semé de brins de paille, une culotte tachée aux cuisses et aux genoux, des bas plissaient sur ses mollets. Quelque chose de déterminé dans sa physionomie retenait l'attention.

Parce qu'il chaussait des sabots et avait des grandes mains aux paumes modérément calleuses, Cantagrel le laissa debout et le tutoya, alors qu'il avait invité à s'asseoir et avait vouvoyé Albagnac du Grandbois, ce cadet de haut parage qu'il avait fait décapiter deux lunes plus tôt pour avoir empoisonné son aîné.

– Jure devant Dieu que tu ne diras que la vérité et rien d'autre.

Peu familier avec les rituels de justice, Charlemagne s'étonna d'une telle exigence.

– Pourquoi ze dois zurer ?

– Parce que mentir à son magistrat instructeur compte pour une preuve absolue.

– Alors ze zure devant Dieu, dit Charlemagne en haussant les épaules, ce qui fit mauvais effet.

Les relations qu'il entretenait avec Dieu, Jésus, Marie, Joseph et toute la clique des saints s'étaient considérablement rafraîchies ces dernières années. Il ne remettait pas encore en question la véracité de leur existence, mais il en était arrivé à plus que douter de leur bon vouloir à son égard, comme de leur soi-disant infinie bonté. Mon œil, oui ! En dix-huit années et quelques mois d'existence, il n'avait pas souvenir d'avoir été exaucé une seule fois.

– Sais-tu pourquoi tu es encachoté ?

– Parze que ze n'ai pas dit oui à mon mariaze. Voilà pourquoi.

Sa voix était forte, bien timbrée en dépit du zozotage. Il semblait s'intéresser au tricorne sur le bureau.

Cantagrel entra dans le vif du sujet.

– Charles Leloup, tu es accusé par maître Justinien Pibrac de non-respect de contrat de mariage aggravé de violences.

Charlemagne croisa les bras sur la poitrine et répéta fortement :

– Ze n'ai pas voulu épouser za fille, et maintenant il ze venze en me faisant enfermer, z'est tout.

Le juge-prévôt consulta la déposition du maître exécuteur avant d'objecter :

– Était-il essentiel de briser trois orteils à la promise ?

– Trois zeulement ! s'exclama Charlemagne, offusqué.

Le magistrat lui lança un regard perplexe tout en faisant signe au greffier de ne pas inscrire la dernière remarque.

– Z'est vrai que ze l'ai piétinée, mais z'est vrai auzi qu'elle a voulu me briser l'os du dos en me renverzant contre la rampe. Ze me zuis venzé, eh !

Il haussa à nouveau les épaules et le cartel sur la cheminée carillonna la demie de trois heures.

Le juge-prévôt leva son index et son majeur façon Saint Louis pour déclarer d'une voix bien lugubre :

– Tu es également accusé par monsieur l'abbé Beaulouis de vols sacrilèges au préjudice de sa sacristie.

Il eut un geste circulaire englobant les objets exposés sur le bureau.

– Les reconnais-tu ?

Charlemagne se parjura avec aisance.

– Ze reconnais mon çapeau, z'est tout.

La plume du greffier entérina le mensonge en crissant sur le papier.

Charlemagne se gratta au niveau du nombril. Il avait remarqué que, à l'instar des carnassiers de la forêt qui s'en allaient chasser à la sombre, la vermine se nourrissait aux mêmes heures et aux mêmes endroits : la taille et l'entrecuisse pour les puces, la nuque et les aisselles pour les poux, un peu partout pour les punaises et les tiques.

Le juge-prévôt prit une expression qui accentua son air préoccupé.

— Maintenant, avoue-nous ce que tu as fait des cinq cents hosties de monsieur l'abbé.

Charlemagne s'étonna du nombre. Il n'imaginait pas en avoir consommé tant.

— Quelles hozties ?

— Celles qui se trouvaient dans cette boîte et qui ne s'y trouvent plus après ton passage dans la sacristie.

L'accusé racla le plancher avec ses sabots, comme une mule qui va ruer.

— A peine z'ai dit non qu'ils ont voulu me mazacrer, alors ze me zuis réfuzié dans la zacristie ! Et puis voilà ze gros Zudas d'abbé qui zure que ze peux zortir et qu'ils zont tous partis, alors qu'ils étaient encore tous atapinés dans l'église à m'attendre.

Repenser à cette fourberie lui échauffa les joues et agita la pointe de son sabot droit.

— Cela ne nous dit pas ce que sont devenues ces hosties.

— Comment le saurais-ze puisque ze n'ai rien fait du tout, caramba !

— Car en quoi ? demanda le greffier, peu familier avec les interjections hispanisantes.

— Entends-nous bien, reprit le juge-prévôt, restituer ces hosties te serait bénéfique et te laverait du même coup du soupçon de sorcellerie qui plane sur ton affaire.

Il pointa son index sur l'empilement des plaintes.

— Ton acte sacrilège est tenu pour responsable du déluge de l'autre nuit. Plusieurs villageois ont déposé plainte et réclament des réparations qui excèdent les dix mille livres.

— Za fait beaucoup d'arzent, admit Charlemagne en se penchant pour gratter énergiquement ses chevilles.

Cantagrel agita son index vers l'accusé au moment où celui-ci se redressait pour gratter sa nuque.

— Pour la dernière fois et au nom de la justice du roi, nous te sommons, Charles Leloup, d'avouer le sort de ces hosties.

— Ah ! mais quoi alors ! Vous êtes dur de l'oreille ! Ze vous l'ai pourtant dézà avoué que ze n'ai rien volé du tout !

L'index et le majeur dressés du juge-prévôt s'agitèrent vers le greffier pour qu'il n'enregistre pas.

– Le problème, vois-tu, c'est qu'à nous les juges il nous faut des certitudes absolues pour pouvoir juger juste.

Il tendit ses deux doigts joints vers la poitrine de l'accusé et dit, ennuyé :

– Déshabille-toi. Nous allons te fouiller.

Le sergent Charfouin pointa sa pertuisane dans la direction de Charlemagne. Ce dernier prit l'air absent pour ôter son justaucorps et le laisser tomber sur le parquet. Ne portant pas de gilet, il enleva sa chemise et apparut torse nu. Tous virent la cicatrice qui marquait son flanc gauche. Il sortit de ses sabots, fit glisser ses bas, déboutonna sa culotte à pont et l'ôta.

Le juge-prévôt fouilla lui-même chaque pièce de vêtement sans rien trouver qui ressemble à une miette d'hostie ou à une tache d'huile d'olive. Il examina ensuite les épaules, vierges de flétrissure, ignora les nombreuses morsures de puces et de punaises mais s'attarda sur la cicatrice encore rose.

– Comment est-ce arrivé ? demanda-t-il en braquant ses deux doigts dessus.

– Ze zuis tombé d'un arbre sur une brance pointue.

– Rhabille-toi.

Le juge-prévôt se tourna vers Charfouin et lui ordonna d'une voix lasse :

– Sergent, ramenez l'accusé chez monsieur le conservateur, et dites-lui de nous le préparer pour la Question.

– Ah non, alors ! Za fait bien trop mal !

Le sergent Charfouin lui flanqua le manche de sa pique dans les reins.

– Avance et ferme ton clapet.

Charlemagne voulut se rebiffer mais il lui en coûta un nouveau coup de manche qui le fit grogner de douleur.

Chapitre 9

La torture est l'exact envers de la pitié, comme l'obscénité est une inversion profanatoire de la pudeur.

Pietro Verri, Osservazioni sulla tortura, 1777

Posez-moi des questions, je répondrai toujours la vérité.

Le Diable, Comment me reconnaître, non daté

— Enlève ton justaucorps et prends place là, ordonna monsieur le conservateur.

Charlemagne obéit sans enthousiasme, considérant avec appréhension le siège-questionnaire qui avait été traîné au centre de la salle, sous le lustre en croix de fer. Le siège était fait d'un savant assemblage d'épaisses planches de chêne. Le dossier, les bras, les accoudoirs et les pieds avant étaient munis de sangles d'un cuir craquelé par l'usage et le mauvais entretien. Cantalamesse recevait de la prévôté huit livres pour chaque prestation de tourmenteur.

Charlemagne dut s'asseoir et le sergent Charfouin se tint prêt, au cas où il se rebifferait à nouveau.

— Tu seras bien avisé d'avouer après la troisième pinte, ainsi, tu n'auras pas trop mal après, conseilla le geôlier en lui sanglant les bras et les poignets.

— Mais ze ne veux pas avoir mal du tout !

— J'entends bien, mon gars, mais si tu avoues trop vite, il ne te croira pas.

— Ze ne peux rien avouer, puizque ze n'ai rien fait !

Le geôlier approuva d'un mouvement de tête.

– Tout le monde dit ça au début.

Quarante-quatre ans de tourmentage professionnel l'avaient considérablement désabusé sur la prétendue infaillibilité de la Question. Il ne comptait plus les parfaits innocents qui avaient avoué tout et son contraire pourvu que cessât leur tourmente.

Ses très vieilles articulations craquèrent lorsqu'il s'agenouilla pour sangler les chevilles et les cuisses du prisonnier. Le temps était proche où il allait devoir céder sa place.

Charlemagne regarda le perroquet déplumé dans sa cage qui évidait avec son bec crochu la moitié d'une pomme coincée entre les barreaux. Raton lui avait dit qu'il s'agissait d'un jaco du Congo, acheté vingt ans plus tôt par son père Henri à des derviches tourneurs ottomans en tournée.

La femme Julie revint du puits avec un seau d'eau à chaque bras. Elle les déposa près de la cheminée en poussant un discret soupir de soulagement.

– Ze parie qu'il ze les arrace lui-même, dit soudainement Charlemagne.

Il venait de remarquer que seul le poitrail du perroquet était déplumé, tandis que les plumes du dos, les plumes du cou et celles de la tête, des endroits qu'il ne pouvait atteindre avec son bec, étaient intactes.

Le geôlier sangla la poitrine de l'accusé au dossier tout en montrant son étonnement.

– C'est ma foi vrai ! Je l'ai œillé faire plusieurs fois.

– Il a commencé après la mort du père, confirma Raton qui remplissait un pichet gradué en le plongeant dans le seau d'eau rapporté par sa mère.

Henri Cantalamesse avait trépassé l'année précédente d'un refroidissement aggravé en fluxion de poitrine qui avait très mal tourné.

Le pichet rempli d'une exacte pinte (de Rodez), Raton s'occupa d'approvisionner en charbon de bois le brasero sur lequel sa mère réchauffait une touque de vin. Pendant que le sergent Charfouin louchait sur le vin et sur la grosse poitrine de Julie avec une égale envie, le geôlier sangla le cou de l'accusé en prenant garde à ne pas lui écraser la glotte.

Le juge-prévôt et son greffier entrèrent et prirent place derrière la table qui leur était réservée : monsieur le juge s'assit sur le fauteuil, le greffier sur le tabouret.

Charlemagne s'emplit de peur comme une barque qui fait eau. Sanguinède disposa son écritoire et ses feuillets de procès-verbal qu'il entreprit de numéroter, tandis que Cantagrel joignait ses deux doigts en regardant son prévenu saucissonné sur le questionnaire. Il fut content de voir la chemise, là où était son cœur, se soulever rapidement. A l'exception de quelques forcenés complètement mabouls sur qui rien ni personne n'avait prise, tous ceux qui s'étaient assis sur ce siège avaient eu peur. Le juge-prévôt remercia d'un hochement du menton la femme Julie qui venait de poser devant lui un bol de vin chaud sucré au miel. Il but une gorgée en l'aspirant avec bruit.

Il existait deux sortes de Question : l'ordinaire et l'extraordinaire. Par la première, le tourmenteur cherchait à obtenir du tourmenté l'aveu détaillé de sa faute ; par la seconde, il cherchait à connaître les complices que le tourmenté pouvait avoir eus dans la perpétration de son crime. Chaque juridiction avait sa manière de donner la Question.

A Toulouse, on privilégiait les tenailles et le fer chauffé à blanc ; à Albi, on versait de l'huile bouillante goutte à goutte dans les oreilles et sur l'intérieur des cuisses ; à Tarbes, on badigeonnait au sel les pieds du prévenu et on faisait appel à une chèvre, alors que dans la juridiction de Montauban, dont dépendait le Rouergue et Bellerocaille, on utilisait indifféremment l'eau avec un entonnoir ou les brodequins à quatre ou huit coins.

En neuf ans de magistrature, le juge-prévôt Cantagrel avait fait donner la Question à plus de mille accusés sans jamais avoir rencontré de réfractaire.

Il pointa ses deux doigts joints vers le geôlier.

– Si vous êtes prêt, monsieur le conservateur, nous le sommes aussi.

Cantalamesse et le sergent Charfouin saisirent chacun un accoudoir du questionnaire et le basculèrent en arrière, plaçant l'accusé sur le dos, face au plafond. Charfouin pinça les narines de Charlemagne entre ses deux doigts et, lorsqu'il ouvrit la bouche pour respirer, Cantalamesse introduisit dans sa gorge la corne de taureau évidée servant d'entonnoir et il vida dedans le pichet gradué que lui présentait Julie.

Charlemagne ferma son épiglotte un instant mais il dut la rouvrir pour respirer : alors l'eau s'engouffra en trombe, lui laissant le choix entre avaler ou étouffer. Il se débattit. Ses mains se crispèrent sur les accoudoirs, ses yeux s'exorbitèrent.

Le pichet vide, Cantalamesse retira l'embouchure, Charfouin lâcha le nez et ils redressèrent le questionné d'un seul mouvement.

Charlemagne toussa bruyamment puis respira avec force. A travers les larmes qui lui brouillaient la vue, il aperçut le juge-prévôt et le greffier derrière leur table qui l'examinaient en silence.

Dans sa cage, le perroquet avait cessé de manger sa pomme et s'agitait sur son perchoir.

– Accusé Charles Leloup, veuillez nous conter le triste sort des hosties et des saintes huiles de monsieur l'abbé Beaulouis, finit par dire Cantagrel d'une voix attristée, presque inaudible.

– Ze me donne au diable zi ze le zait ! Ze vous le dis et ze vous le redis et pourtant vous ne me croyez pas, alors maintenant, ze m'en moque de vos hozties !

Il hurla sa dernière phrase. Ne pas être cru le mettait hors de lui. Il n'y avait rien de plus offensant pour un menteur que d'être accusé de l'être.

Les deux doigts du juge-prévôt remuèrent. Le geôlier et le sergent basculèrent le questionnaire en arrière et Charlemagne se retrouva sur le dos, face aux toiles d'araignée du plafond. Le sergent lui boucha le nez et il recommença à manquer d'air. Il ouvrit la bouche et l'embouchure ferrée s'enfonça dans son gosier.

Cette deuxième pinte fut aussi pénible à avaler que la première et, quand ils le ramenèrent à la verticale, il toussa, grogna, pleura, cracha, rota, entendant à peine le juge-prévôt dire d'une voix d'outre-tombe :

– Nous vous écoutons, Charles Leloup.

– Mais non, vous n'écoutez pas ! Zinon vous ne me tourmenteriez pas, maudit bonhomme !

Comme du jaune mêlé à du bleu fait du vert, la colère assaisonnée à de la peur faisait de la rage. Charlemagne se débattit dans ses sangles puis poussa un formidable hurlement qui s'entendit très loin. Le perroquet s'agita dans sa cage et se mit à répéter d'une voix saccadée quasiment humaine :

– Vive le roi, macaniche, vive le roi !

Sur un geste du juge-prévôt, le geôlier et son guichetier basculèrent le questionné sur le dos ; mais cette fois, lorsque le sergent présenta ses doigts pour lui boucher le nez, Charlemagne lui happa le pouce et planta ses dents dedans en grognant tel un chien à qui on essaie de reprendre son os.

70

Charfouin hurla en le frappant du poing gauche sur le visage pour qu'il lâche prise, mais bernique. Charlemagne mordait si fort qu'il sentit soudain ses canines et ses incisives traverser la peau, trancher le muscle et broyer l'os comme s'il était en biscuit. Un coup de poing sur la nuque l'étourdit et lui desserra les mâchoires.

– Mais quel foutu furieux ! gémit Charfouin en larmes, horrifié de voir son pouce pisser le sang et pendre par quelques lambeaux d'épiderme.

Se reculant d'un pas, il lança un coup de pied dans le flanc de Charlemagne qui protesta en poussant un cri capable de traverser les tympans d'un sourd.

– A moi, on me tue !

Cantalamesse s'interposa.

– Ne l'esquinte pas, bougre d'ahuri, puisque c'est ta coulpe seule ! Fallait lui présenter tes doigts par le front comme je te l'ai enseigné, et point par le menton… Allez, ouste, cours maintenant te faire cautériser chez monsieur le chirurgien.

Le juge-prévôt accepta d'un hochement de menton les excuses de monsieur le conservateur pour cette regrettable perte de contrôle de son guichetier.

– Ouvre la bouche et laisse faire, sinon je te brise les crocs et je te laboure le gosier, avertit Cantalamesse en montrant à l'intéressé l'embouchure ferrée déformée par les dentées des précédents questionnés.

Cette troisième pinte fut très laborieuse, chaque gorgée étant refoulée par la poche stomacale saturée qui n'en pouvait plus.

Ce fut Julie qui remplaça Charfouin et qui aida son beau-père à redresser le questionnaire. Charlemagne toussa à s'écorcher les amygdales puis se vomit copieusement sur la poitrine.

– Nous vous écoutons, Charles Leloup, mais sachez que votre attitude ne plaide point en votre faveur.

– Ze ne me zens pas bien du tout, répondit Charlemagne, qui ne mentait pas, pour une fois.

Sa position assise entraînait son estomac trop lesté à peser douloureusement sur ses boyaux.

– Z'ai zeulement dit non à mon mariaze parze que ze ne veux pas être bourrel !

Il recommença à tousser et à vomir, puis il dit d'une voix rauque.

– Dans la zacristie, z'ai zuste déplacer des meubles pour me barri-

71

cader, ze n'ai rien fait d'autre ! Z'est pure vérité et zelui qui dit que ze zuis un menteur en est un lui-même !

Le juge-prévôt leva ses deux doigts. Cantalamesse et sa bru basculèrent le questionnaire en arrière pour la quatrième fois. Charlemagne eut la certitude qu'une pinte de plus serait une pinte de trop et ferait obligatoirement éclater son estomac.

– Ah, non non ! Plus d'eau ! Remontez-moi, z'avoue, z'ai menti zans arrêt, z'avoue !

Le juge-prévôt fit signe au geôlier de poursuivre. L'entonnoir s'enfonça dans la gorge de Charlemagne et une quatrième pinte s'engouffra dedans. Son estomac n'explosa pas mais un voile rougeâtre brouilla sa vision à plusieurs reprises et il crut vraiment mourir trois à quatre fois. La douleur devint insupportable lorsque Cantalamesse et sa bru le redressèrent. Il toussa, cracha, vomit par la bouche et par le nez en s'étouffant et en gigotant dans ses sangles.

– Ah oui, ze zuis bien malheureux, parvint-il à articuler entre deux spasmes.

– Mais encore ? demanda Cantagrel d'une voix morose qui lui allait comme un suaire.

– Z'avoue tout ze que vous voulez, mais plus d'eau !

– Nous voulons seulement la vérité, rien d'autre. Aussi nous t'écoutons. Qu'as-tu fait de ces hosties ?

– Ze les ai manzées. Z'avais faim et zoif, z'ai tout manzé et tout bu.

Le juge-prévôt demeura immobile. Il avait envisagé plusieurs hypothèses sur ce qui avait pu arriver, et celle-ci ne figurait pas dans sa liste. Le greffier resta la plume d'oie en l'air, interloqué. La femme Julie se signa en embrassant le crucifix qui pendait sur sa poitrine et Raton, qui passait une serpillière sur le sang répandu par le pouce du sergent Charfouin, s'interrompit pour le regarder avec effroi.

– Vive le roi, macaniche ! déclara le perroquet avec conviction.

Charlemagne vomit derechef en poussant des gémissements bien lamentables. Il perdit connaissance et une forte odeur de bran informa qu'il se vidait également par les voies basses.

Partant du principe que plus la peine était prompte et suivait de près le délit, plus elle était juste et utile, le juge-prévôt Cantagrel déclara l'instruction terminée et il accepta avec une petite moue indulgente un deuxième bol de vin chaud.

Charlemagne reprit connaissance pendant que le geôlier le dessanglait. Déplorant l'absence de Charfouin, Cantalamesse traîna Charlemagne dans sa cage avec l'assistance de sa bru.

– Combien de pintes lui avez-vous administré ? s'enquit le libraire Folenfant.

– Il a avoué à la quatrième. C'est une petite nature.

Charlemagne voulut protester mais il ne produisit que des gargouillis incompréhensibles qui le firent tousser, puis vomir à nouveau d'abondance. Bien qu'il ait rendu environ deux pintes, il se sentait encore très proche de l'explosion stomacale.

Comme l'exigeait son nouveau statut de coupable atteint et convaincu de sacrilège, Cantalamesse lui emprisonna les poignets et les chevilles dans des bracelets de contention en acier, nouveaux modèles de la maréchaussée dotés d'un mécanisme autorisant l'usage d'une clef et épargnant ainsi au geôlier le toujours délicat travail du ferrage à froid.

Charlemagne retrouva des sensations qui lui rappelèrent désagréablement son séjour chez Achille Javertit, l'ancien garde-chasse des Armogaste qui l'avait enchaîné, affamé, excédé de travail et de coups de trique plusieurs semaines durant, jour du Seigneur compris.

– Ze me venzerai, marmonna-t-il sans conviction, sans forces, sans plus rien du tout.

Il gisait depuis des heures sur le flanc gauche, les genoux remontés contre la poitrine, seule position qui le soulageait de la compression qu'exerçait son estomac distendu sur son duodénum et son tube à crotte. A peine remuait-il et des nausées le convulsionnaient. Il entendait sans comprendre le bavardage en patois des faux-sauniers qui se mêlait aux bruits de mastication du libraire consommant son troisième et avant-dernier repas du jour.

Comme la veille, Julie se présenta en début de soirée, sans bonnet, loupiote allumée à la main. Charlemagne entendit la clef tourner dans la serrure et la cage du libraire s'ouvrir. Comme la veille, les mêmes bruits, les mêmes soupirs, les mêmes odeurs *sui generis* animèrent les lieux.

Ses possessions ne lui ayant toujours pas été restituées, il avait renoncé à son projet d'affermer la ribaude et de s'évader. De toute façon, son état présent ne lui permettait pas de se tenir debout sans vomir.

Il demeura recroquevillé toute la nuit et la matinée du lendemain, incapable de manger et surtout de boire. L'embouchure métallique avait écorché le voile de son palais et sa luette, faisant enfler celle-ci au point de lui rendre la respiration difficile. Quand il ne sommeillait pas, il ressassait des projets vengeurs à l'encontre du juge, du geôlier, de l'abbé, du Troisième, de Basile, d'Honoré, de Bertille, de Dieu...

En début de relevée, Cantalamesse et le sergent Charfouin entrèrent dans sa cage et lui enjoignirent de les suivre.

Depuis qu'il n'en avait plus, le sergent découvrait à chaque instant l'incontestable supériorité du pouce sur tous les autres doigts. Le chirurgien s'était borné à scier ce qui restait du métacarpien et à égaliser les chairs mâchurées au scalpel avant de cautériser la plaie au fer rouge et d'enrouler autour un bandage de quatre pieds de long. Désormais, Charfouin tenait sa pertuisane de la main gauche, et, plus grave, il ne pouvait plus s'occuper du registre des écrous. Plus grave encore, il souffrait comme un diable qui se serait pris la queue dans la porte de l'Enfer.

– Comme il pue ! s'exclama-t-il, en aidant le prisonnier à se relever d'un coup de manche de pertuisane sur l'épaule.

Charlemagne s'agrippa à deux mains aux barreaux pour rester debout, ferma les yeux et attendit quelques instants que cessent les vertiges et les nausées. Cantalamesse déverrouilla les fers encerclant ses chevilles mais laissa ceux des poignets. Poussé dans le dos par la pointe de la pertuisane, le prisonnier sortit de la cage et suivit le geôlier dans l'escalier. Il traversa la pièce où il avait été questionné, longea le petit couloir, la salle de garde du guet, le hall d'entrée et entra dans le tribunal.

Sur une estrade placée contre la boiserie, monsieur le juge-prévôt Cantagrel siégeait dans une robe d'audience rouge à rabat et manchettes en fourrure d'hermine. Il était flanqué du greffier Sanguinède et de l'assesseur Briou dont la principale fonction était de dresser les copies conformes des actes judiciaires.

L'audience n'ayant pas été annoncée au public, la salle était vide. Seul Marty, l'appariteur, se tenait en curieux près de la porte. Le sergent Charfouin plaça Charlemagne là où il devait se tenir.

Monsieur le juge Cantagrel joignit index et majeur et déclara, d'une voix chagrine :

74

– En premier chef d'accusation, pour avoir rompu un contrat sans motif raisonnable, pour avoir aggravé son cas en se livrant à des violences caractérisées sur la fille Pibrac, je condamne au nom du roi le dénommé Charles Leloup, natif de Montpellier, à débourser à monsieur l'exécuteur en chef des hautes et basses œuvres Justinien Pibrac la totalité du coût de la noce avortée. Je le condamne itou à dédommager la fille Pibrac pour les trois orteils molestés, à raison de trente livres par orteil, soit quatre-vingt-dix livres.

Tête baissée, épaules affaissées, Charlemagne semblait ne rien entendre ni écouter. Les plumes du greffier et de l'assesseur crissaient sur le papier à l'en-tête fleurdelisé.

– En deuxième chef d'accusation, pour avoir dérobé cinq cents hosties dans la sacristie de l'église Saint-Laurent, pour avoir avoué sous la Question ordinaire les avoir mangées dans leur totalité, je condamne au nom du roi le dénommé Charles Leloup à être flétri comme il se doit, et je condamne, toujours au nom du roi, le dénommé Charles Leloup à cinq cent et un ans de galères. Et voilà.

Cantagrel désunifia ses doigts, descendit de l'estrade et retourna dans ses appartements privés, l'âme en paix, la conscience idem.

L'assesseur termina la copie du jugement, sécha l'encre et fit signe à Cantalamesse de venir en prendre réception.

– Eh bé, eh bé, on peut dire que tu as une chance de grand cocu ! lui confia avec admiration le geôlier en le poussant hors du tribunal.

Le sergent Charfouin suivit, pertuisane à l'horizontale braquée sur ses reins.

On reconduisit Charlemagne dans la salle où Raton badigeonnait des maillons de chaîne à la graisse d'arme. Le perroquet déplumé s'ennuyait sur son perchoir. Une marmite pendue à la crémaillère de la cheminée cuisait de la soupe à la châtaigne. Cantalamesse tira la chemise de son prisonnier hors de la culotte et la retroussa d'un coup vers le haut, comme on dépiaute un lapin, dénudant le dos et les épaules, recouvrant la tête. Une bourrade et un croc-en-jambe l'allongèrent sur le dallage, les bras tendus devant lui.

– Ne bouge plus, dit Cantalamesse en posant son genou sur le dos de Charlemagne pendant qu'il rebouclait des bracelets de contention autour de ses chevilles.

Incapable de l'aider, Charfouin le regardait faire.

– Que je me morde l'œil si c'est pas une blessure par balle, ça, dit le geôlier en découvrant la cicatrice rose sur le flanc de Charlemagne.

Le sergent eut un ricanement sans joie.

— Il a dit au juge qu'il était tombé sur une branche.

Cantalamesse se redressa. Son genou fut remplacé par la pertuisane du sergent.

A demi étouffé sous sa chemise, n'y voyant rien, Charlemagne entendit quelqu'un pelleter des braises dans la cheminée.

Cantalamesse s'approcha du râtelier où étaient rangées les marques de justice. Il choisit celle à trois lettres réservée aux galériens, GAL, et il alla l'enfouir dans le brasero. Le maître forgeron qui avait forgé ses marques était le même qui lui avait forgé ses belles cages de fer.

Cantalamesse possédait un A, réservé aux avorteuses, et qui s'appliquait à deux doigts sous le nombril. Le D était pour les déserteurs et s'appliquait indifféremment sur une joue ou sur le front. Le F des faussaires et des tricheurs s'appliquait sur le haut des mains.

Le G de gabelle marquait les faux-sauniers, les faux-tabatiers et les contrebandiers aux épaules. La marque GAL s'appliquait sur l'épaule gauche. Le M pour les mendiants-vagabonds marquait le dessus des pieds, sous prétexte que ces délinquants vagabondaient le plus souvent nu-pieds. Le Q, bien sûr, était réservé aux apôtres du trou fignon, nommés aussi sodomites, et que l'on marquait sur les hauteurs du fessier. Le V était pour les voleurs et le W pour les voleurs récidivistes. Le geôlier-tourmenteur disposait aussi d'une fleur de lys à l'usage des putassières invétérées, et d'une flamme triangulaire pour les incendiaires, ces deux dernières applicables sur le milieu de la poitrine.

Charlemagne sentit la pertuisane lui épingler l'épine dorsale, pareille à la rapière du Troisième épinglant sa gorge l'autre nuit. Son impuissance à empêcher ce qu'on allait lui faire l'enrageait à grincer des dents.

Il entendit le geôlier gourmander Charfouin.

— Tu comprends que je ne peux pas continuer à te solder maintenant que tu n'es plus bon à rien sans ton pouce. Regarde-toi, tu peux à peine tenir ta pique correctement. Ah non, oui, vraiment, il me faut un autre guichetier, c'est sûr.

Les trois lettres de fer mesuraient un pouce huit lignes de haut et il fallut douze Pater Noster de temps pour qu'elles soient convenablement chauffées au rouge.

76

Charfouin s'assit pesamment sur les reins de Charlemagne, le plaquant contre le dallage. Cantalamesse lui immobilisa la nuque en posant dessus son pied botté.

– Ne bouge surtout pas, sinon je vais baver et je serai obligé de recommencer à côté.

Une bonne marque devait s'appliquer sans trembler, sans hésitation, en appuyant et en comptant jusqu'à trois, le temps aux lettres de pénétrer l'épiderme jusqu'au derme.

Charlemagne hurla. Sa peau grésilla en dégageant une fumée grise qui fleurait bon le cochon grillé, éclipsant les relents de graisse d'arme et de soupe à la châtaigne.

Cantalamesse déposa sur la blessure un onguent de racines de géranium pilées, un excellent rempart contre les assauts de la purulence. Charfouin dut poser sa pertuisane pour aider le geôlier à redresser le condamné et à rabattre sa chemise.

Hirsute, les yeux mouillés de larmes, les joues rougies à l'extrême par la colère, Charlemagne hurla aussi fort qu'il put, et il pouvait beaucoup :

– ZE ME VENZERAI!

Chapitre 10

Quand je vois ce que les pigeons ont fait à cette
statue, je remercie Dieu de ne pas avoir donné
des ailes aux vaches.

Buffon devant la statue de Carolus Magnus

La brève de Charlemagne quitta Bellerocaille le lundi par la
patache Rodez-Millau, serrée avec d'autres dans la grande sacoche
de cuir fort que l'on nommait « malle-poste ».

La lourde patache voyagea le jour entier à la vitesse de ses huit
chevaux, passa la nuit au relais de Tras-la-Garrigue et repartit aux
aurores pour arriver à Racleterre avant les vêpres. Le conducteur tria
plusieurs lettres et un paquet et les remit en échange d'un reçu au
maître de relais Arsène Durif. Ce dernier inscrivit leur arrivée dans
son registre puis il les disposa en évidence sur l'étagère de la Ferme
générale. Cette dernière se contentait d'acheminer le courrier sans le
distribuer à domicile, il revenait aux intéressés de vérifier si de la
correspondance se trouvait en instance pour eux.

Le maître chicaneur Alexandre Pagès-Fortin poussa la porte à
claire-voie avec sa canne et entra en boitant dans la salle enfumée et
bruyante. Toutes les tables étaient occupées et les conversations roulaient sur la grêle qui avait sinistré la baronnie de Bellerocaille dans la
nuit du samedi au dimanche. On parlait aussi de l'hilarante mésaven-
ture survenue au maître exécuteur de Bellerocaille qui avait voulu
marier sa fille à un gendre qui s'était dédit en pleine cérémonie. L'évo-
cation d'une telle scène mouillait les yeux de gaieté et certains se donnaient des claques sur les cuisses en secouant leur tête avec incrédulité.

— Paraît que tout de soudain, le gendre il a plus voulu être bourrel.
— *Té té boutchicou !* J'aurais baillé cher pour la voir, moi, la
caboche du Pibrac !

78

– D'autant plus que sa garce, eh ben, paraît qu'elle est déjà grosse jusqu'aux sourcils.

– On dit qu'il y avait plus de cent bourrels tout harnachés en rouge.

– A moi, le postillon m'a dit que leur cérémonie avait eu lieu à minuit, comme pour des hauts parages.

– Ces bourrels tout de même ! Pour qui qu'y s'prennent, non mais ?

– Ah, c'est du propre !

– *Té té*, pourquoi qu'on dit « c'est du propre » quand justement ça l'est point ?

Pagès-Fortin sourit à la vue du paquet sur l'étagère. Il avait commandé au printemps *Le Compte Rendu au Roy pour l'année 1781* de M. Necker et il l'attendait avec la même fébrilité qu'il avait attendu vingt ans plus tôt le *Traité sur la tolérance* de Voltaire. Posant sa canne sur le comptoir, il prit livraison du paquet et le déficela pour s'assurer de son contenu. Avec émotion, il découvrit un petit livret à la couverture bleue d'une centaine de pages.

La tradition voulait que le contrôleur général des Finances communique au roi un état annuel incluant le montant des dépenses et des revenus de l'année écoulée, ainsi qu'une prévision des revenus et des dépenses pour l'année à venir. Ces comptes restaient secrets et on ignorait tout de l'usage de l'argent des impôts. Or, pour la première fois dans l'histoire de la monarchie, un directeur général des Finances expliquait l'usage de cet argent et, plus sacrilège encore, il osait dévoiler la liste *nominale* des pensions et des charges versées à la famille royale et aux courtisans, mettant ainsi en pleine lumière l'énormité calamiteuse des gaspillages de la Cour.

Pagès-Fortin ne se faisait cependant aucune illusion sur le compte de M. Necker et de ses méthodes, ô combien éculées, de recours systématique à l'emprunt. Rien d'étonnant après qu'il puisse financer la guerre aux Amériques sans augmenter les impôts. Le bel exploit ! Et il s'en vantait, l'impudent.

Joints au *Compte Rendu au Roy* se trouvaient plusieurs exemplaires du *Journal de Paris* et du *Mercure de France*, ainsi qu'une douzaine de *Nouvelles à la main* que lui expédiait chaque trimestre son libraire parisien.

Les *Nouvelles à la main* étaient une lettre ouverte de trois à quatre feuillets garnis de potins et de ragots, tous écrits à la main par des copistes autant de fois qu'il y avait d'abonnés. Ainsi, malgré l'éloignement, Pagès-Fortin était au fait de tout ce qui se passait d'important dans le royaume, comme de tout ce qui se tramait à la Cour ou au Palais-Royal.

– Vous avez aussi une brève, monsieur l'avocat.

Pagès-Fortin chaussa ses besicles pour l'examiner sans l'ouvrir. Il reconnut le cachet de cire noire du geôlier de la prévôté de Bellerocaille, mais il ne reconnut pas l'écriture démesurée de l'expéditeur. Il paya dix-huit sols de port pour le paquet venant de Paris, et trois sols pour la brève de Bellerocaille, puis il se rendit à petits pas vers la débite de tabac de la rue des Deux-Places. Pendant que le tabatier préparait sa commande de Vrai Malte, Pagès-Fortin rechaussa ses besicles pour décacheter la lettre qu'il lut sans en comprendre un mot, à part les deux premiers : « C'est moi. »

– Voici votre once, monsieur l'avocat, bien pesée comme à notre habitude.

Pensif, il paya et glissa le paquet de tabac dans la poche de son habit. Si le texte de cette lettre lui était incompréhensible, il était certain qu'il s'agissait de *lenou*, cet extravagant patois inventé par les quintuplés Tricotin lorsqu'ils étaient enfants. Or la seule personne capable d'écrire dans un pareil baragouin était morte au printemps 77, et l'avocat gardait le souvenir d'une messe en l'église Saint-Benoît célébrée pour le repos de son âme. Autre certitude, le cachet du geôlier signifiait que la brève sortait de ses geôles et que l'expéditeur était un détenu. Il hésita sur la suite à donner.

Après les subits décès de leur père et mère survenus alors qu'ils entraient dans leur onzième année, les quintuplés avaient été cruellement désassemblés. L'instigateur de cette séparation, leur grand-père maternel, le maître gadouyeur-vidangeur Baptiste Floutard, s'était octroyé Clodomir l'aîné, Pépin avait été donné à leur grand-père paternel, le maître maréchal Louis-Charlemagne Tricotin, et Clotilde et Dagobert avaient été distribués ensemble à leur oncle paternel, le maître tanneur Félix Camboulives, tandis que Charlemagne avait été réclamé par sa marraine, dame Jacinthe d'Entrevallée-la-Verte, la châtelaine du château des Armogaste.

Malgré son impatience à rentrer chez lui pour lire le brûlot de M. Necker, fumer une pipe de Vrai Malte, un verre de brandy à portée de la main, l'avocat remonta jusqu'à la place Royale pour se rendre rue des Frappes-Devant.

Un énorme fer à cheval en bois peint en rouge signalait de loin la maréchalerie Tricotin. La grande enclume, maîtresse des lieux, trônait au centre, bien visible de la rue. Pendant que Calade, le porte-sabot d'une douzaine d'années, attisait les braises de la forge en actionnant un gros soufflet, Lardon, le second apprenti, guère plus âgé, changeait l'eau dans l'auge servant à refroidir les fers incandescents. Le maître maréchal Caribert Tricotin et son fils Mérovée étudiaient gravement le pied d'un jeune mulet de trois ans qui n'avait jamais été ferré : l'animal était nerveux et son propriétaire s'efforçait de le calmer en flattant son chanfrein.

Pépin Tricotin, vêtu d'un tablier de cuir, tapait de bon cœur sur un fer chauffé au rouge, provoquant des gerbes d'étincelles qui illuminaient les murs noircis par la suie. L'air embaumait la corne brûlée. Dans la cour, un gros bœuf et son bouvier attendaient leur tour.

– Bien le bonsoir, monsieur Alexandre, souhaita Caribert en relâchant le pied du mulet.

Pagès-Fortin était bien considéré chez les Tricotin. Dix-huit ans plus tôt, il avait accepté d'être témoin au duel qui avait opposé Clovis, le frère cadet de Caribert, à un maître d'armes à l'amour-propre chatouilleux. Plus tard, après que les quintuplés eurent été expulsés de la Petite École pour leur mauvaise conduite, il avait pris leur éducation à sa charge en les admettant dans son Temple du Savoir de la rue des Serre-Ceintures. Plus récemment, il avait détecté le talent de Clotilde pour la peinture et il avait entrepris les démarches nécessaires pour son inscription à l'école gratuite de dessin de Rodez. Il comptait également convaincre les familles Tricotin, Floutard et Camboulives de se cotiser pour envoyer Dagobert à l'université de Montpellier.

– Je vous salue, maître Tricotin, et vous aussi, mes amis, dit-il avec un geste englobant tous ceux présents dans la forge, le mulet inclus.

Il s'approcha de Pépin qui modelait le métal ramolli à coups de marteau répétés.

– Écoute, mon garçon, et dis-moi si tu comprends quelque chose à ce que je vais te lire.

Il déplia la brève et lut en articulant chaque syllabe avec soin. Abandonnant fer chaud, pince et marteau, Pépin s'exclama d'une voix forte :

– Charlemagne est en prison ! Ah ça, non alors !

L'oncle Caribert parut tomber du ciel tête première.

– Charlemagne ? Charlemagne ?

Pagès-Fortin brandit la lettre en cherchant à croiser le regard de Pépin qui ôtait son tablier de cuir et le lançait sur l'établi.

– C'est donc Charlemagne qui a écrit ça ?

– Bien sûr, puisqu'il le dit que c'est lui, lança Pépin en quittant la maréchalerie au pas de course.

Ils le virent prendre la direction de la place de l'Arbalète où habitait son frère Clodomir.

– Expliquez-moi, monsieur Alexandre ! Charlemagne est mort noyé ! J'ai été à sa messe ! Ça ne peut donc pas être lui, protesta l'oncle Caribert.

Bien qu'il lui en coûtât, Pagès-Fortin n'était plus de cet avis.

– Qui d'autre est capable d'écrire en lenou ?

Le maréchal regarda autour de lui, comme pour chercher de l'aide.

– Mais s'il n'est pas mort, où était-il durant toutes ces années ?

Pagès-Fortin remontra la brève.

– Voyez par vous-même, elle a été postée à Bellerocaille et elle porte le cachet de Cantalamesse, le geôlier de la prévôté.

Les apprentis, le propriétaire du mulet, le bouvier dans la cour se tenaient attentifs, conscients d'être témoins d'un événement d'importance. Tous avaient connu Charlemagne, tous le savaient mort.

– Si Charlemagne est vraiment vif, monsieur le chevalier va sûrement l'apprendre et va vouloir le faire pendre. C'est un rancunier, vous en savez quelque chose.

Durant ces quarante dernières années, le chevalier Virgile-Amédée avait intenté dix-sept procès à l'avocat : le dernier en date était en appel à Montauban et avait pour motif la création d'une imprimerie rue des Maoures, dans les locaux d'une ancienne salle d'armes désaffectée.

– Il y a pire à craindre, maître Tricotin. Si c'est dans les geôles de la prévôté de Bellerocaille qu'il se trouve, il est possible, voire probable, qu'il ait déjà été jugé, condamné et peut-être même exécuté. Je connais ce juge-prévôt, c'est un expéditif. Je sais aussi par mon confrère beaucailloussien maître Cressayet que l'individu collectionne les condamnations originales comme d'autres les incunables ou les tabatières.

L'avocat montra encore la lettre en hochant la tête.

– Pourquoi me l'avoir destiné alors que d'évidence elle est écrite pour ses frères ?

– S'il est en prison, c'est qu'il a besoin d'aide, dit Mérovée d'une voix grave qui jurait avec son jeune âge.

Le maître maréchal regarda son fils d'un air soupçonneux.

– Tu savais qu'il était vivant ?

L'adolescent baissa la tête sans oser mentir.

– Un petit peu.

L'avocat s'indigna, tout rouge :

– J'aurais pu être prévenu !

Il avait apprécié Charlemagne, le plus captivant, le plus hurluberlu des cinq, et l'annonce de sa mort par noyade l'avait sincèrement chagriné.

Mérovée dit à son père :

– Pépin s'en est allé prévenir Clodomir, mais il va vouloir aussi prévenir Clotilde et Dagobert, et il n'aura pas le temps. Je vous prie, mon bon papa, de me laisser y aller. En courant tout le long, j'ai le temps de revenir avant porte close.

Prenant son silence préoccupé pour un assentiment, Mérovée ôta son tablier, enfila son justaucorps et s'en alla en courant dans la direction de la porte des Croisades, le cœur battant à l'idée de voir sa jolie cousine Clotilde.

La tannerie Camboulives se situait à l'extérieur du bourg, à une demi-lieue en amont du Dourdou. Des ouvriers travaillaient aux mises en fosses dans la grande cour longée d'arbres, indifférents à la puissante infestation des jus de tannée. Devant le moulin à tan au bord de la rivière, maître Félix Camboulives contrôlait la qualité d'une livraison d'écorces de chêne, assisté de Dagobert qui vérifiait sur une balance romaine le poids de chaque sac. Avec la régularité d'un tic nerveux, le jeune homme sortait de sa manche un mouchoir imprégné d'eau de lavande qu'il s'appliquait sur le nez et respirait à fond.

Mérovée débula dans la cour, ses sabots à la main pour galoper plus commodément. Avant même d'arriver, il cria à Dagobert, essoufflé :

– Charlemagne est en prison à Bellerocaille !

Comme Dagobert et l'oncle Félix le regardaient sans mot dire, il ajouta :

– Il a envoyé une brève à maître Alexandre, mais elle était en lenou et comme il n'y a rien compris il est venu la lire à Pépin.

L'oncle Félix le toisa d'un air sévère :

– Tu as perdu ton couvercle, mon garçon. Nous avons du travail, ici, reviens plus tard.

– Clodomir le sait ? demanda Dagobert en refermant le registre sur lequel il inscrivait le poids des sacs.

– Pépin est parti le prévenir... C'est pour ça que c'est moi qui suis venu, dit Mérovée, l'air d'un chiot cherchant des caresses.

L'oncle Félix vit que les ouvriers s'étaient arrêtés de travailler et les observaient.

– Cesse de déparler. Charlemagne est mort et il ne peut donc pas écrire de lettre. Qu'est-ce qui te prend à la fin ? Et toi, je te pensais plus éveillé, tout de même, ajouta-t-il à l'intention de Dagobert.

L'émotion qu'il lut sur le visage de son neveu le troubla.

– Bénis soient mes dix orteils ! Il est vraiment vivant alors ?

– Clotilde est ici ? demanda Mérovée en regardant vers la tannerie.

– Non, elle est chez l'exacteur Bompaing. Elle lui fait le portrait.

Le garçon cacha sa déception avec l'aisance que donne l'habitude : il y avait longtemps qu'il était embéguiné de sa cousine.

– Quand je pense qu'on a payé une messe pour son âme ! rouspéta l'oncle Félix en les regardant tour à tour, l'air grognon.

En avril 77, suite à une plainte du chevalier Virgile-Amédée, Charlemagne avait été dûment atteint et convaincu de vols aggravés, une peine châtiée par la pendaison en cette châtellenie. Un avis de recherche avait été expédié aux brigades de maréchaussée de Roumégoux et de Bellerocaille et une prime de vingt livres avait été offerte à toute personne contribuant à sa prise de corps. Quelques jours plus tard, Achille Javertit, le garde-chasse des Armogaste, avait rapporté que le voleur s'était noyé dans le Dourdou sous ses yeux. Il avait fourni pour preuve plusieurs des objets dérobés.

– Mais où vas-tu ? Le pesage est loin d'être fini !

– Finissez sans moi, mon oncle, je vais retrouver les miens ! lui cria Dagobert en s'éloignant, Mérovée sur ses talons.

Clodomir étudiait dans le cabinet de travail de son grand-père Baptiste tandis que sa grand-mère Adèle faisait ses vêpres à Saint-Benoît. Baptiste Floutard était en déplacement à Roumégoux. Les

84

domestiques, eux, vaquaient à leurs ingrates occupations. Il avait déplié le plan de coupe de *La Belle Entreprise* et l'examinait avec une grosse loupe en prenant des notes.

Trois mâts, deux cent cinquante tonneaux, douze canons, quarante et un membres d'équipage, une cale pouvant accommoder cinq fois cent nègres, un tirant d'eau de quatre mètres cinquante permettant le cabotage et une sirène dénudée jusqu'au nombril pour figure de proue.

— Il n'est point de modèle existant plus approprié pour le commerce triangulaire, assurait grand-père, qui tenait l'information de son partenaire, l'armateur-négrier Abraham Marangus de Bordeaux.

Le fracas de la patache Rodez-Millau remontant la rue pavée des Deux-Places passa à travers les fenêtres vitrées du cabinet.

L'achat du vaisseau avait coûté quarante-huit mille livres, son armement deux cent quarante mille. De moitié dans cette campagne, Floutard avait payé sa participation partie en argent, partie en marchandises de troc.

Aux bourgeons de l'an prochain, Clodomir appareillerait à Bordeaux sur *La Belle Entreprise* et participerait à la campagne négrière. En accord avec les Marangus, Baptiste Floutard l'avait nommé représentant à bord des *Établissements et Entreprises Floutard & Fils*. Il lui avait confié la double mission de s'initier à la traite et de veiller sur l'investissement familial. Le vaisseau devait se rendre sur les côtes d'Afrique et y troquer sa cargaison de marchandises contre une cargaison de nègres. Il devait ensuite traverser la mer océane, revendre les nègres à Fort-de-France et revenir à Bordeaux les cales rebondies de balles de café, de coton, d'indigo, de cacao, de sucre. Les profits à la revente étaient garantis faramineux.

Clodomir préparait son départ en étudiant les nombreux livres de bord et livres comptables des précédentes campagnes prêtés par Abraham Marangus. Il comptait compenser sa jeunesse et son inexpérience par une bonne connaissance livresque du sujet. Tout en apprenant par cœur les tours et les contours des côtes africaines, les tarifs en vigueur, les cours du troc selon les contrées, les différences qualitatives entre les tribus, il s'efforçait de distinguer bâbord de tribord et de faire la différence entre un cacatois de perruche et un perroquet de fougue.

En parallèle à ces études, son grand-père l'expédiait régulièrement chez les fourbisseurs de la rue de l'Estoc vérifier l'état des commandes de mille cinq cents lames de sabre et de mille cinq cents lames d'épée destinées au troc. Clodomir devait aussi visiter les maréchaux de la rue des Frappes-Devant (à l'exception de la maréchalerie Tricotin, Baptiste Floutard étant brouillé pis qu'une omelette avec les Tricotin père et fils) qui leur forgeaient deux mille fers de hache et quatre cents canons de fusil. Il y avait aussi les tisserands de la ruelle Marche-à-Reculons qui leur filaient deux mille couvertures bariolées à l'indienne, et les drapiers de la rue Jéhan-du-Haut qui s'étaient engagés à produire avant Pâques mille aunes de drap rouge amarante, mille aunes de drap jaune poussin, mille aunes de drap noir sans lune, les trois couleurs favorites des actuelles majestés fournisseuses en esclaves.

Clodomir promena sa loupe au-dessus des cales à esclaves pratiquées entre le pont supérieur et le pont inférieur. Il aurait aimé découvrir un moyen qui aurait permis un gain de place pour embarquer un cent de nègres supplémentaire.

Il s'imaginait déjà sur le pont du navire, clouant le bec au charpentier, et même au capitaine, en leur démontrant, croquis en main, comment opérer les agrandissements. Il avait confié son problème à Dagobert, qui l'avait aussitôt mis en garde :

– Si tu trouves comment faire, tu devras convaincre grand-père Baptiste avant le départ, car il te faudra emporter plus de marchandises de troc pour payer ton rabiot de cent nègres.

Dagobert excellait à répondre aux questions qu'on ne lui posait pas, aussi Clodomir insista et son frère finit par suggérer :

– Comme il ne paraît pas possible de gagner de l'espace en largeur, cherche en hauteur.

Depuis, Clodomir cherchait, aidé de sa grosse loupe et d'une indéfectible certitude en sa réussite. En vérité, seule la durée du voyage, estimée entre un et deux ans, tempérait son enthousiasme. Il avait demandé à ce que Pépin l'accompagnât, mais grand-père Baptiste l'avait rabroué.

– Surtout pas, malheureux ! A peine êtes-vous plus d'un et vous n'en faites qu'à votre caboche, et alors les ennuis accourent, bigreli, bigrelou.

Au vacarme sur les pavés, Clodomir sut que les charrettes et les tombereaux de cagadou et de barils de vidange rentraient de leur tournée, chargés de la manne ordurière qui faisait la fortune du maître gadouyeur-vidangeur.

Soudain, comme pris d'une subite envie, il posa sa loupe et alla regarder par la fenêtre qui donnait sur la place de l'Arbalète. Au même instant, Pépin débouchait de la rue des Afitos et venait droit sur les Établissements Floutard. Sans pouvoir s'expliquer pourquoi, Clodomir sut dans l'instant qu'il allait être question de Charlemagne.

L'air martial à souhait, monsieur l'exacteur royal et seigneurial Amans de Bompaing posait face à la fenêtre du salon. La main gauche sur la garde de son épée, la main droite présentant entre deux doigts une quittance de recouvrement frappée de trois fleurs de lys. L'exacteur s'était emperruqué, poudré, ciré la moustache et avait passé pour la circonstance son meilleur habit à la française, bleu à revers jonquille et souliers à boucle d'argent. Un récent accès de goutte rendait sa posture debout pénible.

– Cessez de gigoter sans arrêt, sinon j'arrête, moi ! le prévint d'une voix impatiente Clotilde en le menaçant de son pinceau.

Une lueur mauvaise traversa le regard du vieil homme qui n'appréciait guère d'être rappelé à l'ordre par une effrontée de si petite condition. Attablées autour d'une table à jeux, madame sa mère, madame sa tante, mademoiselle sa sœur, Mme de Puigouzon et Mme de Brasc avaient interrompu leur partie de bassette pour lancer des regards désapprobateurs vers la jeune fille.

Clotilde n'en avait cure. Elle avait seulement hâte d'en finir avec cette commande ; d'autant plus hâte qu'elle avait été flouée sur les conditions de sa réalisation. Lors de la première séance de pose, et bien que le prix ait été convenu à l'avance pour un portrait en buste, Bompaing avait exigé un portrait en pied, la contraignant à se procurer une toile au format supérieur, à racheter une plus grande quantité de couleurs et à prévoir un temps d'exécution plus long. Une telle marque de mauvaise foi était peu surprenante chez un individu qui se glorifiait du titre de « fonctionnaire le plus abhorré du bourg et des alentours ».

Sa charge d'exacteur consistait à parcourir la châtellenie en compagnie de ses grippe-sols, et à recouvrir pour le compte du roi la taille, le don gratuit et le vingtième, pour le compte du seigneur, le cens et le champart, et pour celui de l'abbé, les trois dîmes : la grosse, la menue et la verte. Les onze pour cent qu'il percevait depuis trois décennies sur chaque somme récupérée le désignaient comme l'une des fortunes les plus réussies de la châtellenie.

Clotilde avait d'abord tracé à la mine de plomb la silhouette de son sujet, puis elle avait esquissé l'arrière-plan, un drapé de rideaux s'entrouvrant sur une carte de la châtellenie, ensuite elle avait peint tout ce qui était carnation – le visage et les mains – sans toutefois faire les yeux qu'elle réservait pour la fin. Peindre le regard était pour elle l'instant magique où le portrait prenait vie.

Elle achevait les détails de la perruque financière en utilisant un pinceau en poils de moustache d'écureuil, lorsque le valet de pied entra dans le salon à petits pas précautionneux (il cassait les souliers neufs de son maître et souffrait stoïquement depuis deux jours). Désignant Clotilde derrière le chevalet, il dit, écœuré :

– Ses trois frères sont à la porte et la réclament, monsieur Amans.

– Qu'ils repassent plus tard, ces fâcheux.

Bompaing n'aimait pas les Tricotin et il était de ces Racleterriens à s'être réjouis à l'annonce de la disparition du plus trublion des cinq.

Clotilde posa sa palette, essuya ses pinceaux et annonça distraitement :

– Il se fait tard, monsieur, je n'y vois plus assez, je reviendrai demain.

Elle referma sa boîte à couleurs et sortit sans un mot ni un regard pour les joueuses de bassette. Dans le couloir, elle se pressa et descendit l'escalier quatre à quatre malgré sa robe bouffante. La vue de ses frères discutant avec animation au rez-de-chaussée lui assura qu'il ne pouvait s'agir que de Charlemagne.

– Il est en prison à Bellerocaille ! lui cria Pépin en la voyant dévaler les marches.

– Et on part tous demain, précisa Clodomir d'un ton sans appel.

Chapitre 11

> On ne peut faire un pas dans ce royaume sans y trouver des lois différentes, des usages contraires, des privilèges, des exemptions, des affranchissements, des droits et des prétentions de toutes espèces. On change de jurisprudence en changeant de chevaux.
>
> Arthur Young, *Voyage en France*, 1787

Le départ des Tricotin à bord de la berline de l'avocat Pagès-Fortin ne passa pas inaperçu. Nombreux furent ceux qui les virent descendre la rue Jéhan-du-Haut et sortir du bourg par la porte des Croisades.

Les Tricotin s'étaient entassés sur la même banquette afin de laisser à l'avocat un espace suffisant pour allonger son pied goutteux. Conscient qu'il n'aurait pas dû voyager dans son état, Pagès-Fortin n'avait pourtant pas eu le cœur de leur refuser son assistance, pis, il n'avait même pas abordé la question de ses épices.

Laronet, son cocher depuis vingt ans, conduisait l'attelage de quatre comtois à contrecœur. Comme son maître, il n'aimait pas les imprévus et encore moins les départs au pied levé. Marius, le valet de chambre de M. Alexandre, tout aussi maussade, était assis sur la banquette à ses côtés, un mousqueton chargé en travers des cuisses, en cas. Les grands chemins du Rouergue étaient peu sûrs et tout voyage dépassant la demi-journée incitait le voyageur à s'armer.

La berline fit une première halte à la tannerie Camboulives où Dagobert convainquit l'oncle Félix de leur avancer quelques livres pour leurs dépenses. Ils emportèrent aussi un panier rempli de cochonnailles, de fromage, de pain et de vin en chopine, qui s'ajouta aux paniers de victuailles de Pépin et de Clodomir.

Le maître tanneur s'était étonné de voir ce dernier présent dans la berline.

– Ton grand-père t'a laissé partir !

Clodomir rit de bon cœur.

– Il est à Roumégoux.

En son absence, il lui avait emprunté l'un de ses pistolets, avec un sac de poudre et un sac de vingt balles. Profitant du choc causé par la nouvelle de la résurrection de Charlemagne, il avait convaincu grand-mère Adèle de lui bailler soixante livres.

La berline était en vue de la côte du Bossu quand Dagobert interrogea l'avocat sur les risques encourus par leur frère. Celui-ci ne put que secouer sa perruque négativement.

– Tant que les raisons de son encachotement me sont inconnues, je ne saurais vous répondre.

Il les questionna à son tour et insista pour savoir ce que Charlemagne avait fait durant ces quatre années de disparition. Dagobert, élu ministre des Affaires extérieures de la fratrie depuis qu'ils savaient parler, lui conta une histoire aussi crédible qu'un œuf de coq et presque aussi outrageante au bon esprit.

– Fadaises, fadaises ! Un enfant ne peut survivre aussi longtemps dans une forêt, même dans une grotte. Allons donc, vous vous raillez et ce n'est point convenable !

Son incrédulité suscita une cascade de nouvelles révélations qui, tour à tour, l'agitèrent, l'éberluèrent, le passionnèrent, l'inquiétèrent.

Bien sûr qu'il se souvenait de cette grande battue aux loups qui avait si mal tourné pour les rabatteurs, comme pour son instigateur, le lieutenant de louveterie Anselme Armogaste. Il se souvenait aussi qu'on y avait déploré plusieurs morts, plusieurs blessés et d'innombrables dégâts matériels, chiffrés à plus de cent mille livres. Une grosse rumeur courait que les loups de la forêt de Saint-Leu avaient bénéficié de l'assistance particulièrement surnaturelle d'un meneur-garou.

Il existait des meneurs de loups, des humains renégats à leur race qui avaient fait alliance avec la gente lupine. Il existait aussi des loups-garous, authentiques âmes damnées, éjectées sur terre par Satan en personne chaque fois que son Enfer était surpeuplé. Un meneur-garou était la déplorable réunion des deux. On disait de tels hybrides qu'il était en leur pouvoir de domestiquer n'importe quel loup, grâce à une laisse tressée avec de la barbe de femme, des racines de montagne, des aboiements de chat, de la salive d'oiseau et aussi quelques plumes de poisson.

Trop éclairé par les lumières de son siècle pour croire à l'Enfer, à Satan ou même à des loups-garous en surnombre, Pagès-Fortin était en revanche convaincu des capacités à sévir de tous ceux qui croyaient à de pareilles bondieuseries.

— S'il s'avère que Charlemagne est emprisonné sous un pareil chef d'accusation, je vous le dis sans jactance, mes enfants, s'en est fini de lui... Et pour de bon cette fois.

— Personne ne tuera notre Charlemagne, personne ! s'exclamèrent-ils d'une seule voix scandalisée.

Comme chaque fois, Pagès-Fortin fut impressionné par leur synchronisme.

La voiture lourdement chargée s'arrêta au bas de la côte du Bossu. Les Tricotin montèrent la côte à pied. Arrivés en haut, ils se retournè-rent et admirèrent le point de vue sur le causse, le pont Saint-Benoît et Racleterre emmuraillé tout là-bas dans la boucle de la rivière.

A l'exception de Clodomir qui avait séjourné dans un pensionnat de Rodez, les trois autres quittaient la châtellenie pour la première fois de leur courte existence.

Pépin, surexcité par tant de novelleries, avait exigé de voyager sur l'impériale, cramponné aux cordages de la bâche qui recouvrait les bagages, éclatant de rire chaque fois qu'un cahot plus fort que les autres le faisait sauter en l'air comme une crêpe.

Ils traversaient la forêt de Saint-Leu quand Pagès-Fortin interrogea Clodomir sur grand-père Floutard, son principal opposant aux élec-tions de consul.

— Peux-tu me dire ce qu'il est allé faire à Roumégoux ?

— Il négocie un lot de quatre cents mousquetons de cavalerie que lui vend le colonel du Royal-Rouergue.

— Par tous les philosophes en tricorne, que veut-il donc en faire ? Lever une milice ?

— C'est de la marchandise de troc, pour la traite.

A Racleterre, tous connaissaient les ambitions affichées de négrier du maître gadouyeur-vidangeur, et les nombreuses commandes récemment passées auprès des divers artisans et commerçants du bourg l'avaient mis en avant et rendu presque populaire. Sans oublier qu'il avait réussi à louer à la Maison le droit d'exploiter la totalité du fossé qui ceinturait le bourg. Il employait trente villageois pour cultiver intensivement des pommes de terre, ce nouveau légume venu des Amériques et qui faisait fureur à la Cour, disait-on.

Pagès-Fortin prit l'air d'un Turc invité à un baptême.

— Assurément, mon garçon, ne vois-tu pas le côté bien ignoble qu'il y a dans la traite d'êtres humains ?

Clodomir haussa les épaules. Dagobert répondit pour son frère sur un ton enjoué de bon élève :

— Qui a dit : « La race des Nègres est une espèce d'hommes différente de la nôtre comme la race des épagneuls l'est des lévriers... » Ah oui, et puis aussi : « On peut dire que si leur intelligence n'est pas d'une autre espèce que notre entendement, elle est fort inférieure. » Eh !

Pagès-Fortin prit un air agacé. Dagobert avait toute la mauvaise foi requise pour faire un bon chicaneur si l'on parvenait à convaincre maître Camboulives de l'envoyer à la faculté de Montpellier, mais, en attendant, quel petit ergoteur !

— Ce qui me désole, vois-tu, ce n'est point que Voltaire se soit révélé aussi niais, ce qui me désole, c'est que tu aies pris la peine d'apprendre par cœur de pareilles fadaises de tréteaux !

— Grand-père Baptiste dit que les rois qui nous vendent leurs sujets nous vendent en réalité des criminels déjà condamnés chez eux et qui seraient suppliciés à mort si nous ne les achetions point, ajouta Clodomir sans rire.

— J'admire ton aplomb, mon garçon. Selon maître Floutard, ce grand philanthrope, la traite serait donc un acte de pur humanisme ?

— Oui, et il dit aussi que la traite ne peut être qu'humanitaire, sinon M. de Voltaire n'aurait pas figuré parmi les actionnaires de ce grand négociant en nègres, M. Montaudouin.

Ils changèrent de conversation et Pagès-Fortin voulut leur lire quelques passages édifiants du *Compte Rendu au Roy*, mais il dut y renoncer tant le mauvais état du chemin rendait toute lecture impossible.

La berline arriva à la brune tombante au relais de Tras-la-Garrigue. Les voyageurs soupèrent de bon appétit à la table d'hôte puis s'installèrent dans l'unique chambre de l'auberge, meublée d'un petit et d'un grand lit séparés par un paravent poussiéreux à motifs champêtres. Marius, le valet de chambre, dormit sur une paillasse étalée au pied du lit de son maître, tandis que Laronet couchait à l'écurie, sur la banquette de la berline.

Pagès-Fortin vit les Tricotin s'allonger en s'emboîtant les uns contre les autres dans l'ordre de leur naissance, Clotilde entre Pépin et Dagobert. Une fois les chandelles soufflées, l'avocat les entendit bavarder longuement dans leur jargon, le nom de Charlemagne revenait souvent.

Ils partirent le lendemain à l'aube prime, après une nuit consacrée en partie à combattre la curiosité gloutonne d'une armada de punaises rouergates si coriaces qu'il fallait les tuer plusieurs fois pour qu'elles ne reviennent plus.

Le paysage de désolation qui apparut en fin de matinée les avertit qu'ils entraient sur les terres des Boutefeux de Bellerocaille. Le cocher ralentit l'attelage tant le grand chemin était déformé par les ornières encore fraîches. Pour une fois, la rumeur n'était pas exagérée. La baronnie avait été sévèrement châtiée.

Ils approchèrent de la croisée du Jugement-Dernier une heure avant soleil faillant. Têtes à la portière, Clotilde et ses frères regardèrent avec curiosité le gigantesque dolmen qui marquait le centre du carrefour depuis la nuit des temps.

– C'est l'un des plus importants qu'il m'ait été donné à voir. Pourtant, je vous l'assure, de tels monuments abondent dans notre province. Je crois même que nous en possédons plus qu'en pays breton, c'est pour dire, expliqua l'avocat pendant qu'ils s'intéressaient à l'oustal Pibrac et à ses deux tours crénelées peintes en vermillon.

Le mur d'enceinte fait de moellons de grès rose avait le sommet armé de lames de pertuisane qui brillaient malgré le temps couvert. Ils virent les nombreuses lauzes neuves du toit et remarquèrent le tissu noir qui drapait de deuil le porche blasonné, ainsi que plusieurs créneaux de la tour est.

Laronet mit l'attelage au pas pour qu'ils aient le loisir d'examiner les fourches patibulaires où se profilait un corps quasiment nu, sans tête et en grande déliquescence.

– J'espère qu'il méritait ce qu'on lui a fait, lança Pépin du haut de l'impériale.

Une demi-lieue plus tard, les six comtois bien fatigués franchissaient le Pont-Vieux et faisaient halte sous la voûte de la porte ouest.

Le commis de l'octroi se désintéressa de la berline, mais le sergent du guet, après s'être assuré de leur destination et avoir reluqué Clotilde, exigea l'acquittement de l'impôt qui frappait tous les véhicules entrant dans Bellerocaille avec des roues ferrées. Cette taxe servait au renouvellement des pavés que le fer des attelages usait trop vite. Le sergent reçut les cinq sols dans la main gauche, sa dextre étant immobilisée dans un gros pansement.

Le commis de l'octroi avertit obligeamment Laronet que la rue du Paparel étant provisoirement barricadée à la circulation pour cause de repavage, il devait donc prendre la rue Droite, puis la rue Magne et gagner la poste aux chevaux. Çà et là sur les toits, des ouvriers changeaient des lauzes.

Les Tricotin piaffaient d'impatience à la pensée de savoir leur frère si proche. Ils virent sur la place du Trou un carrosse écarlate et une grosse berline de la même couleur stationnés devant le cimetière jouxtant l'église Saint-Laurent. La voiture traversa la place à petite vitesse pour s'immobiliser dans la cour carrée du relais Calmejane. Le valet Marius déplia le marchepied et ouvrit la portière. Son maître descendit avec précaution et se dirigea d'une démarche courbaturée vers l'entrée où se tenait le maître de poste Calmejane, les bras croisés, la mine avenante.

– Soyez le bienvenu, monsieur le chicaneur. Cela faisait longtemps.

– Merci, mon bon, mais ce chemin a épuisé toute ma patience et je suis moulu, répondit l'avocat avec humeur.

Marius prit le mousqueton, la malle, le bourdalou de son maître et le suivit à l'intérieur. Un goujat d'écurie aida Laronet au désharnachage des chevaux, tandis que les Tricotin récupéraient leurs bagages sur l'impériale, une malle courte et trois sacs de cuir.

– Vous avez rudement fait vitesse, je vous attendais point de si tôt, déclara Calmejane avec bonhomie.

Pagès-Fortin ne s'étonna nullement de tant de prescience. C'était d'ici qu'avait été postée la brève de Charlemagne et les maîtres de poste n'avaient pas la réputation d'être des gens discrets. L'avocat s'assit sur le premier banc en vue en laissant échapper un soupir.

Clotilde et ses trois frères entrèrent dans l'auberge.

– Je ne suis point venu seul, maître Calmejane, ces jeunes gens m'accompagnent et ont aussi besoin de lits. Ceci dit, je boirais volontiers l'un de vos reconstituants de circonstance. J'ai souvenir d'une liqueur de genièvre particulièrement roborative.

En quatre décennies d'avocasserie, Pagès-Fortin avait eu l'occasion de plaider une quinzaine de fois à Bellerocaille. A chaque occasion, il était descendu au relais Calmejane, pratique par sa proximité avec l'Hôtel de la Prévôté et la salle du tribunal. Il grimaça en étirant sa jambe sur le carrelage. Calmejane héla l'une de ses baillasses qui vint déposer un flacon de liqueur de genièvre et un verre sur la table. Le maître de poste le remplit en faisant bonne mesure et l'avocat le but à petites gorgées avec un plaisir évident.

– A propos, maître Calmejane, savez-vous ce qu'il en est de mon client ? Figurez-vous qu'il ne me dit mot du motif de son encachotement.

Il vida son verre et le maître de poste le remplit à nouveau.

– Celui qui vous a écrit s'appelle Leloup, c'est un natif de Montpellier et il est neveu ou cousin avec le bourrel de là-bas.

Pagès-Fortin échangea un regard en point d'interrogation avec Dagobert et Clotilde assis sur un banc voisin. Clodomir et Pépin, debout près des bagages, regardaient vers l'Hôtel de la Prévôté que l'on voyait dans le cadre de la fenêtre.

– Il a commis son sacrilège, et puis on a eu toute cette grêle, et puis j'ai dû changer plus de cent lauzes sur mon toit, à cinq liards la pièce ! *Puta de macarel !*

– Quel sacrilège ?

– Il a dévoré à lui tout seul toutes les hosties de monsieur l'abbé ! Et y en avait près d'un demi-millier !

– Que vient faire le mauvais temps dans tout ça ? demanda Dagobert.

Calmejane secoua sa tête comme un cheval qui s'ébroue, signe chez lui qu'il allait énoncer une évidence.

– Mais c'est la grande colère de Dieu, pardi ! Qui d'autre a le pouvoir de faire tomber des grêlons gros comme ça par milliasses ? !

Il montra son poing fermé.

– Il a d'abord grêlé pendant dix Miserere, et puis, comme si ça suffisait pas, il a plu à seaux tout le reste de la nuit. Vous avez vu les destructions en venant, non ?

Pagès-Fortin acquiesça d'un air entendu.

– Est-ce à dire que cette affaire va être traitée par l'officialité ?

Une mimique dégoûtée retroussa la lèvre supérieure du maître de poste.

– Hélas, non. Notre juge-prévôt en a fait un cas royal et l'a condamné avant-hier à cinq cent un ans de galères. L'officialité, elle, nous l'aurait joliment crématisé ce maudit empiffreur !

L'avocat vida son verre de liqueur et refusa un nouveau remplissage.

– Cinq cent un ans de galères, dites-vous ? Il semble que monsieur le juge-prévôt Cantagrel se soit surpassé cette fois.

Malgré une grande courbature générale, signe annonciateur d'une crise, il se leva en s'aidant de sa canne.

— Allons rendre visite à ce Leloup.

Les cloches de Saint-Laurent sonnèrent le glas.

— Ce sont les Pibrac qui enterrent un de leurs valets d'échafaud, dit le maître de poste avec un haussement d'épaules.

Pagès-Fortin attendit d'être dans la cour pour commenter la situation.

— Il nous faut être très avisé, car si Charlemagne utilise un autre nom c'est sans doute parce que le vrai pose problème.

Il se dirigea en boitant vers la place et s'arrêta sous le porche de la poste aux chevaux.

— Il n'empêche que faux nom ou pas le voilà condamné au bagne, et ça, c'est fâcheux, croyez-moi.

— Il faut faire appel à Montauban.

— Merci de me le rappeler, Dagobert, mais ce n'est pas si simple.

Il tapota sa canne ferrée sur l'une des grosses bouteroues de granit qui protégeaient les piliers du porche.

— Monsieur le juge Cantagrel tient en abomination les demandes en appel. Il les considère comme des outrages à son bon jugement.

Il traversa la place et entra dans le hall de l'Hôtel de la Prévôté, suivi des quatre Tricotin. Dans la salle du guet, quatre archers se préparaient à partir en patrouille.

— Nous venons visiter un détenu. Ne vous dérangez point, je connais mon chemin, leur dit Pagès-Fortin en traversant la pièce.

Clotilde, plutôt appétissante dans sa robe froissée et poussiéreuse, eut droit à quelques regards gaulois qu'elle ignora. Ils prirent un petit couloir qui les mena chez monsieur le conservateur. Celui-ci était attablé et rédigeait son mémoire de frais mensuel à l'intention de monsieur l'intendant à Montauban.

Cantalamesse sourit en reconnaissant le chicaneur de Racleterre.

— Eh bé, eh bé, vous voilà déjà ici, monsieur l'avocat, vous vous êtes bien hâté, je dois dire.

Il regarda avec curiosité les quatre jeunes gens qui accompagnaient le vieil avocat et nota leur ressemblance. Comme il chargeait sept sols par visiteur, ce furent trente-cinq sols qu'ils déboursèrent pour pouvoir visiter le détenu de la cage numéro V, avec un supplément d'un sol par chaise.

Chapitre 12

Si le loup prend plaisir à égorger l'agneau, ce n'est pas de la cruauté, c'est qu'il anticipe le plaisir qu'il va avoir en le croquant.

Carnets de route d'un Grand Méchant Loup,
du baron Ysengrin de La Haute Futaie, 1590

Les faux-sauniers bavardaient dans leur patois. Le billardeur grattait ses puces en chantonnant d'une voix geignarde.

Va te faire lanlaire
Va te faire lanla
Oui, va te faire lanlaire et lanla

Charlemagne ne désenfuribondait plus dans son coin. Ses chaînes cliquetaient sans cesse et son épaule le brûlait malgré un nouvel emplâtre.

– Zinq zent un ans de galères ! Et pourquoi pas neuf zent quatre-vingt-dix-neuf, tant qu'à faire ?

– Vous êtes un chançard inouï, lui assura Folenfant en battant son briquet pour rallumer sa pipe éteinte. Il existe cent dix-sept motifs d'inculpation qui sont obligatoirement punis de mort, et votre sacrilège en fait partie, aussi, c'est au bûcher qu'il aurait dû vous condamner.

– Ramer zinq ziècles, z'est bien trop bête comme zentenze ! Ze ne vivrai zamais auzi longtemps.

– Vous ramerez le reste en Enfer, voilà tout, dit avec fiel la femme Folenfant qui brodait assise sur son tabouret.

– Oh vous, on vous a rien demandé, vieille taupe !

– On ne rame plus aux galères depuis trente ans, rectifia le libraire en ignorant l'intervention de son épouse. Je pense même que le roi n'a plus de flotte.

Il tira sur sa pipe, *puf, puf, puf.*

– Ce sont des travaux forcés qui remplacent aujourd'hui les rames, *puf, puf, puf.* Ils vont donc nous enchaîner et nous forcer à travailler dans l'arsenal de Toulon.

Ce « nous » mortifia Charlemagne qui n'avait aucune intention d'aller travailler de force où que ce soit, encore moins pour le restant de ses jours.

On lui avait restitué dans la matinée une partie de ses affaires. Son collier de trophées, son livre, ses collets manquaient, comme ses huit livres, huit sols et neuf deniers qui avaient été conservés par le greffier pour les frais d'instruction. Quant à sa dague et sa lorgnette, il les avait vendues au geôlier pour sept livres seulement, afin de payer son droit de bienvenue et son repas à crédit de l'autre jour.

– Le fourreau zeul vaut plus de dix livres ! s'était-il indigné.

– Pas dans mes geôles. Et puis de toute façon, ils te sont plus d'aucune utilité puisqu'on te les laisserait pas emporter dans la chaîne.

– Et elle vient quand ?

– Elle devrait déjà être là… Sans doute que le mauvais temps lui aura fait prendre du retard en chemin, sans doute, répondit avec bonasserie Cantalamesse.

Pour pouvoir se dévêtir, Charlemagne dut payer trois deniers pour être désenchaîné. Il paya ensuite cinq deniers pour que Julie décrasse ses vêtements souillés de vomissure, et un autre denier pour que Raton lui apporte un seau d'eau qu'il utilisa pour entièrement se laver. Il s'était séché dans sa couverture à damiers. A peine finissait-il d'enfiler ses chausses et sa chemise de rechange que le geôlier l'enchaînait à nouveau aux poignets et aux chevilles, exigeant dix deniers quotidiens pour ne pas l'enchaîner au mur comme l'était Escampobariou. Enfin, pour trois nouveaux deniers, Raton balaya sa cage et renouvela sa litière de paille fraîche.

Monsieur le conservateur apparut, suivi de Pagès-Fortin, de Clodomir, de Pépin, de Dagobert, de Clotilde et de Raton, ce dernier portait une chaise. Pagès-Fortin reconnut Charlemagne sans hésitation, bien qu'il soit plus vieux de quatre ans et qu'il ait beaucoup forci. Il soupira en s'asseyant sur la chaise de location.

– Oui, oui, c'est bien toi… Et j'en suis fort aise, mon garçon.

Charlemagne se redressa avec précaution, l'estomac encore sensible aux brusques changements de position. Il s'approcha de la grille en regardant les siens tour à tour et leur dit d'une voix enrouée par l'émotion et les écorchures.

— *Ravantopec cardon mélazoi.*

Cantalamesse refusa d'ouvrir la cage pour qu'ils puissent s'étreindre.

— Cela ne se peut plus, ce n'est plus un prévenu, c'est un condamné, maintenant.

Il ignora leurs regards désobligeants, il était habitué, il avait connu pire. Il leur rappela le règlement intérieur.

— Vous pouvez rester jusqu'à une heure avant complies si ça vous chante, mais il est interdit de lui bailler quoi que ce soit sans me l'avoir montré avant.

— Ils t'ont bien esquinté, ces marauds, constata Clodomir sur un ton mi-affectueux, mi-railleur.

— Ah oui, alors, bien esquinté, confirma Pépin.

Dagobert tira son mouchoir de sa manche et le colla contre son nez.

— Ça pue ici !

— *Figachon cétalonoi, sazoté boudiou boudiou,* dit Clotilde avec un rire démentant la dureté du propos.

— Alors, mon cher *Leloup*, entretiens-nous de ce qui t'est arrivé, intervint Pagès-Fortin avec un regard appuyé en prononçant le faux nom.

Charlemagne leur conta sa collation d'hosties et les conséquences qui en avaient découlé, puis il s'empêtra dans ses chaînes pour leur dévoiler son épaule. La vision de la marque inscrite à jamais dans sa peau les navra presque autant que d'apprendre qu'il avait été questionné. Il les stupéfia jusqu'à la pétrification lorsqu'il mentionna la cérémonie nuptiale de minuit et son refus de dernière seconde.

— Tu allais épouser la fille du Pibrac ! s'exclama Clotilde en claquant dans ses mains d'incrédulité.

— L'horreur est humaine, admit Dagobert.

— Mais qu'est-ce que tu faisais chez des bourrels ? demanda Clodomir, alors que Pépin sourit admirativement :

— Elle est belle ?

Charlemagne réfléchit en fronçant les sourcils, surpris de ne pas savoir répondre. Sa notion de la beauté manquait d'éléments comparatifs.

– Oui, ze crois qu'elle est belle. Elle est auzi groze de trois mois au moins.

Pépin rit de plus belle.

– Elle va peut-être en avoir cinq, elle aussi !

Pagès-Fortin remua impatiemment sur sa chaise. Il aurait voulu aborder le sujet de la fausse identité, mais la proximité du geôlier comme celle des autres détenus le lui interdisait.

– Il est trop tard aujourd'hui pour une audience avec monsieur le juge-prévôt, aussi je le verrai demain. Mais je dois te dire que d'être déjà jugé complique sérieusement notre affaire.

Dans l'état présent, Pagès-Fortin pouvait déposer une requête en appel auprès de la cour de Montauban, et attendre une réponse qui mettrait plusieurs mois pour arriver. La requête étant suspensive, Charlemagne ne prendrait pas la chaîne et resterait enfermé. Mais alors sa véritable identité risquait d'être découverte et le pire était à redouter. Comme l'avait souligné l'oncle Caribert, les Armogaste n'allaient pas manquer de se manifester. Pagès-Fortin se donnait un sursis d'une semaine avant de voir rabouler place du Trou le carrosse blasonné des seigneurs de Racleterre.

L'avocat se leva en soupirant.

– Je te laisse, mon garçon, je vais prendre un peu de repos, mais je reviendrai demain, après mon entrevue avec le juge.

Il s'approcha de Cantalamesse et lui demanda aimablement :

– Quelles sont les nouvelles de la chaîne, monsieur le conservateur ?

– Elle devrait déjà être arrivée. Nous l'attendons d'un jour à l'autre. Le mauvais temps l'aura arriérée, répondit le geôlier.

Il ajouta :

– Excusez ma curiosité, monsieur le chicaneur, mais ces jeunes gens sont-ils également des Leloup de Montpellier ?

– Quelle curieuse idée ! Qu'est-ce qui vous fait songer à une chose pareille ?

– Je leur trouve un air de famille bien prononcé.

– Disons qu'ils sont apparentés... Mais, au fait, monsieur le conservateur, seriez-vous assez conciliant pour me communiquer votre registre d'écrou ?

– Bien sûr, et pour dix sols je vous le communique ouvert à la bonne page.

L'avocat suivit le geôlier dans le couloir.

Dagobert s'assit sur la chaise libérée par l'avocat. De santé réputée fragile depuis l'enfance, il bénéficiait à ce titre de privilèges au sein de la fratrie. Les autres s'installèrent par terre devant la grille.

– Ze vois que tu aimerais avoir des bacchantes, dit Charlemagne à Clodomir qui passait et repassait à tout moment son doigt sur sa lèvre supérieure où croissaient quelques poils épars.

– Je voudrais moi aussi m'en faire pousser, mais il ne veut pas. Il dit qu'il veut être lui et rien que lui, grogna Pépin avec du reproche dans la voix et le regard.

Clodomir l'aîné et Pépin le premier des cadets étaient d'une quasi parfaite ressemblance, tandis que Dagobert, le troisième, se distinguait par des oreilles décollées et deux épis de cheveux qui poussaient drus de part et d'autre de son front, tels des cornes. Clotilde, l'unique garce de la portée, était une version féminine plutôt réussie des trois précédents. Seul Charlemagne ne ressemblait à personne. Il avait toutefois hérité des pommettes saillantes de leur père et de la bouche aux lèvres pleines de leur mère, mais son oreille *absolue*, son zozotage, comme son caractère rancunier et contrarieur lui étaient propres.

Dès l'arrivée des visiteurs, Folenfant avait cessé de lire pour s'intéresser à Clotilde, tout en continuant à boire comme un trou sans fond et à pétuner comme un feu de cheminée. On le sentait désireux d'intervenir dans leur conversation.

La baillasse du Croquenbouche et son souper arrivèrent en même temps que la tombée du jour. Cantalamesse ouvrit la cage du libraire et le petit Raton alluma les veilleuses de la cave.

Clodomir parla de *La Belle Entreprise* et du grand voyage auquel il allait participer.

– Hé ! moi auzi z'aimerais naviguer pour les Amériques ! s'écria Charlemagne en secouant ses chaînes.

– *Pantafin limetou filados loinloin*, promit Pépin en serrant les poings pour affirmer sa détermination.

Une heure avant complies, le geôlier vint déclarer la fin des visites. Les Tricotin partis, Cantalamesse déverrouilla la grille et entra pour fouiller Charlemagne. Il était en droit de s'approprier tout ce que les visiteurs auraient pu lui passer clandestinement. Il fut déçu de ne rien trouver. Il fouilla la carnassière, regarda dans le seau d'aisance puis dans la cage et finit par découvrir le pavé sous la couverture. Il le regarda sans comprendre.

– C'est eux qui t'ont apporté ça ? Et pour en faire quoi, grand Dieu ?

– Ils ne m'ont rien apporté du tout. On me l'a lanzé dezus le zour où tous zes marauds zont venus crier après moi. Ze le garde comme oreiller.

Le front plissé par la méfiance, Cantalamesse vérifia chaque barreau, puis il examina les chaînes du prisonnier qu'il trouva intactes.

– Vous baragouiniez en quel patois tout à l'heure ? J'ai point reconnu celui de Montpellier, en tout cas.

Ne recevant pas de réponse, Cantalamesse haussa les épaules et sortit, sans oublier d'emporter le pavé. Soudain, Charlemagne s'élança et le poussa si brutalement qu'il s'en trouva propulsé tête première contre le mur. Le choc l'ébranla au point d'éjecter son superbe râtelier. Avançant aussi vite que ses entraves le lui permettaient, Charlemagne ramassa le pavé et l'abattit sur la nuque de l'octogénaire qui cessa de gémir comme de remuer.

– Tu es fou à lier ! Ça ne réussira jamais, pauvre de toi ! s'écria le libraire en le tutoyant pour la première fois.

Très concentré sur son improvisation, Charlemagne ralluma la lanterne qui s'était éteinte, ramassa les clefs et chercha en vain celle qui ouvrait ses bracelets de contention. Il fouilla le justaucorps et le gilet de Cantalamesse sans succès.

Revenant à petits pas dans sa cage, il prit la gibecière et retourna auprès du geôlier pour récupérer le pavé. C'est alors qu'il vit le râtelier sur les galets. Il le ramassa et l'examina avec curiosité. Il s'agissait d'une prothèse fort bien faite, entièrement façonnée dans de l'ivoire d'hippopotame.

Tandis qu'il détruisait chaque fausse dent à coups de pavé vengeurs, il se revoyait brisant à coups de sabot les vraies et belles dents de Blaise Onrazac, le piqueux des Armogaste, lors de la battue de mars.

– Il va beaucoup t'en vouloir, l'avertit Folenfant qui s'était approché de la grille.

Il se récria lorsque Charlemagne fit mine d'ouvrir sa porte.

– Non, non. Je ne veux point m'échapper, moi, je ne veux pas être pendu.

– Mais moa, je le veux m'escaper, moa. Viens vite, peutit, viens me délivrer, fais vite, supplia Escampobariou en remuant ses chaînes.

Les reins cinglés de délicieuses décharges d'adrénaline, Charlemagne trottina à petits pas saccadés vers la sortie.

– Ze vais cercer la clef pour mes brazelets, prévint-il en passant à la hauteur du billardeur et des faux-sauniers.

– Ramène-nous l'enclume et le marteau, je t'en prie, mon compère, demanda poliment Pintade, le plus jeune des deux, d'une voix pleine d'espoir.

Se gardant de répondre, Charlemagne s'engagea dans l'escalier et monta les marches une à une en évitant les cliquetis de chaînes. La salle était vide et l'habituelle soupe à la châtaigne mijotait dans la cheminée. La porte du logis de Cantalamesse était ouverte. Il entendit des raclements de pieds sur le dallage, des froissements de vêtements, des bruits de braises tisonnées. Il se dirigea vers les chaînes et les bracelets accrochés au mur. Pour avancer sans bruit, il devait écarter les jambes de façon à tendre sa chaîne afin qu'elle ne ferraille pas sur le dallage.

Un murmure de plusieurs voix en provenance du couloir conduisant à la salle de garde le préoccupa. Il allait devoir passer par cette salle pour sortir de la prévôté. En attendant, il ferma la porte et la verrouilla avec l'une des clefs du clavier. Il se rendit près des chaînes et des bracelets et ne trouva rien. Un sérieux agacement commença à lui moutarder la patience. Il prit le marteau posé sur l'enclume quand retentit un vigoureux « Vive le roi, macaniche ! ». Au même instant, Raton sortit du logis, portant à deux mains une touque de vin chaud destinée aux archers dans la salle de garde.

Charlemagne brandit son marteau en disant à voix basse :

– Paz un mot ! Zinon ze t'estourbis tout net.

Raton posa la touque à terre et se tint coi, les bras ballants, l'air un peu crétin.

– Qui est dans la çambre ?

– C'est la mère.

– Où est la clef des brazelets ?

– J'en sais point rien.

– Zi, tu zais, et dis-le-moi vite zinon ze vais te faire du mal.

Il montra ses dents comme pour mordre et leva le marteau. Le gamin désigna le mur où pendaient les chaînes et les bracelets de contention. Charlemagne protesta.

– Z'ai dézà regardé et elle n'y est pas.

– Elle y est, elle y est, grand-père la laisse toujours dans la serrure d'un bracelet.

103

Julie apparut, s'essuyant les mains dans un linge de cuisine. Elle vit Charlemagne et n'eut que le temps d'écarquiller les yeux avant qu'un gros pavé ne la frappe en plein thorax, exactement là où pendait le petit christ sur sa croix d'argent. Le choc expulsa en une seule fois tout l'air qui se trouvait dans ses poumons.

Charlemagne soupira. Il aurait préféré atteindre le milieu du front, plus radical comme effet, mais les bracelets l'avaient gêné pour ajuster son tir. Comme Julie ne tombait pas, il trottina vers elle et lui décocha un coup de marteau qui atteignit l'avant-bras qu'elle avait replié devant son visage pour se protéger. Elle cria haut sa douleur.

Raton serra ses poings et se mit à trépigner sur place en hurlant comme un goret qui sait qu'on va l'égorger. Charlemagne le silença d'un coup de marteau au-dessus de l'arcade sourcilière. Raton s'écroula.

– Vive le roi, macaniche ! déclara le perroquet déplumé sur son perchoir.

Les conversations dans la salle de garde avaient cessé. Charlemagne trottina jusqu'aux bracelets, trouva la clef, libéra ses chevilles. Des coups retentirent contre la porte.

– Eh là ! Oh ! Pourquoi qu'c'est fermé ? cria un archer en tapant du plat de la main contre le battant.

Charlemagne déverrouilla les bracelets de ses poignets et put enfin courir vers les quartiers du geôlier avec l'espoir d'y trouver une issue.

Julie, mal en point, s'était adossée au mur et soutenait son bras meurtri en gémissant. Sa respiration saccadée faisait tressauter sa lourde poitrine dans son corsage. Allongé à ses côtés, Raton pleurait, preuve qu'il n'était pas mort.

Charlemagne vit une petite pièce dépourvue d'ouverture qui puait le vieux et le renfermé. Des tapisseries à motifs champêtres cachaient les murs. Un lit à baldaquin, un buffet, un coffre à vêtements, une table, un banc, des chaises composaient le mobilier. Le brasero sur lequel avait chauffé la touque de vin rougeoyait au milieu de la pièce.

Il entendit les archers tambouriner de plus belle contre la porte.

– Monsieur le conservateur, la Julie, ouvrez, *porca misere* !

Sans trop y croire, Charlemagne écarta les tapisseries pour s'assurer qu'aucune porte dérobée ne se cachait derrière. Il ne trouva que des moellons froids et humides au toucher. Refusant d'admettre que son évasion était un insuccès, il retourna dans la salle et barricada la porte en poussant devant le lourd siège-questionnaire. Au bruit du meuble traîné sur les dalles, les archers subodorèrent que quelque chose d'infiniment louche se tramait dans les quartiers de monsieur le conservateur.

Charlemagne souleva l'enclume et descendit l'escalier en serrant les mâchoires car elle était pesante. Il buta à mi-chemin sur Cantalamesse qui montait, l'air mauvais, une main posée sur son crâne, les traits infiniment vieillis par l'absence de dents. Charlemagne lui lâcha l'enclume dessus. Cantalamesse l'évita au prix d'une contorsion qui le fit rouler et bouler dans l'escalier jusqu'à la dernière marche en poussant plusieurs « ouille, ouille, ouille ! » de circonstance.

Charlemagne ramassa l'enclume et alla la déposer devant les faux-sauniers qui n'en voulaient plus. Ceux-ci avaient entendu les hurlements de Raton et le tapage des archers et ils en avaient conclu que l'affaire tournait dans le mauvais sens.

– C'est raté maintenant qu'ils sont en alerte, on peut plus filer, alors à quoi bon, dit Pintade avec une mimique résignée.

– On n'en a que pour vingt-cinq ans, nous, c'est pas comme toi. En plus, avec une évasion, c'est à vie qu'on en prend, souligna Lavoie en suivant les efforts du geôlier pour se redresser sur les genoux.

Charlemagne n'était pas de cet avis et le leur signifia.

– Zi on y va tous enzemble (il engloba dans son geste les faux-sauniers, Escampobariou et Folenfant), on peut les attaquer en forze, ils ne zont point nombreux, deux ou trois, pas plus, et en haut il y a encore des marteaux pour vous armer.

Le vacarme d'une porte que l'on défonce arriva de l'escalier, réduisant à néant toute son argumentation. Il monta les marches quatre à quatre et renforça sa barricade avec la table derrière laquelle s'était assis le juge-prévôt lors de son interrogatoire. A la violence des chocs contre le battant, il devina que les archers utilisaient un banc en guise de bélier.

Retournant dans les quartiers du geôlier, il regarda sous les tapis avec l'espoir d'y découvrir une trappe, ou quelque chose d'approchant, mais il ne vit que des dalles carrées, pas très propres. Aussi furieux qu'un rat pris au piège dans une nasse, Charlemagne alla donner un coup de pied sur la cuisse de Raton qui couina de douleur.

– Z'est de ta faute zi ze ne peux plus m'éçapper ! Ze t'avais averti de ne pas faire de bruit !

Il lui délégua un nouveau coup de pied, dans les côtes cette fois, et Raton se tordit sur le sol.

La porte résistant à leurs assauts, les archers changèrent de méthode en mandant l'un d'eux chercher des cognées.

Charlemagne se pencha vers Julie et lui agita le marteau sous le nez en demandant :

– Y a-t-il une autre zortie ?

Le pavé avait incrusté le crucifix dans la chair et provoqué un gros hématome.

– Réponds ! Ou alors...

– Y en a point d'autre sortie, c'est la seule.

Elle montra des yeux la porte barricadée contre laquelle retentissaient les premiers coups de hache.

Conscient de la proximité du dénouement, Charlemagne ramassa les bottes de paille qui servaient au renouvellement des litières et les disposa contre la porte et sur les meubles de sa barricade. Alors, il renversa le brasero sur la paille qui s'enflamma en crépitant joyeusement.

Quand les gardes virent de la fumée grise apparaître sous le battant, les coups de hache cessèrent.

– Au feu ! s'écria un archer.

Charlemagne saisit le livre d'écrou rangé sur une étagère et le jeta dans les flammes. Il fouilla dans le buffet, qui s'avéra être un garde-manger, prit dedans un récipient d'huile de cuisine et alla le vider sur le siège-questionnaire. Les sangles brûlèrent en dégageant une fumée épaisse qui rendit rapidement l'air irrespirable.

Charlemagne se replia dans l'escalier mais un nouveau « Vive le roi, macaniche ! » le ramena sur ses pas. Il décrocha la cage du perroquet et descendit la déposer près du geôlier blessé qui avait renoncé à se relever tant sa tête lui faisait mal.

– Qu'est-ce que tu as encore fait, maudit sournois ? bredouilla-t-il à la vue du volatile effrayé qui s'agitait dans sa cage.

– Z'ai tout brûlé là-haut, et à part vous trucider ze peux guère faire plus maintenant, répondit-il d'une voix dépitée.

– Et Julie, et Raton, tu les as tués ?

Charlemagne haussa les épaules.

– Non... mais z'aurais pu.

Il rentra dans sa cage, referma la grille à clef puis détruisit méthodiquement à coups de marteau toutes les clefs du clavier, jetant les débris dans le seau d'aisance. Il s'assit ensuite sur sa couverture et ferma les yeux en attendant l'arrivée des archers et des représailles.

Chapitre 13

La chaîne
Ça nous gêne
Mais c'est égal
Ça n'fait pas d'mal...

Le Chant de la chaîne

Vendredi 4 octobre 1781.

La chaîne aux douze cordons entra dans Bellerocaille par la porte ouest, encadrée par des argousins en uniforme marron à revers rouges, armés de gourdins et de fusils. Chacun portait une gourde de casse-poitrine au baudrier et en faisait fréquemment usage.

Les condamnés avançaient au pas cadencé, ferrés par le cou à six de front, prenant toute la largeur de la rue du Paparel, chassant devant eux le trafic descendant.

La pipe au bec, un fouet de vénerie coincé sous le bras, le dos aussi droit qu'un sabre de grosse cavalerie, le chef des argousins, Ange Carcasse, chevauchait en tête sur un puissant percheron. Parisien, quarante-cinq ans, plus toutes ses dents, un visage allongé aux joues pleines tannées par le grand air, Carcasse portait sur son habit une redingote brune qui étalait ses pans sur la croupe de son cheval. Son gros nez trognonnant était barré d'une épaisse moustache poivre et sel que le pétun avait teintée en brun autour de la bouche. Un long sifflet de bois pendait à un lacet de cuir sur sa poitrine. Il était flanqué de ses deux brigadiers qui caracolaient le sabre au clair pour faire les intéressants devant les villageois.

Ange Carcasse gouvernait trente-cinq argousins à pied et quatre brigadiers montés, tous auvergnats, tous recrutés à Paris dans la com-

108

munauté des portefaix et des porteurs d'eau. Il avait également autorité sur le cuisinier, le forgeron et les bouviers des attelages. Il prenait son travail au sérieux et, au fil des chaînes, il s'était fait une réputation de grande sévérité.

Arrivés place du Trou, les condamnés s'alignèrent le long du parvis de l'église Saint-Laurent et marquèrent le pas dans un grand ferraillement de chaînes. Un coup de sifflet de Carcasse les mit au repos. Les condamnés portaient les vêtements dans lesquels ils avaient été arrêtés. Les costumes paysans excédaient les tenues citadines. On voyait, çà et là, quelques uniformes militaires et deux ou trois soutanes ecclésiastiques. Ceux qui avaient attendu des mois en geôle le passage de la chaîne étaient en guenilles et marchaient pieds nus.

Le chef Carcasse fit claquer son fouet dans les airs, signe de satisfaction, puis il se dirigea vers l'Hôtel de la Prévôté, suivi de ses deux brigadiers qui avaient rengainé leur sabre mais conservé la pipe au bec.

– La chaîne est place du Trou ! Elle est bien grasse !

Le cri se propagea à toute vitesse. Tous ceux qui pouvaient se le permettre suspendirent leurs activités et s'en allèrent reluquer l'étonnant spectacle qui revenait deux fois l'an, au printemps et à l'automne. Les fenêtres donnant sur la place se peuplèrent de curieux, et les couvreurs qui changeaient les lauzes sur les toits posèrent leur maillet et descendirent des échafaudages.

Des flacons d'eau-de-vie dans chaque main, les baillasses du Croquenbouche, du Bien Nourri et du relais Calmejane vinrent proposer aux argousins le renouvellement de leurs gourdes.

Les plus fatigués des condamnés s'étaient couchés en chien de fusil sur les pavés et tentaient de dormir, les plus fortunés se bourraient une pipe, chiquaient, ou croustillaient des restes de nourriture, d'autres massaient leurs pieds fourbus avec une grande application dans les gestes, pendant que les argousins faisaient les malins devant un public grossissant. Des curieux arrivaient en provenance de tous les quartiers, l'imagination emballée par le spectacle d'une aussi grande accumulation de mauvais sujets. Le jeu favori était de deviner qui avait fait quoi.

Un bonnetier de la rue Papeau, venu avec ses quatre enfants et qui n'aimait pas les devinettes, glissa un liard à un argousin pour qu'il leur désigne les cas les plus intéressants.

– Chelui-là, là-bas, dit le garde en pointant son gourdin sur un homme joufflu, vêtu d'une soutane sale aux multiples accrocs, ch'est le chanoine Bonvoisin d'Orléans, ch'est lui qu'a fait un moutard à cha bonne et qui l'a enchuite contrainte à l'étouffer. Il en a pris *à vie* et ch'est bien fait...

Sept chars à deux bœufs arrivèrent sur la place. Le premier était chargé des chaudières, des marmites et des gamelles du cuisinier, le deuxième transportait les colliers, les chaînes et les enclumes du forgeron, le troisième les tentes et les bagages des argousins. Les quatre véhicules suivants étaient des charrettes de roulier chargées des condamnés malades et des condamnés en bonne santé qui avaient payé leur place.

– ... et chelui-là, au milieu, qu'est tout nègre, ch'est Ratafia, un décherteur réchidiviste, très filou et très malandrin et qu'en a pris pour la vie, lui auchi.

Un vieil homme noir aux cheveux gris attirait les regards comme l'aimant la limaille. Conscient de cette curiosité, il hochait la tête et riait d'un air satisfait en dévoilant une large denture jaunâtre bordée de lèvres très babouines. Né esclave dans une plantation des Trois-Islets, Ratafia avait quatorze ans quand son maître, un planteur originaire de Bordeaux, l'avait amené en France avec l'intention de le former au métier de coiffeur-perruquier, une spécialité qui manquait péniblement dans les Isles. A seize ans, Ratafia s'était enfui pour s'enrôler dans l'unité la plus originale que comptait l'armée française d'alors, la brigade des uhlans nègres de monsieur le maréchal Maurice de Saxe. Cette brigade avait compté quatre-vingt-dix-sept cavaliers, tous entièrement noirs, et tous montés sur des chevaux blancs, bien entendu. Pour les jeunes Beaucailloussiens, Ratafia était le premier homme entièrement noir qu'il leur était donné de voir. Même un Savoyard au sortir de sa cheminée ne l'était pas autant.

– Mon père, y dit que c'est quand on est né la nuit qu'on devient tout noir comme ça, déclara gravement le fils d'un sonnetier de la rue Carillon.

L'information les tint coi jusqu'à ce que l'un d'eux émette une objection.

– *Té té*, Félicie, ma sœur, elle est née passé la minuit et elle est point noiraude du tout.

Le garde dirigea son gourdin vers un forçat aux yeux cernés par d'impressionnants coquards jaune orangé. Contrairement aux autres, il ne portait aucune protection contre les frottements du collier et son cou était conséquemment une plaie vive qui sentait mauvais à six pieds. Son uniforme de lieutenant au régiment de carabiniers de Monsieur luisait de cette crasse inimitable qui ne se récoltait que dans les culs-de-basse-fosse. Le col de son justaucorps et celui de sa chemise étaient déchirés.

— Et là, nous avons meûchieu le vicomte de Comaindieu, condamné à mort, et à qui on aurait dû couper la cabèche. Mais il a été grachié au dernier moment par notre bon roi très michéricordieux.

L'argousin avait enflé sa voix afin d'être entendu par l'intéressé qui se contenta de lui tourner le dos avec beaucoup de hauteur.

— Ch'est qu'il ch'en croit encore et pourtant il est plus rien du tout maintenant, et il en a pour la vie lui auchi.

— Et lui, le mignon poupard là-bas, il a fait quoi ? demanda une lavandière en désignant un adolescent à l'air triste et épuisé.

— Lui, ma commère, ch'est un gamin de Bourganeuf qu'a pas quinche ans et qu'a pourtant violé ches deux cheurs et chon petit frère, le fier cochon. Il en a pris pour dix ans cheulement.

L'argousin brandit ensuite sa trique vers un berger condamné pour avoir conduit avec un esprit de vengeance son troupeau de chèvres dans un vignoble, juste à la saison où la vigne commençait à bourgeonner. Il n'y avait pas eu de récolte cette année-là, et le propriétaire du vignoble, qui était aussi le juge local, l'avait sentencé à douze ans de galères. Tout à côté se trouvait Ludovic Franchot, un courtier de fesses versaillais, un grand jaloux qui avait tranché les seins et les fesses de son égrillarde avec une paire de ciseaux à broder. Parce qu'elle n'en était pas morte, il avait échappé à l'exécuteur et avait été condamné au bagne à vie seulement.

Le garde suivit des yeux le cabriolet couvert de poussière qui venait de déboucher sur la place et qui contenait le commissaire-conducteur Urbain Gamoute. L'attelage de quatre chevaux s'immobilisa devant l'Hôtel de la Prévôté et le commissaire Gamoute, son agent comptable Jonas Petipas et son officier de santé Jacques Lamy sortirent de la voiture l'un derrière l'autre.

La taille courte, trapu, la tête ronde perruquée, des petits yeux perçants, le teint rougeaud et un gros nez semé de points noirs qu'il aimait presser entre ses doigts, Urbain Gamoute portait le titre de « commissaire-conducteur général des forçats de France » et sa lettre patente, signée par le ministre de la Marine, lui donnait le monopole de la collecte, du transport et de la livraison dans les bagnes des condamnés de toutes les juridictions du royaume. Le ministère lui baillait trente livres par condamné rendu à bon port, mais rien pour ceux qui mouraient durant le trajet. L'importance des frais de fonctionnement d'une telle entreprise contraignait fréquemment Urbain Gamoute à rogner sur la sécurité et sur le ravitaillement, afin d'obtenir un chiffre d'affaires toujours supérieur à celui de la chaîne passée.

Une forte odeur de brûlé flottait dans le hall de la prévôté. Le commissaire Gamoute se dirigea vers Cantalamesse qui discutait avec le chef Carcasse. L'antique geôlier affichait un teint grisâtre souligné par un large pansement qui barrait son front. Son crâne chauve était bosselé d'ecchymoses et ses joues creuses laissaient paraître qu'il n'avait plus de dents.

– Que vous est-il donc advenu, monsieur le conservateur ? On croirait qu'une patache vous a roulé dessus...

– Rien qu'une tentative d'évasion qui a pitoyablement échoué, monsieur le commissaire-conducteur.

L'absence de râtelier lui rabattait les lèvres sur les gencives et modifiait son phrasé presque autant que sa physionomie. Sans ses dents, on lui donnait cent ans.

– Vous avez subi des dégâts, semble-t-il.

Gamoute eut un regard appuyé sur les débris de meubles calcinés que l'on avait rassemblés en tas près de l'entrée.

– Quand est-ce arrivé ?

– Hier au soir... Un prisonnier m'a attaqué par-derrière.

Cantalamesse indiqua sa tête douloureuse.

– Et quand il a vu qu'il ne pouvait pas s'échapper, il a tout arsonné.

– Diable ! En voilà un mauvais drôle.

Son ton distrait marquait le peu d'intérêt qu'il portait à cette histoire.

– Bien. Ceci dit, qu'avez-vous pour ma chaîne aujourd'hui, monsieur le conservateur ?

– J'en ai cinq : un libraire pornographe récidiviste condamné à huit ans, deux faux-sauniers à vingt-cinq ans, un billardeur condamné à vie, et un très très grand sacrilège profanateur et condamné à plus qu'à vie.

112

– Qu'entendez-vous par « plus qu'à vie » ?

– J'entends par là qu'il a été condamné à cinq siècles de bagne, monsieur le commissaire-conducteur.

Gamoute se permit un rire poli.

– Diable ! Vous m'en direz tant ! Et je parie que c'est lui qui a tenté de s'évader.

Un maître menuisier et son compagnon terminaient de remplacer la porte calcinée. Les murs de la salle et le plafond étaient noircis par les flammes et toutes les bougies du lustre de fer avaient fondu.

– Ce malfaisant a cramé mon livre d'écrou.

Cantalamesse s'arrêta au pied de l'escalier.

– Et puis j'ai un autre embarras, monsieur le commissaire, mais il est peut-être en votre pouvoir de me le résoudre à peu de frais.

Gamoute ne disant mot, le geôlier s'engagea dans l'étroit escalier et descendit prudemment les marches. La cave pénale était désormais placée sous la surveillance du nouveau guichetier, Émile Meynadier, un archer du guet célèbre dans Bellerocaille pour ses oreilles décollées, ce qui, prétendait-il, lui donnait une excellente ouïe. Il tenait sa pique à deux mains et prenait au sérieux sa nouvelle fonction. Il était de ceux qui avaient démoli la porte à la cognée la veille au soir et il en tirait vanité.

Le commissaire Gamoute engloba d'un coup d'œil sévère le bat-flanc et les cages. Il vit avec déplaisir que les condamnés n'étaient pas préparés.

Le geôlier devança les reproches en disant d'une voix navrée :

– L'embarras, monsieur le commissaire, il nous vient encore de cet enragé qui s'est enfermé et qui a mis en petits morceaux toutes mes clefs.

Il montra Charlemagne assis en tailleur dans sa cage et qui regardait les nouveaux arrivants.

– Je ne vous apprendrai rien en vous disant que ces modèles de serrures suisses coûtent cher et que je n'ai point cœur à les démolir... Aussi, je me disais que dans toute cette foison de malfaisants que vous convoyez, il y en a forcément un ou deux capables de me les ouvrir sans bris...

Gamoute se tourna vers le chef Carcasse pour l'interroger du regard. Après un bref temps de réflexion, Carcasse proposa :

– On a Lulu du Rossignol dans le troisième cordon qui pourrait faire l'affaire, et puis aussi Caroublard qu'est du même cordon.

Gamoute donna son accord et le chef Carcasse manda ses brigadiers leur chercher les deux voleurs. En les attendant, le greffier Sanguinède remit à l'agent comptable les extraits des jugements des
condamnés destinés au commissaire des chiourmes de Toulon.

Assisté de son nouveau guichetier, Cantalamesse déferra Lavoie et
Pintade du bat-flanc. Les faux-sauniers de Figeac reçurent l'ordre de
se dénuder. Le commissaire-conducteur vérifia la présence des flétris-
sures, tandis que le chef Carcasse fouillait les vêtements, qui étaient
d'une grande saleté. L'officier de santé Lamy examina brièvement les
corps amaigris par trois mois de détention et de soupe à la châtaigne,
avant de les déclarer bon pour marcher les quatre-vingt-une lieues de
France qui restaient pour arriver au bagne de Toulon. L'agent comptable inscrivit les noms et qualités sur son registre de chaîne. Lavoie et
Pintade se rhabillèrent sous l'œil de hibou sévère du chef qui tenait
son fouet à la main et semblait désireux de s'en servir.

Des bruits de pas dans l'escalier annoncèrent le retour des brigadiers. Ceux-ci poussaient devant eux un élégant condamné à la mine
avenante, vêtu d'une lévite à l'anglaise verte à larges rayures jaunes,
portée comme il se devait avec une culotte de peau moutarde et des
longues bottes souples à revers noirs que la marche depuis Paris avait
considérablement défraîchies. L'écharpe de batiste vert pâle, nouée
autour du cou en guise de cravate, portait les traces du collier de fer
que le forgeron de la chaîne venait de lui ôter. Il avait posé, sur ce
qui lui restait d'une coupe de cheveux à la hérisson, un joli chapeau à
la valaque qui n'était pas encore démodé à la Cour.

Fils unique d'un père horloger et d'une mère bonne à rien, Lucien
Lambert, mieux connu chez les grands malandrins sous le nom de
Lulu du Rossignol, était un voleur parisien de grande renommée
qui avait gagné sa célébrité en pénétrant nuitamment au domicile de
monsieur le lieutenant général de police Le Noir, en découvrant son
coffre-fort, un Sicherheit berlinois dissimulé dans un meuble à huit
serrures, en l'ouvrant et en s'emparant du contenu en moins de temps
qu'il n'en fallait pour réciter le Décalogue en entier.

– Caroublard n'a pas voulu venir, chef, dit le plus moustachu des
brigadiers, en donnant par taquinerie une bourrade au prisonnier.

Le commissaire-conducteur Gamoute montra la serrure de la cage
d'Escampobariou et expliqua au voleur ce qu'on attendait de lui.

– Sauf votre respect, monsieur le commissaire-conducteur, mais
qu'ai-je à gagner dans cette affaire ?

114

Un coup de manche de fouet dans les reins lui tira un cri de douleur.

– Tu gagnes à ne pas recevoir les vingt coups de fouet que tu vas recevoir si tu fais ton finaud, dit Carcasse sur un ton aussi aimable qu'une baïonnette aiguisée.

Charlemagne se leva et s'approcha des barreaux pour voir comment l'élégant malandrin allait procéder. Lulu du Rossignol redressa son chapeau, jeta un bref coup d'œil sur l'épaisse serrure rectangulaire et annonça :

– C'est une O'Clock genevoise. De l'ouvrage maousse mais très ouvrable avec un vilebroc à mèche anglaise et une monseigneur.

Il pointa son index sur plusieurs points de la serrure.

– Suffit de bouliner ici et là, et hop, baraboum, crack !

Cantalamesse se récria :

– Justement non, je ne veux pas que mes serrures soient forcées. Je les veux intactes.

– Alors, c'est un rossignol qu'il faut…

Il fit mine de fouiller dans ses poches.

– Mais j'ai le regret de vous dire que j'en manque en ce moment.

Comprenant que ce n'était pas ce que ses interlocuteurs voulaient entendre, Lulu du Rossignol ajouta d'une voix accommodante :

– Il va de soi qu'avec votre permission et le prêt de quelques ustensiles, je peux en improviser un.

– Combien de temps cela va-t-il te prendre ?

– La demie d'une heure, dès l'instant où j'aurai ce qu'il faut.

Il montra l'enclume et le marteau qui venaient de servir à déchaîner les faux-sauniers.

– Y me faut aussi une lime pour le métal et une tige de fer longue d'un pan. Une vieille clef peut faire affaire.

Cantalamesse s'en alla en maugréant dans l'escalier chercher ce que lui demandait ce savant voleur.

Auguste Folenfant en profita pour attirer l'attention du commissaire Gamoute.

– Faites excuse, monsieur, mais je me suis laissé dire qu'il était possible de voyager en charrette… Moyennant un droit, bien entendu.

– C'est cinq livres par jour, payables par avance, bien entendu.

Le libraire s'était habillé pour la circonstance avec le confortable habit bleu et gris qu'il portait lorsqu'il se rendait à Rodez ou à Toulouse. Il avait posé près de la grille son sac de nuit en tapisserie.

115

– Combien de jours pensez-vous qu'il faudra pour joindre Toulon ?

Gamoute se tourna vers son chef Carcasse qui répondit à contre-cœur.

– Si nous ne rencontrons pas d'autres empêchements comme à Espalion, nous serons rendus dans une quinzaine.

Il fallait d'habitude trente à quarante jours à la chaîne d'automne pour parcourir les deux cent vingt lieues séparant le château de la Tournelle de l'arsenal maritime de Toulon. Plus vite le commissaire-conducteur livrait sa marchandise et plus importante était sa marge bénéficiaire. Le chef Carcasse s'était efforcé de maintenir une moyenne journalière de cinq à six lieues, mais, en amont d'Espalion, le gros temps et un glissement de terrain avaient emporté la route royale dans le précipice et les avaient contraints à un long détour par La Bastide-d'Aubrac qui leur avait coûté cinq jours.

Folenfant fit ses comptes : quinze jours à cinq livres faisaient soixante-quinze livres à débourser pour ne pas avoir à marcher.

– Suite aux fâcheux événements d'hier, monsieur le conservateur a cru bon d'interdire les visites. Or, c'est mon épouse qui dispose de mes finances, c'est donc elle qui vous baillera la somme convenue.

Quand le geôlier revint avec les objets requis, Raton le suivait, portant un flacon d'eau-de-vie et des godets. Comme son grand-père, il avait le front bandé et semblait en petite forme. Lulu du Rossignol ôta sa lévite, retroussa ses manchettes et se mit à l'ouvrage avec un plaisir non dissimulé. Comme tout bon maître artisan, il aimait faire étalage de son savoir-faire. Cantalamesse servit de l'eau-de-vie au commissaire Gamoute, au chef Carcasse et à l'officier de santé Lamy, mais il ignora les brigadiers qui lui firent grise mine.

Ce fut un vrai divertissement de voir le roué filou jouer du marteau et de la lime et transformer, comme par abracadabra, une innocente clef bénarde en un redoutable rossignol avec lequel il ouvrit la cage I. Le geôlier et son guichetier déchaînèrent le billardeur qui put se mettre debout pour la première fois depuis son arrestation.

Pris de vertige, les muscles ramollis par sa longue immobilisation, Escampobariou s'adossa aux barreaux pour ne pas tomber. Il dut cependant se mettre à nu et montrer son épaule flétrie à Gamoute. Le chef Carcasse visita sans dégoût ce qui lui restait de vêtements. Le dos de sa chemise comme le fond de sa culotte de droguet étaient devenus transparents à force de frotter les moellons et les galets. Après avoir examiné d'un œil distrait les escarres qui lui meurtrissaient le dos et l'arrière-train, l'officier de santé Lamy le déclara apte au voyage.

Lulu du Rossignol déverrouilla la serrure de la cage III en sifflotant *J'ai du bon tabac dans ma tabatière*. Ce fut alors au tour du libraire de se dévêtir et de dévoiler un corps imberbe, grassouillet de partout et à la peau blanche comme lait. Le chef Carcasse compta douze livres et huit sols dans une poche du justaucorps et trouva une grosse montre dans la poche gousset du gilet. Le contenu du sac de nuit le fit ricaner sans joie. Il trouva des frusques de rechange, des flacons de liqueur, un poulet rôti froid enveloppé dans un linge, du pain blanc, un paquet d'une livre de Vrai Pongibon, une trousse à pipes, cinq volumes signés Restif de La Bretonne.

– Les condamnés ne sont pas autorisés à détenir de l'argent sur eux, expliqua Carcasse en remettant les pièces de monnaie à l'agent comptable Petipas qui les enregistra et délivra un reçu tamponné.

– Pour le dépenser, tu devras demander à un argousin et lui montrer ce reçu.

Lulu du Rossignol entreprit la serrure de la cage V.

– Et voilà, baraboum, clac, clac, dit-il en tournant le rossignol dans le pêne de l'O'Clock, déclenchant le mécanisme, *clac clac*.

Le commissaire Gamoute et le chef Carcasse entrèrent, suivis de Cantalamesse et de l'archer Meynadier. Charlemagne se déshabilla. Gamoute souleva l'emplâtre pour vérifier la présence de sa flétrissure. L'officier de santé le toisa de haut en bas puis le déclara apte au voyage. Le chef Carcasse fouilla ses vêtements et trouva cinq livres quinze sols. Cantalamesse les réclama. Il s'appropria aussi la couverture à damiers et la carnassière contenant les effets de rechange. Charlemagne se rhabilla en marmonnant des imprécations dénuées de tout esprit chrétien.

Les écritures de décrouage terminées, l'agent comptable Petipas présenta son registre au greffier Sanguinède qui le signa. Le commissaire-conducteur Gamoute prit alors officiellement livraison des cinq condamnés.

Lulu du Rossignol restitua au geôlier la clef bénarde transformée, rabaissa ses manchettes, remit sa lévite et son chapeau.

Les brigadiers alignèrent les prisonniers et les dirigèrent vers l'escalier en les houspillant.

— Pressez-vous, raclures d'humanité !

— Allez, ouste, ouste !

— Et croyez-moi, maudits fils de rien, si l'un de vous s'échappe, on le tire comme un gros rat, promit le chef Carcasse en regardant Charlemagne d'un air spéculatif.

Chapitre 14

C'est proprement ne valoir rien que de n'être utile à personne.

Descartes

Si Dieu a fait que les pets sentent mauvais, c'est pour que les sourds puissent en profiter.

Saint Augustin, philosophe

Attablés dans la salle du relais de poste, les Tricotin faisaient leurs comptes.

– Nous disposons d'assez de finances pour tenir un mois, et je tiens compte du prix de la patache pour le retour et du prix des visites à Charlemagne, déclara Dagobert de sa voix pondérée.

Après un regard circulaire dans la salle pour vérifier que personne n'écoutait, il murmura :

– En vrai, nous avons moins de temps que cela, car le geôlier a dit que la chaîne pouvait arriver d'un jour à l'autre.

Clodomir proposa de s'introduire nuitamment dans la prévôté, de neutraliser les archers du guet, de faire de même avec le vieux geôlier, de s'emparer de ses clefs, de libérer Charlemagne et de quitter le bourg aussi vite que possible.

– Comme toutes les portes seront forcloses, il nous faudra une corde et il faudra repérer le meilleur endroit sur les remparts où l'accrocher, dit Clodomir, qui ajouta à l'intention de Pépin : Tu iras demain matin et tu mesureras la hauteur des remparts.

Pépin hocha la tête, ravi d'avoir une mission, mais Dagobert leva son index pour indiquer qu'il avait quelque chose à dire.

– Le geôlier sait que nous sommes de Racleterre et maître Calmejane connaît notre nom. Ils auront tôt fait d'en informer la maréchaussée qui, elle, aura tôt fait de nous rechercher. Alors, si nous suivons ton plan, nous devrons forcément fuir avec Charlemagne et ne plus jamais revenir chez nous.

Aucun ne voulait en arriver là.

– On peut peut-être payer le geôlier pour qu'il laisse Charlemagne s'en aller ?

– C'est une idée, mais alors il vaudrait mieux que ce soit M. Alexandre qui fasse la démarche. Il connaît ce geôlier et il saura quoi lui dire exactement.

Ils se rendirent au chevet de l'avocat qui grelottait de fièvre dans sa chambre aux volets fermés. Il avait été réveillé en pleine nuit par une violente douleur au gros orteil. Depuis, le plus petit mouvement, le moindre frôlement, fût-il courant d'air, lui tirait des cris aigus.

– Navré, mes enfants, mais cette crise va me clouer sur ce matelas au moins trois jours, sans doute plus... Oui, je l'admets, c'est un bien fâcheux contretemps.

Il avait les traits congestionnés par la migraine et son valet lui changeait régulièrement les compresses d'eau froide qu'il s'appliquait sur le front.

Clodomir lui fit part de leur projet de soudoyer le geôlier.

– Je ne pense pas qu'il soit corruptible. Depuis le temps qu'il est en office, cela se saurait si c'était le cas, objecta l'avocat entre deux grimaces de douleur.

Un piétinement scandé accompagné de bruits métalliques attira Clotilde vers la fenêtre. Elle écarta le rideau qui plongeait la chambre dans la pénombre – les yeux du goutteux ne supportaient plus la lumière du jour – et vit les premiers forçats enchaînés déboucher sur la place du Trou et s'y répandre.

– La chaîne arrive !

– Ah ! mais c'est bien trop tôt ! s'exclama Clodomir en serrant les poings.

– Ah oui, bien trop tôt !

Épaules contre épaules dans le hall, les Tricotin attendaient la sortie des condamnés.

En habit de deuil, la femme Folenfant se tenait à l'entrée de la salle de garde. N'imaginant pas que son époux puisse survivre à toutes ces années de bagne sans vin, sans bonne chère, sans putasses, elle était convaincu de le voir pour la dernière fois.

Le commissaire-conducteur, l'officier de santé et l'agent comptable apparurent, suivis des brigadiers, des condamnés et du chef Carcasse qui fermait la marche.

– Monsieur le commissaire, voici mon épouse et mon argent, s'écria Folenfant à la vue de sa femme.

Le commissaire Gamoute arrêta le cortège. L'agent comptable Petipas encaissa l'argent, établit un reçu et le tendit au libraire avec un laconique :

– J'ai soustrait soixante-quinze livres pour les quinze jours de charrette.

Clodomir s'approcha et tendit une bourse pleine.

– Voici cinquante livres, monsieur, à verser au bénéfice du condamné Charles Leloup ici présent.

Petipas compta l'argent, établit un reçu et le remit à l'intéressé.

Dagobert présenta son tricorne au chef Carcasse en lui disant d'une voix douce :

– Voici un couvre-chef pour notre malheureux frère, et aussi quelques mouchoirs pour son cou.

Il avait remarqué que la plupart des bagnards de la chaîne portaient des linges autour du col qui les protégeaient des frottements du collier de fer.

Le cortège reprit sa marche et sortit de la prévôté. Escampobariou eut un recul de bœuf sentant l'abattoir en découvrant les centaines d'enchaînés alignés en cordons sur la place. Il s'élevait de ce grand rassemblement un chœur bourdonnant fait de cent accents, de cent patois et de mille cliquetis.

Encadrés par les deux brigadiers et par le chef Carcasse, les condamnés furent amenés devant la charrette du maréchal-forgeron Georges Sandoux, un Angevin de petite taille si dur au travail qu'il aurait mérité d'être auvergnat. Assisté de son apprenti, il déchargea une enclume de voyage et une lourde caisse remplie de chaînes et de colliers de rechange.

Le chef Carcasse consulta son plan de chaîne : un plan détaillé qu'il avait dressé au crayon le jour du départ de Paris et qu'il modifiait à mesure des nouveaux arrivages. Partie de Paris avec huit cordons de treize couples, la chaîne s'était allongée de nouveaux cordons collectés le long du parcours dans les prisons des cités, dans les culs-de-basse-fosse des châteaux, dans les cachots des évêchés, dans les geôles et dans les caves pénales des bourgs et des villages. A ce jour, elle se divisait en onze cordons de vingt-six condamnés, plus un douzième cordon incomplet comptant vingt condamnés. Avec ces nouveaux arrivants, le total se montait à trois cent onze condamnés. Et pour garder tout cela, Carcasse disposait seulement de trente-cinq argousins, lui inclus, autrement dit un garde pour neuf bagnards.

Le cahier des charges du ministère obligeant le commissaire-conducteur à disposer d'un argousin pour quatre bagnards, Gamoute faisait ainsi l'économie de quarante argousins ; de son côté, le chef Carcasse s'occupait à faire régner un régime de terreur, seul moyen reconnu capable de pallier une si dangereuse infériorité numérique.

Sandoux referma un collier de fer autour du cou de Charlemagne.

– Mets-toi à genoux et pose ta tête là-dessus... Et surtout, bouge pas.

Charlemagne ôta son tricorne, s'agenouilla sur les pavés et plaça sa tête sur l'enclume.

Sandoux ferma le fermoir et le riva à froid de trois coups de marteau. Pépin, en connaisseur, les qualifia de joliment ajustés. Charlemagne se releva. La chaîne fixée au collier pendit comme une laisse sur sa poitrine. Il eut un regard navré vers ses frères et sa sœur placés au premier rang des curieux.

– Celui-là est un payant qui va aux charrettes, déclara Carcasse au forgeron Sandoux en désignant le libraire avec son fouet.

Il montra ensuite les faux-sauniers du Quercy.

– Tu accouples ces deux-là au douzième cordon.

– Oui, chef.

Le manche de son fouet s'orienta vers Charlemagne et Escampobariou.

– Et ces deux-là, tu les accouples au huitième.

– Oui, chef.

Il désigna Lulu du Rossignol.

– Et lui, tu le remets au troisième.

– Oui, chef.

Par sécurité, Carcasse avait regroupé dans les cordons du centre – plus faciles à surveiller – les condamnés à vie, les évadés repris, les irréductibles toujours vifs à se rebéquer, et parce qu'ils étaient de bons marcheurs, il avait placé les faux-sauniers, les faux-tabatiers et les chevaliers de la lune sur les côtés et sur le devant.

Lorsque chaque prisonnier eut reçu son collier, les brigadiers les guidèrent à l'intérieur de la chaîne où le forgeron et son enclume purent les raccorder aux cordons désignés par le chef Carcasse. C'est ainsi que la double chaîne de Charlemagne et d'Escampobariou fut raccordée en six coups de marteau secs et précis au huitième cordon, principalement formé de déserteurs, d'officiers duellistes, de militaires voleurs et de gabelous du Poitou devenus contrebandiers. Ce cordon était au centre de la chaîne, aligné entre le septième, composé d'escrocs, de bricons et de bigames, et le neuvième, fait de violeurs, d'incendiaires et de vagabonds condamnés parce que *inutiles au monde*.

Devant le huitième cordon se trouvait le cinquième regroupant les assassins que l'indulgence croissante de certains juges, éclairés sans doute par l'esprit des Lumières, avait sauvés du gibet. Derrière s'alignait le onzième cordon, composé d'escrocs, d'avocats malhonnêtes, de bohémiens forcément voleurs d'enfants et de deux parfaits étrangers : un Autrichien condamné à vie pour viols et vols avec violences, et un Anglais, Edgar Sterling, talentueux faussaire sentencé à trente ans pour avoir fabriqué et écoulé un nombre prodigieux de billets d'État. Évadé en 79 du bagne de Rochefort, il avait été repris cet été et condamné à vie au bagne de Toulon.

– Pourquoi vous ont-ils raccordé au huitième ? questionna le condamné derrière lequel Charlemagne et le billardeur venaient d'être enchaînés.

Le ci-devant sergent-major Jean-François Alric, quarante-trois ans à la Toussaint, était grand et son corps amaigri flottait dans un vieil uniforme aux couleurs du Royal-Roussillon. Les manches de son justaucorps portaient les traces des chevrons de laine décousus lors de sa dégradation. Il avait épinglé en sautoir la prestigieuse médaille de vétérance – deux épées sur un fond rouge – véritable croix de Saint Louis de la roture. Alric était le fils d'une vivandière et d'un maréchal des logis breton qui avait été élevé au régiment parmi les autres enfants de militaires. Le côté droit de son front était embouti par une vieille cicatrice datant de la campagne de Corse. Il avait reçu un plomb de tromblon qui n'avait jamais pu être extrait. Parfois, ce plomb se déplaçait et venait à toucher le cervelet, le plongeant alors dans de terribles accès de démence. C'est à la suite de l'un de ses accès qu'il avait gagné sa condamnation à vie.

– Ze n'en zais rien et ze m'en moque, répondit Charlemagne, occupé à repérer les siens sans y parvenir.

– Nous sommes à vie tous les deux, môssieu le premier. Mais pas pour les mêmes raisons, ça va de soi, dit Escampobariou la voix pleine de bonne volonté. (Il mentit :) Moa, c'est pour désertion et lui pour grand sacrilège, môssieu le premier. Il en a écopé pour cinq cent un ans.

Tous ceux qui entendirent sourirent de bon cœur, ce qui ne leur arrivait pas souvent ces temps-ci.

Ravi du succès, Escampobariou voulut le renouveler.

– Et il a volé cinq cents hosties, et il les a toutes goinfrées.

Cette fois il recueillit autant d'éclats de rire que de ricanements.

– Une *sacrée* belle crotte !

Charlemagne préféra s'intéresser en priorité au collier de fer qui déjà exerçait une pression gênante sur les muscles de son cou. Il était rouillé par endroits et dégageait des relents de vieille graisse d'arme : il devait peser une dizaine de livres, trente avec la chaîne et les douze maillons. Il noua autour de son cou l'un des mouchoirs de son frère.

– Ça tiendra pas en marchant. C'est autour du collier qu'il faut que tu l'emmaillotes ton mouchoir et pas autour du cou, l'avertit charitablement le condamné du cordon voisin.

Charlemagne vit un gars de son âge aux yeux verts, écartés comme ceux de ces oiseaux qui voient loin. Il avait une tête carrée et un menton énergique qui lui prêtait un air décidé pouvant passer pour un air entêté. Ses grandes mains calleuses et son dos aux muscles noueux dénonçaient l'ancien valet de charrue.

– Quand tu marches, c'est pas le cou, c'est la cravate qui remue et qui te mâche la couenne.

Il montra son propre collier qu'il avait entouré de plusieurs épaisseurs de chiffons. Il sourit en voyant Charlemagne suivre son conseil.

– Antoine Navech, c'est mon nom, et j'aime tellement le Rouergue que je suis né à Réquista.

Treizième enfant d'une famille de laboureurs du Ségala, Antoine avait tracé son premier sillon à quatorze ans et n'avait rien fait d'autre à ce jour. Il avait eu le guignon de tirer le billet noir où était écrit en rouge : VIVE LE ROI ! JE SUIS ENRÔLÉ ! Comme il refusait d'être

124

milicien pour huit ans, il s'était enfui et avait échappé à la maréchaussée. Le cousin qui l'avait dénoncé avait reçu une prime de cent
livres. Antoine Navech avait été condamné à dix ans de bagne et il
avait été transféré dans les geôles de Rodez où il avait séjourné deux
lunes avant que la chaîne passe et l'emporte.

L'heure sacro-sainte du repas de midi éclaircit les rangs des
curieux. Le commissaire Gamoute déjeuna à la table de monsieur le
juge-prévôt Cantagrel, tandis que les argousins s'alimentèrent par
roulement dans les trois auberges de la place.

Nourris une fois par jour (le soir), les condamnés attendirent là où
ils étaient. Des commis de boutique vinrent timidement proposer, à
des prix excessifs, des pasquades, des cabécous, des échaudés, des
portions de gâteau à la châtaigne, des quartiers de jambon cru. Une
famille de la ville basse, qui venait de tuer le cochon, profita de
l'occasion pour offrir ses fritons au prix extravagant de onze sols
l'unité, tandis que le propriétaire d'un verger affecté par la grêle
débita au prix fort plusieurs paniers de pommes mâchurées.

Chaque échange se faisait obligatoirement par l'intermédiaire d'un
garde. Celui-ci payait pour les condamnés et soustrayait ensuite le
montant de la dépense sur les reçus. Environ un tiers des condamnés
possédaient des reçus.

Le beffroi de l'Hôtel de la Prévôté sonna tierce. Le chef Carcasse
siffla la fin de la halte. Les trois cent onze bagnards se levèrent en
même temps dans un entrechoquement de ferrailles cliquetantes. Les
brigadiers montèrent en selle, les argousins se répartirent le long des
cordons. Les bouviers attelèrent les bœufs aux charrettes.

Le commissaire Gamoute prit congé du juge-prévôt et rejoignit sa
patache où étaient déjà installés Petipas et Lamy. Le chef Carcasse
attendit que la patache ait disparu pour siffler l'ordre de marche. Les
premiers cordons s'ébranlèrent au pas cadencé dans la rue Magne,
vidant la place comme des grains de sable un sablier, laissant derrière eux sur les pavés, comme après un marché au bestiaux, une
ribambelle d'étrons et de flaques de pisse.

La chaîne descendit la rue du Paparel, longea la haute muraille du
château des Boutefeux et s'engouffra sous la porte ouest.

Juché sur une borne de l'octroi, le sergent Charfouin semblait chercher quelqu'un dans les cordons. Croisant le regard de Charlemagne,

il agita sa main mutilée dans sa direction et lui cria, malveillant :

— Bon vent, le p'tit jean-foutre ! Tu vas souffrir, j'te le promets !

La chaîne se resserra pour franchir l'étroit Pont-Vieux puis s'engagea sur le chemin de la croisée du Jugement-Dernier.

A mi-chemin, Charlemagne vit des silhouettes se profiler sur un fond de ciel gris ardoise en haut de la tour de l'oustal Pibrac. Bientôt, il reconnut Bertille, sa jeune sœur Marion, les tantes Berthe et Lucette. Bertille braquait la longue-vue de son père sur la troupe des condamnés en mouvement et Charlemagne se sut repéré lorsqu'il l'entendit crier d'une voix suraiguë :

— Adieu pour toujours, mauvaise graine !

Des condamnés rirent, mais d'autres, se croyant visés, répliquèrent par des jurons d'une grande crudité. Le chef Carcasse ramena le calme en faisant claquer son fouet au-dessus des têtes.

Le dolmen contourné, la chaîne défila devant les fourches patibulaires, dépassa le porche de l'oustal et disparut dans la première courbe du grand chemin Rodez-Millau.

Chapitre 15

Venari, lavari, ludere, ridere, hoc est vivere.
(Chasser, se baigner, jouer et rire, voilà la vie.)

Marcher en cadence, enchaîné par le cou, était de toute évidence un exercice contre nature qui exigeait une attention de chaque instant. Aussi, dès les premiers pas, ce fut éprouvant pour Escampobariou aux muscles ramollis par quatre mois de jeûne et d'immobilité forcée. La première lieue n'était pas terminée qu'il connaissait des difficultés. Il avait d'abord manqué des pas, ce qui lui avait fait perdre du terrain, puis très vite sa chaîne s'était tendue, provoquant un à-coup aussitôt ressenti par l'ensemble du cordon qui avait grogné son mécontentement. L'argousin le plus proche s'était glissé entre les cordons et lui avait administré un coup de trique sur le dos qui l'avait fait bondir en avant en poussant plusieurs « ouille, ouille, ouille ! ». Peu de temps après, il perdait pied à nouveau, sa chaîne se tendait et le cordon protestait : un nouveau coup de trique en travers l'échine l'avait sanctionné.

Une heure avant soleil faillant, la chaîne fit halte dans un grand champ bordé de petits bosquets. Les murs du monastère de Maneval se distinguaient dans le lointain. Charlemagne reconnut avec émotion la haie derrière laquelle il avait dormi quatre mois plus tôt, lors de son retour manqué dans la forêt de Saint-Leu. Des fauvettes et des mésanges zinzinulaient à l'intérieur en cherchant leur vie. Malgré un ciel nuageux et menaçant les condamnés durent s'installer à même les sillons.

Quand les charrettes de l'intendance arrivèrent, le chef Carcasse désigna des condamnés pour la corvée de bois et pour dresser les tentes des argousins. Le cuisinier déchargea ses marmites et bâtit des feux au-dessus desquels il cuisina une soupe aux fèves pour trois cent cinquante. Le forgeron et son apprenti désenchaînèrent trois couples supplémentaires qui allèrent aider le cuisinier à distribuer l'eau, la soupe et les rations de pain gris.

— Elle est mauvaise et même pas zalée, rouspéta Charlemagne après l'avoir reniflée et goûtée.

Le liquide étant aussi consistant que de l'eau chaude, il l'épaissit en trempant son pain dedans. Régulièrement, il auscultait des yeux le grand chemin avec l'espoir de voir apparaître les siens.

La patache du commissaire-conducteur s'arrêta à hauteur de la chaîne. La vitre de la portière se baissa et Gamoute apparut. Il échangea quelques mots avec le chef Carcasse, puis la patache s'achemina vers le sentier caillouteux qui serpentait jusqu'au monastère où le commissaire-conducteur avait l'intention d'exiger l'hospitalité.

Une vieille femme en noir sur un baudet du Poitou vint parlementer avec l'un des argousins qui accepta de remettre des provisions à son fils, un enchaîné du troisième cordon. La vieille femme suivait la chaîne depuis la maison de force de Tours et, chaque soir, elle rattrapait la chaîne et venait remettre des provisions. Son fils était un meunier de Montrichard, un meunier honnête qui, un jour de printemps, avait eu la mauvaise fortune de rentrer plus tôt que prévu à son moulin. Il avait découvert sa femme accouplée à un jeune moine du monastère d'Amboise, reconnaissable à sa robe de bure qu'il avait juste retroussée. L'infortuné cocu avait été condamné à douze ans de bagne pour leur avoir crevé les yeux avec une fourche à piquer les fagots, après leur avoir brisé un nombre considérable d'os et d'articulations avec la pelle qui lui servait d'ordinaire à remuer le grain pour favoriser le séchage.

Plus tard, une berline poussiéreuse s'immobilisa à la hauteur de la chaîne. Charlemagne vit Clotilde et ses frères en descendre et se diriger vers le chef Carcasse qui fumait la pipe, debout devant l'entrée de sa tente. Dagobert lui présenta une couverture et un paquet enveloppé dans un linge de cuisine. Carcasse inspecta la couverture et déplia le linge qui recouvrait un gros morceau de pain blanc, une terrine de pâté de lièvre, un fromage de chèvre, une pomme et une chopine de vin. Il s'assura avec les doigts que rien n'avait été dissimulé dans le pâté, il brisa le fromage en deux pour les mêmes raisons et il déboucha le flacon pour boire une belle gorgée avant de remettre le tout à un garde pour qu'il le porte au condamné Charles Leloup du huitième cordon.

— Monsieur l'avocat Pagès-Fortin serait votre obligé pour la vie si vous aviez l'obligeance de lui rendre visite dans sa voiture, monsieur le chef. Sa goutte le fait tellement souffrir qu'il ne peut pas se déplacer, ajouta discrètement Dagobert.

Le chef Carcasse eut un rictus convenu. Fouet sous le bras, pipe coincée entre les mâchoires, il monta dans le cabriolet qui grinça de tous ses ressorts de cuir. Le vieil avocat occupait toute une banquette avec sa jambe malade. Carcasse s'assit sur la banquette lui faisant face. Pagès-Fortin désigna son pied déchaussé et gonflé qu'il avait posé sur un coussin en duvet d'oie destiné à amortir les secousses.

— Mon gros orteil me tourmente de trop pour me perdre en préliminaires, monsieur le chef des gardes, aussi je souhaiterais vivement connaître les formalités à remplir pour que le condamné Charles Leloup puisse s'en aller au plus vite et en toute sécurité.

Carcasse ôta sa pipe pour dire d'une voix presque enjouée :

— A quel titre intervenez-vous, monsieur le chicaneur ?

— Je représente ces jeunes gens qui sont parents avec le condamné.

Il fit un geste vers les quatre Tricotin qui s'étaient placés en demi-cercle autour de la portière et qui les écoutaient.

Le chef Carcasse tira une longue bouffée de sa pipe et la restitua très lentement par le nez, avant de déclarer sans tousser une seule fois :

— Les formalités sont simples, monsieur le chicaneur, et se résument à un paiement intégral par avance de deux mille livres. La marchandise est alors libérée dans les trois jours suivant le paiement... Sans garantie absolue de réussite, cela va de soi.

Avec deux mille livres, une famille rouergate de paysans à six membres pouvait vivre quatre années durant.

— Faites excuse, monsieur le chef des gardes, mais tout au contraire cela ne va pas du tout de soi, rétorqua Pagès-Fortin en le foudroyant du regard. Deux mille livres est une somme extravagante pour mes clients. Et si même, par pur miracle, ils parvenaient à la réunir, comment, avec un tel prix, osez-vous ne point garantir le succès ?

Le chef Carcasse posa une main ouverte sur son cœur.

— Par pure honnêteté, monsieur l'avocat, et pour ne rien vous celer des risques inhérents à une aussi délicate opération de corruption.

Il se leva. La berline oscilla sous son poids.

— Le devoir me réclame, monsieur l'avocat. Si votre miracle se produit, vous savez où me trouver. Nous devons arriver à Toulon dans une quinzaine de jours... Si le mauvais temps nous le permet. Ne tardez point tout de même, car plus nous approcherons de Toulon, plus ce sera difficile, et plus ce sera cher, bien sûr.

Ange Carcasse descendit du cabriolet sans utiliser le marchepied. Les Tricotin s'écartèrent pour le laisser passer. Carcasse retourna vers sa tente, satisfait par la façon dont il venait de conduire ce débat, satisfait également à l'idée d'être plus riche de cinq cents livres. Mille quatre cents étaient pour monsieur le commissaire Gamoute, et cent pour les argousins de service au moment de l'escampette. C'était sur sa part que le commissaire Gamoute devait débiter les cinq cents livres d'amende que lui réclamait le ministère de la Marine pour tout évadé non récupéré dans les six mois.

Les Tricotin avancèrent jusqu'au bord du fossé. Un argousin en sentinelle leur interdit d'aller plus loin. Charlemagne n'était qu'à une dizaine de pas. Il leur sourit tout en mastiquant une pleine bouche de pâté de lièvre et de pain.

Clodomir mit ses mains en éventail autour de sa bouche et lui annonça d'un ton faussement badin :

– *Paladoné chérocou pabin tiratointox.*

Charlemagne s'arrêta de mâcher pour laisser échapper plusieurs jappements de jeune chien qui surprirent tous ceux qui l'entendirent.

– Ça lui prend parfois de faire la bête, expliqua Escampobariou, toujours en quête d'approbation.

La présence de Clotilde inspira quelques grosses gauloiseries qu'elle écouta avec curiosité sans toutes les comprendre.

– Hé, ho ! la pucelle, viens donc me boulonner les couillons, tu verras. Y sont bien pleins depuis tout c'temps à la Tournelle.

– L'écoute pas, foutre à Jésus ! Et ramène-toi plutôt par ici pour me téter le flageolet !

Clotilde eut un rire cristallin qui découvrit ses belles dents nacrées et lui donna un air joliment féroce. Puis elle se joignit à ses frères qui remontèrent dans le cabriolet. La portière claqua et le véhicule disparut en cahotant sur le grand chemin.

Charlemagne s'assit en tailleur et reprit une bouchée de pain et de pâté. Croisant le regard affamé d'Auguste Navech, il brisa un morceau de pain, étala dessus avec ses doigts le reste de terrine et l'offrit au Réquistanais qui l'engloutit à la vitesse d'une pierre tombant dans un puits. Il eut droit à un regard haineux d'Escampobariou.

Tout à ses pensées, Charlemagne l'ignora. Son frère venait de lui annoncer que son évasion était proche. Il comprenait pourquoi le chef des gardes était monté tout à l'heure dans le cabriolet du maître chicaneur. Où, quand et comment cela allait-il se passer ?

– Dis donc, Leloup, c'est de ta famille de bourrels que tu la tiens toute ta mangeaille ! clama avec une perfidie recuite le billardeur déconfit, qui haussa le ton en insistant : Car c'est bien des bourrels de Montpellier tes parents, hein, ma bique ? Et c'est bien la garce du Pibrac de Bellerocaille que t'allais épousailler l'autre jour, hein, hein ?

Découvrir qu'un exécuteur se trouvait parmi eux équivalait pour certain à marcher pied nu sur une grosse araignée. Il y eut des raidissements d'échine chez les nombreux arsouilles et assassins. La nouvelle se répandit dans les cordons à la vitesse d'une mèche soufrée.

Conscient qu'il serait inutile, voire aggravant, de chercher à s'expliquer, Charlemagne se leva et, avant qu'Escampobariou ait pu seulement esquisser une esquive, il le cogna sur l'oreille en utilisant sa chopine de vin comme marteau.

– Ah, la carne ! Ah, quel foutu animal, celui-là ! s'écria le billardeur surpris par la vive douleur.

Un deuxième coup plus fort le fit tomber à terre, tête première.

– Tu parles encore et ze tape zur tes zenoux.

Le flacon ventru en verre soufflé ayant résisté au double choc, Charlemagne le déboucha, renifla l'odeur de tabac laissée sur le goulot par les moustaches du chef, l'essuya, but une gorgée. C'était du rouquin de Roumégoux, un jus de treille bien gouleyant à la robe pourpre comme celle d'un évêque. Il tendit la bouteille à Navech qui marqua un temps d'hésitation avant de l'accepter.

– C'est y vrai que t'es un bourrel ?

Charlemagne brisa un morceau de fromage et l'emboucha en haussant les épaules.

– Rien que des craques.

Il reprit la chopine et but une nouvelle gorgée qu'il trouva meilleure grâce au fromage.

– Z'est pourtant vrai que z'ai failli épouser la fille Pibrac, ajouta-t-il avec un air songeur.

Il brisa un autre morceau de pain et de fromage et l'offrit machinalement au Réquistanais.

– Z'ai dit non parze que zi z'avais dit oui, z'aurais été valet d'éçafaud pour la vie.

– Je comprends, dit Navech sur un ton qui le démentait.

Charlemagne croqua dans la pomme en hochant de nouveau la tête.

– Pourtant, z'était une belle garze bien zigotée.

Le soir tombait tôt en automne, aussi faisait-il déjà bien sombre lorsque les cloches du monastère sonnèrent les vêpres. On réenchaîna les condamnés de corvée à leur cordon et chacun entreprit d'aménager son coin de sillon pour la nuit, en aplanissant le sol, en ôtant les cailloux pointus. Quand l'ordre de se taire et de ne plus bouger fut sifflé, les quinze argousins de service se postèrent autour du champ, à intervalles de dix pas, la baïonnette au canon et prêt à tirer à la moindre tentative d'évasion, comme le leur enjoignait formellement la consigne.

Dans l'un des bosquets tout proches, une chouette fit savoir à la cantonade qu'elle venait de s'éveiller et qu'elle ne tolérerait aucune autre chouette dans son aire.

Gêné dans chacun de ses mouvements par son collier de fer, Charlemagne s'enveloppa dans sa couverture et s'allongea sur le côté opposé à sa flétrissure, son tricorne comme oreiller.

Vers la minuit, une pluie fine se mit à tomber avec insistance. Des jurons en plusieurs patois s'élevèrent. Il y eut de vives imprécations contre la pluie, contre Dieu, contre les argousins qui les faisaient dormir dehors. Le champ de seigle se transforma vite en champ de boue. Charlemagne sentit la pluie imprégner sa couverture et ses vêtements.

– Ah, pauvre de moi ! se lamenta Navech qui n'avait rien pour se protéger. Ah, la misère, macaniche !

– Vos gueules, les bourriques ! aboya un argousin posté sur le grand chemin.

Le réveil fut sifflé aux premières lueurs du jour. La pluie avait cessé mais le ciel restait nuageux. Crottés des orteils jusqu'aux cheveux, les condamnés se levèrent en toussant et en crachant, certains se plaignant d'être encore plus fatigués au lever qu'au coucher. Des condamnés décrétés de corvée furent désenchaînés pour aller démonter les tentes tandis que le cuisinier allumait ses foyers et préparait la soupe et le café pour les argousins.

Le chef Carcasse ordonna aux cordons de s'espacer pour que les brigadiers fassent l'appel et vérifient de l'œil et du doigt le bon état des chaînes et des cravates.

– Cordon numéro 1, vingt-six cravates, complet ! gueula le brigadier Clodine.

– Cordon numéro 8, vingt-huit cravates, complet ! gueula le brigadier Maugendre.

– Crevures en charrette, neuf cravates, complet ! gueula le brigadier Huart.

– Payants en charrette, vingt cravates, complet ! gueula le brigadier Hersel.

Le dénombrement terminé, les argousins se rendirent auprès du cuisinier pour déjeuner. Plusieurs condamnés en profitèrent pour baisser leurs culottes et se vider.

Antoine Navech les imita en conseillant Charlemagne.

– C'est plus prudent de caguer maintenant, après, en route, on s'arrête jamais.

Un léger vent d'est dilua lentement les nuages en nuées blanchâtres. Quelques rayons de soleil anémiés en profitèrent pour se faufiler au travers, mais aucun assez brûlant pour sécher les vêtements et les couvertures détrempés.

Les argousins repus, l'ordre du départ fut donné. Les cordons sortirent du champ et retournèrent sur le grand chemin devenu bourbier durant la nuit. La chaîne traversa en fin de matinée Tras-la-Garrigue, un petit village d'une seule rue bordée de quelques fermes mal bâties en grosses pierres. Comme à l'accoutumée, les villageois s'attroupèrent sur le bord du chemin pour regarder passer les condamnés. Plus tard, la patache Millau-Rodez ralentit, afin que les passagers puissent les reluquer.

Après quatre heures de marche, le paysage s'ouvrit sur une vaste étendue de champs à fromental récemment labourés. L'horizon était barré par la ligne sombre de la forêt de Saint-Leu. Charlemagne entrevit un goupil qui visitait les sillons fraîchement tracés, en quête des souris et des taupes délogées par la charrue. De nombreux oiseaux l'imitaient en chassant les vers.

La chaîne rattrapa un convoi de chars à bœufs chargés de barriques de vin qui peinaient dans la côte du Bossu. Arrivés au sommet, les bouviers récompensèrent leurs bêtes en leur pissant sur le museau. Les bœufs sortirent leur longue langue pour lécher le liquide salé jusqu'au fond des naseaux. La côte redescendait en pente raide vers Racleterre qui se dévoila au loin, lové dans une boucle du Dourdou. La chaîne dépassa le bourg fortifié et fit halte le long de la rivière.

Cordon après cordon, les condamnés se rendirent sur la berge pour se désaltérer. Ceux qui possédaient des gourdes les remplirent. Charlemagne s'attira des quolibets sur sa façon de boire à quatre pattes, la bouche plongée dans l'eau, telle une bête au point d'eau. Il les ignora et ramassa quelques galets qu'il empocha sans but précis : il était capable d'occire un garenne à vingt pas, une bécasse à trente, une perdrix rouge à quarante et il ne désespérait pas d'atteindre un jour une mouche entre les deux yeux à cent pas.

La chaîne marcha encore trois lieues avant de s'arrêter pour la nuit près des ruines du château des Feuillerie de la Vertu-en-Dieu. Il restait quelques pans de murailles et une partie du donjon était occupée par une bruyante colonie de choucas. La destruction datait de la révocation de l'édit de Nantes qui avait fait fuir du Rouergue un si grand nombre de parpaillots.

Une fois la soupe des condamnés servie et avalée, le chef Carcasse réquisitionna, « au nom du Roi », la grange et l'étable à bœufs d'une ferme voisine qui appartenaient aux Fendard de Roumégoux. Il y entassa les douze cordons tels des harengs en caque. Charlemagne se retrouva étroitement coincé entre Escampobariou et Antoine Navech, sa tête touchant les bottes éculées du sergent-major Alric tandis que ses sabots reposaient sur le crâne de Riquet, un métayer du Périgord qui marchait en tête du onzième cordon. L'homme avait osé tirer à mitraille sur les perdrix qui dévastaient régulièrement ses champs après les semailles. Il avait été condamné par le juge seigneurial à huit ans de bagne pour « perdricide intempestif ».

– Au moins on est à l'abri et au sec, et puis tous serrés comme ça, y fait moins froid, dit Navech.

Quelque temps après, la pluie tomba et des gouttes s'égouttèrent sur Charlemagne. Apparemment, il n'y avait qu'un seul trou dans ce toit et il était précisément dessous, sans possibilité de se déplacer. Il posa son tricorne sur sa poitrine. *Toc, toc, toc, toc, toc*, firent les gouttes en tombant dedans.

– C'est Dieu qui te vise. Après tout ce que tu lui as fait, décréta Escampobariou que tous ces clapotis agaçaient.

Quand le tricorne fut à demi rempli, Charlemagne but le contenu en songeant aux siens, les imaginant se démenant pour le faire évader... Mais où, quand et comment ?

Plus tard, avec les ronflements, les toux et les grognements endormis, il y eut des râles qui n'avaient rien d'agonisants et des cris qui n'avaient rien de douloureux et qui le laissèrent bien perplexe quant à leur origine.

Chapitre 16

Le mal est ce qui subsiste lorsqu'on a extrait
tout le bien.

Le Grand Albert, alchimiste

Le maître chicaneur Alexandre Pagès-Fortin offrit trois cents livres
en s'excusant de ne pouvoir faire mieux, et l'oncle Félix Camboulives tergiversa longuement avant de lâcher deux cent trente livres.

– Qui vous garantit que ce chef des gardes ne va pas empocher
votre argent et faire pouic ? Vous serez bien en peine après de trouver
quelqu'un à qui vous lamenter, eh ?

– C'est M. Alexandre qui a négocié et il assure que c'est une
pratique coutumière dans la chaîne.

Le maître sabotier Jean Culat, grand ami de leur défunt père
Clovis, débroursa quarante livres, conscient ce faisant qu'il se
condamnait à ne plus fumer de Vrai Malte pendant un an. L'oncle
Caribert et le grand-père Louis-Charlemagne Tricotin apportèrent la
totalité de leur trésorerie, cinq cent quatre-vingts livres, et Mérovée
remit ses trois livres d'économie à Clotilde, qui les accepta.

Baptiste Floutard arpentait son salon de long en large, faisant des
grands gestes supposés souligner son mécontentement.

– Non seulement il ressuscite, mais le voilà bagnard perpétuel !
Ah non, vraiment ! Je préférais encore quand il était mort noyé !
Mais quel guignon, celui-là !

– Nous n'allons pas abandonner notre Charlemagne, grand-père,
et il nous faut ces huit cent quarante-sept livres, coûte que coûte,
répliqua Clodomir avec détermination.

Dagobert dressa son index.

– Et il nous les faut vite.

Il avait estimé que la chaîne progressait de cinq à six lieues par jour, or, dépassé une certaine distance, ils ne pourraient plus voyager assez vite pour la rattraper.

– Depuis sa naissance, ce gosse n'est qu'une source d'embrouilles et vous voudriez le faire évader ! Mais surtout pas, surtout pas ! Je ne baillerais pas un louis, pas même une obole pour un tel projet, vous m'entendez, petits bons à rien ?

– Il nous faut pourtant cet argent, grand-père, et vous seul dans la famille êtes assez fortuné pour nous le débourser, insista Clodomir d'un ton presque menaçant.

Floutard prit un air offensé. Tant d'ingratitude le portait presque à terre. Il méditait une verte réplique lorsque Clotilde fit un pas en avant et lui dit, d'une voix glaciale comme le ventre d'une vipère :

– Je jure sur la tête du petit Jésus que si vous ne nous donnez point cet argent, nous vous le prendrons.

La jeune fille eut un geste vers le cabinet de travail où son grand-père serrait sa cassette.

Floutard tapa sur ses oreilles comme pour les déboucher, interloqué par ce qu'il venait d'ouïr (malheur aux trompes d'Eustache qui entendent de telles horreurs !). Un simple regard vers les trois autres lui confirma le sérieux du serment.

– Vous n'oseriez pas ?

Les jambes subitement accablées, il retourna s'asseoir derrière son bureau. Il lui revenait à l'esprit ce jour où, dans la cour de la poste aux chevaux Durif, ces quatre petits misérables, âgés de onze ans, avaient massacré un cheval qui venait de blesser leur frère. Tandis que Pépin l'éventrait à coups de fourche et que Clodomir et Dagobert le lapidaient, Clotilde lui avait crevé les yeux avec la pointe de ses sabots. C'était ce même jour que Floutard avait compris qu'il fallait les séparer... Ce qu'il avait fait après le décès de leurs deux parents.

– Je ne sais ce qui me retient d'appeler monsieur l'exempt.

– Sauf votre respect, grand-père, mais il ne pourrait rien puisque nous n'avons encore rien fait, objecta Dagobert.

N'étant plus maître de la situation, Floutard crut bon feindre d'en être l'instigateur.

– Une fois évadé, il ne pourra plus revenir à Racleterre, vous êtes bien imprégné de ça au moins ? Où pourra-t-il d'ailleurs aller avec une flétrissure sur l'épaule ? Car il a été flétri, n'est-ce pas ?

– Il l'a été, admit Clodomir en prenant un air peiné.

– Vous voyez, sa vie est finie ! Et il ne pourra plus jamais s'en refaire une autre. Et puis, s'il s'évade de la chaîne, la maréchaussée viendra ici pour enquêter.

Les élections de quartinier devaient avoir lieu en janvier. Floutard était candidat et il ne voulait pas de scandale. En Rouergue, une enquête de la maréchaussée était toujours un scandale.

– Il vaudrait mieux pour tous qu'il se fasse à son sort, tout simplement.

Il les vit hausser les épaules à l'unisson, tout en continuant à le dévisager avec malveillance.

Floutard se leva et alla ouvrir sa cassette ; elle contenait cinq cent trente-cinq livres seulement. Les Tricotin durent s'en contenter, mais, comme il manquait encore trois cent douze livres, Clodomir emporta la paire de chandeliers rocaille en argent massif qui éclairait le cabinet de travail de son grand-père.

En fin de jour, Gad Marangus, l'unique juif fripier-bijoutier-marchand de bric-à-brac et prêteur sur gages du bourg, vit trois jeunes gens et une jeune garce pousser la porte de sa maison-boutique-entrepôt de la rue du Bon-Dieu.

Bien qu'installé à Racleterre depuis dix ans seulement, Marangus connaissait l'existence des quintuplés. Il se souvenait les avoir vus tous les cinq lorsqu'ils avaient été encarcanés par la prévôté au pilori de la place Royale. Il ne pouvait ignorer non plus qu'ils étaient les petits-fils de Baptiste Floutard, le propriétaire de cette maison dans laquelle il vivait depuis dix ans avec son épouse Magrone, ses fils David et Benjamin, et ses filles Myriam et Bénengude. Gad était apparenté aux Marangus de Bellerocaille et de Rodez, mais aussi aux Marangus de Bordeaux où demeurait depuis un siècle et demi la souche de leur arbre généalogique.

Tandis que les trois garçons déposaient sur le comptoir trois habits fait de bonne tiretaine et une paire de chandeliers qui sentait bon l'époque de la Régence, Gad vit la jeune fille ouvrir un grand cahier et griffonner dessus avec un fusain.

Le prêteur proposa cent livres pour les chandeliers et trente pour les trois habits du dimanche. Son offre fut acceptée sans marchandage. Il sortit d'un tiroir la somme convenue et la recompta à voix haute en laissant tomber les pièces une à une sur la table.

Timidement, Clotilde proposa de lui peindre son portrait à l'huile pour cinquante livres. Elle appuya sa demande en lui offrant le portrait au fusain qu'elle venait de faire à main levée. Il était très ressemblant et elle avait su capter et reproduire l'expression attentionnée prise par Gad Marangus chaque fois qu'il examinait des objets de qualité. Le fripier-bijoutier-marchand de bric-à-brac-prêteur sur gages accepta la proposition et, bon enfant, accepta de faire l'avance des cinquante livres.

Un peu plus tard, ils retournèrent dans l'étude de Pagès-Fortin pour y discuter de l'avenir de Charlemagne.

L'avocat croyait à la probité du chef Carcasse et au succès de l'évasion, mais il redoutait la suite. Les archers de la maréchaussée allaient se lancer à sa poursuite et la prime de cent livres qui récompensait tout chasseur d'évadé allait susciter bien des vocations.

– Comme il excelle avec la gent canine, le mieux pour lui serait qu'il se déniche un emploi de piqueux hors de notre province. Il ne devrait pas avoir de difficulté à se trouver un bon chenil où se faire oublier.

– Nous, nous pensons plutôt qu'il doit se rendre à Versailles, exposer sa position au roi et obtenir sa grâce.

– Pour rencontrer le roi, il n'aura qu'à présenter notre lettre de louanges, ajouta Clotilde d'une voix assurée.

Comme tout un chacun à Racleterre, Pagès-Fortin connaissait cette lettre signée Louis et qui avait été remise aux Tricotin par monsieur l'intendant royal en personne. Elle était restée exposée des années aux murs de la salle de délibération de la Maison. Toutefois, l'avocat doutait qu'elle procure autre chose qu'un gros ridicule pour le solliciteur. Versailles était un monde de ricaneurs, il en avait fait l'expérience lors de son unique visite du château, trente ans auparavant. Pourtant, l'idée d'aller quémander sa grâce directement au roi n'était pas mauvaise. En sept ans de règne, le jeune Louis s'était fait une réputation de bonté et en avait donné maintes preuves.

Faute de finances à donner, Laszlo Horvath s'était offert comme escorte armée. Hongrois de naissance, ancien housard-Bercheny, ancien raffiné d'honneur du baron Ocloff, le débourreur des Armogaste avait été le témoin en second de Clovis Tricotin lors de son duel, dix-huit ans plus tôt. Il logeait au-dessus des écuries du château et il avait protégé Charlemagne au temps où celui-ci était petit valet de chien au grand chenil du chevalier Virgile-Amédée Armogaste.

Malgré un temps humide qui réveillait ses vieilles blessures, le presque sexagénaire Hongrois se présenta, le matin du départ, monté sur un robuste normand à la robe alezane, armé d'un sabre, d'une paire de pistolets chargés et d'un mousqueton de cavalerie sanglé sur son portemanteau.

Les routes du Rouergue étaient traditionnellement peu sûres. Tout y était à craindre. En plus des classiques brigands de grand chemin et des bandes de réfractaires au tirage de la milice, s'ajoutaient ces derniers temps d'innombrables croquants rancuniers que la dureté des impositions et des expropriations jetaient sur les routes par familles entières.

Louis-Charlemagne Tricotin prêta son fusil de braconne (au canon forgé clandestinement à partir de vieux fers à mulet) et une giberne contenant dix cartouches de papier fort. Il offrit aussi sa vieille malle-charrette ainsi que les deux chevaux qui allaient avec. Pépin en prit la responsabilité en occupant d'autorité la banquette du conducteur. Les Tricotin s'installèrent à l'intérieur avec les sacs de voyage, la nourriture de bouche et les mille huit cent soixante-huit livres réparties dans trois bourses de tissu.

Dans l'expectative où Charlemagne se rendrait à Versailles demander sa grâce au roi, Clotilde emporta la lettre de louanges signée par Louis XV et qui félicitait la famille Tricotin d'avoir donné jour à d'extravagants quintuplés.

Il pleuvotait lorsque le rustique mais solide véhicule franchit la porte des Croisades et s'élança sur le grand chemin Rodez-Millau à la poursuite de la chaîne.

– Pour la rattraper avant Lodève, il nous faudra parcourir dix lieues par jour au moins, avertit Dagobert.

Ils entrèrent dans Roumégoux à la nuit tombante, les os concassés, les chevaux fourbus. Plus rapide sur son normand, Laszlo était arrivé en avance et avait réservé des lits à la poste aux chevaux de la place du Ratoulet. Il avait aussi questionné le maître aubergiste.

– La chaîne est passée avant-hier matin et elle est repartie aussitôt après avoir emporté nos condamnés.

– Vers où partie elle est, *bitte* ? demanda-t-il dans son français approximatif.

– Sur Millau, pardi.

Et Millau, deuxième cité rouergate après Rodez, était à seize lieues de Roumégoux.

Laszlo examina les chevaux qui se tenaient la tête pendante et les jambes écartées, signes de grande fatigue.

– Une nuit sera point suffire pour les déséreintés, dit-il à Pépin qui aidait les goujats d'écurie avec le désharnachage.

– Je sais, tonton, mais il faut faire vite si nous voulons la rattraper.

Le lendemain, Pépin dut ralentir l'allure, les chevaux renâclant à prendre le trot. A la mi-journée, ils croisèrent des pieds poudreux qui avançaient au milieu du chemin, chargés de leurs volumineuses malles à dos. Ils venaient de Montpellier et se rendaient à la foire de Rodez, voyageant en groupe par sécurité. Chacun portait en évidence sur la poitrine une plaque de cuivre ovale qui établissait son état. Sans cette plaque, la maréchaussée, le guet ou même la milice bourgeoise étaient en droit de les interpeller. Pépin s'immobilisa à leur hauteur et Clodomir se montra par la portière pour les questionner. Ils répondirent avoir vu la chaîne la veille au matin, sur le causse du Larzac, à une demi-lieue après Millau.

– Ouh la la, macarel ! Ils les font courir pour être déjà aussi loin ! s'emporta Pépin du haut de sa banquette.

Pépin était de mauvaise humeur et bien plus vanné qu'il ne voulait l'admettre. Conduire un attelage sur des chemins aussi crapoteux était éprouvant et souvent dangereux. Il appréhendait l'accident contre une ornière trop profonde, ou contre un imparable éboulis rocheux en plein tournant... mais surtout il craignait d'avoir surestimé ses forces. Clotilde et ses frères venaient à tour de rôle lui tenir compagnie sur la banquette brinquebalante.

Laszlo chevauchait quelquefois en avant, quelquefois en arrière. Il prenait son rôle d'escorte au sérieux et ne sous-estimait pas la dangerosité de la région. Les lieux les plus à craindre étaient les passages montagneux où l'on était forcé d'aller lentement, et aussi les grandes forêts, si propices aux embuscades. Le moment privilégié d'une attaque était souvent la naissance ou le déclin du jour.

Ils firent halte dans un relais mi-ferme mi-auberge près d'Aguessac où ils passèrent une mauvaise nuit en compagnie des inévitables puces et punaises sous-alimentées. Ils entrèrent dans Millau en début de matinée et retrouvèrent Laszlo à l'auberge de *L'Estrangolle-Romieux*. Le Hongrois y avait négocié vingt-cinq livres la loue de deux chevaux frais. L'échange fait, ils repartirent.

A La Pezade, un hameau qui marquait depuis le Moyen Age la frontière entre le Rouergue et le Languedoc, ils rencontrèrent des compagnons qui faisaient leur tour de France. Ceux-ci leur assurèrent avoir rencontré la chaîne la veille en fin de journée, à Pégairolles-de-l'Escalette, un village proche de Lodève.

C'est au déclin de la quatrième journée que Laszlo vit au loin la chaîne qui serpentait en ordre serré sur le grand chemin de Pézenas.

Chapitre 17

Caïn est en fait le fils du serpent
Car c'est avec le reptile qu'Ève a fauté.

Dom Calmet, *Dictionnaire du Diable*

Des sabots ferrés résonnèrent sur le sol gelé. Le chef Carcasse se retourna sur son percheron et vit un cavalier qui remontait la chaîne au trot.

L'homme dévoila un fort accent tudesque.

– Causer il nous faut, monsieur le chef.

Le sabre courbe, les pistolets dans les fontes ouvertes, les cadenettes relevées sur les tempes rappelaient l'ancien militaire de cavalerie légère.

– Causer de quoi ?

– Causer argent, *natürlich*.

Carcasse fit signe à ses brigadiers de continuer sans lui. Il dirigea son cheval vers le bord du chemin où le Hongrois le rejoignit. La chaîne défila devant eux. Les respirations fumaient dans l'air froid. Charlemagne reconnut Laszlo et se retint de lui faire signe.

La chaîne marcha plusieurs heures à travers un causse désertique, semé de plaques de neige et de cailloux gris. Quelques pruniers sauvages tordus par le vent faisaient office de végétation. Des troupeaux de moutons paissaient entre des gros éboulis ruiniformes. Les bergers accouraient pour les regarder passer.

Une heure avant le coucher du soleil, on s'arrêta dans un vaste champ à l'entrée du village de Saint-Julien-en-Lergue. Une grande châtaigneraie barrait l'horizon. Des murmures mécontents s'élevèrent à l'idée de passer une nouvelle nuit dehors par une telle froidure. Bien que la descente vers la Méditerranée ait commencé depuis

142

Lodève, il faisait toujours très froid et plus de la moitié des condamnés toussaient, mouchaient, crachaient.

Les cordons s'alignèrent, les charrettes furent désattelées, les premiers villageois, en famille, apparurent sur le grand chemin pour assister au spectacle de l'installation du camp.

Comme chaque fois, plusieurs condamnés furent désignés pour les corvées. Charlemagne vit le chef Carcasse, deux argousins, le maréchal-forgeron Sandoux, son apprenti et leur enclume, entrer dans la chaîne et venir jusqu'à lui.

— Corvée de bois de chauffe, dit Carcasse en le désignant de son fouet.

Le forgeron démanilla le condamné en deux coups de marteau. Le cœur battant, Charlemagne coiffa son tricorne, épaula sa couverture et rejoignit le groupe sélectionné pour la même corvée. Ils marchèrent sans hâte vers la châtaigneraie, encadrés de quatre argousins et de leur chef. Arrivé en lisière, ce dernier entraîna Charlemagne à l'écart. Ils s'enfoncèrent d'une cinquantaine de pas dans le sous-bois lorsque Carcasse s'arrêta près d'un vieux châtaignier au tronc bosselé et dit, amusé :

— Voilà, tu peux partir. Je signalerai ton évasion à la fin de la corvée ; aussi, ne traîne pas.

Le cœur de Charlemagne s'emballa.

— Ah bon, z'est maintenant que ze m'évade ?

— Oui.

— Alors il faut m'enlever vite le collier et la çaîne.

— Nenni. Pour une évasion sans collier et sans chaîne, c'était deux mille livres, comme je n'en ai reçu que mille huit cents, ce sera donc une évasion bon marché, avec collier et avec chaîne... Allez, ouste, disparais...

Charlemagne enroula sa chaîne trois fois autour de son cou pour l'empêcher de se balancer, puis, la couverture sous le bras, il s'en alla, sans courir et sans se retourner, très digne, le dos raidi par l'appréhension d'être mousqueté comme un lièvre. Dès qu'il fut hors de vue, il détala à toute vitesse. A bout de souffle, il ralentit et se calma progressivement. Il put ainsi recommencer à réfléchir.

Le crépuscule approchant, il grimpa à un châtaignier particulièrement élevé et dérangea au passage un écureuil affairé à dévorer une vieille musaraigne. A califourchon sur la plus haute branche, il prit ses repères en regrettant sa longue-vue conservée par Cantalamesse.

Il vit que la châtaigneraie se terminait à main droite par une grande ferme au toit de tuiles rondes et par des champs bordés de haies. A main gauche, la châtaigneraie se prolongeait en forêt, et assez loin vers l'est une longue colonne de fumée grise signalait une clairière de charbonnier.

Revenu sur terre, Charlemagne reprit sa course, l'œil à l'affût, retrouvant tous ses réflexes de coureur de haute futaie. Il profita des dernières lueurs du jour pour grimper après un chêne cette fois. Il put ainsi constater qu'il était plus proche de la charbonnière qu'il ne le pensait. Charlemagne fit un détour pour s'approcher à contrevent, au cas où il y aurait un chien, puis il rampa sans trop de bruit jusqu'à la lisière. Comme tous ceux qui vivaient dans les bois, les charbonniers avaient mauvaise réputation. On les disait facilement un peu bandits, beaucoup braconniers, toujours malhonnêtes.

Au centre de la clairière, une meule de fagots recouverte de terre fumait d'abondance. Charlemagne compta trois personnes affairées : un coupeur-lieur aux bras velus qui serpait des branches puis les liait en fagots, un carboniseur au visage et aux mains noircies qui surveillait la cuisson de la meule. Devant une cabane en branchages près d'un grand chêne, une fillette était occupée à cuire une soupe. Une outre en peau de bouc retournée pendait à un clou planté dans le tronc. Un limonier entravé broutait les feuilles d'un rejet d'orme près d'une charrette chargée de margotins, ces petits fagots servant à l'allumage du feu dans les cheminées. Deux fourches à défricher étaient accrochées l'une au-dessus de l'autre sur le côté de la charrette.

Charlemagne attendit l'obscur en regardant les charbonniers besogner machinalement sans mot dire. Il ignorait comment il allait s'y prendre pour les convaincre de lui ôter sa cravate de fer, mais il était déterminé à y parvenir, quoi qu'il en coûte.

La pénombre arrivant, la garce alluma une lanterne et la suspendit à l'entrée de la cabane. Les charbonniers interrompirent leur activité. Charlemagne les vit déposer serpes et hachettes devant la cabane avant de rejoindre la fillette qui versait leur soupe dans d'épaisses écuelles de bois. Elle se servit la dernière et alla manger à l'écart, s'asseyant sur l'une des grosses racines protubérantes du chêne.

Charlemagne rampa et décrivit un large cercle autour de la clairière pour approcher la charrette. De ce nouveau poste, il put observer que les roues étaient larges et ferrées. Pour se protéger de l'humidité du

144

sol, il s'allongea sur sa couverture, puis il réfléchit sur tout ce qu'il avait à faire.

Les cris d'un hibou quelque part sur sa dextre semblèrent le décider. Le cœur battant la charge, il se dressa, bondit jusqu'à la charrette, s'empara de l'une des fourches et courut quatre pas plus loin l'abattre sur le crâne du coupeur-lieur qui s'écroula en poussant un « Ah ! ça fait mal ! » d'une indubitable sincérité. Le carboniseur lâcha son écuelle et voulut se redresser lorsque Charlemagne lui montra la fourche.

— Bouze pas, zinon ze t'eztourbis, toi z'auzi.

Il ne put empêcher la fillette près du chêne de disparaître dans l'obscurité en poussant un couinement de souris effrayée.

— Ze ne viens pas pour briconner. Ze veux zuste me débarrazer de ze maudit collier car ze ne peux pas l'enlever moi-même, z'est tout.

— T'es qu'un bougre de bagnard en escampette, toi, oh pute ! dit le carboniseur en remarquant la chaîne autour du cou.

Comme celui qu'il venait de cogner protestait en faisant mine de se relever, Charlemagne lui redonna du plat de la fourche sur l'occiput.

— Le tue pas ! On t'a rien fait nous ! s'écria le cuiseur en se levant, les bras écartés.

Charlemagne pointa la fourche vers son visage charbonné dont il ne voyait que le blanc des yeux.

— Il faut un marteau et une pointe de fer dur pour faire zauter le rivet.

Il désigna l'assommé d'un mouvement du menton.

— Emporte-le juzqu'à la roue là-bas.

Sans perdre le carboniseur de vue, il alla jusqu'à la cabane et se saisit d'un hacheron et d'une serpe au manche muni d'un crochet, utile pour dégager les branches enchevêtrées. Il prit la lanterne et la porta près de la charrette.

— Ze vais poser le collier sur zette roue pour qu'elle te serve d'enclume, expliqua-t-il au carboniseur en jetant les outils à ses pieds. Prends le dos du haceron comme marteau et le crocet de la zerpe comme pointe.

— Le quoi de la quoi ?

Charlemagne, supportant mal les allusions à son défaut de prononciation, piqua les trois pointes de la fourche sur la chemise du carboniseur et appuya juste assez pour lui en faire tâter le pointu.

— Comme ze vais devoir te tourner le dos, ze t'avertis que ze le tue zi tu me cognes en plaze du rivet.

145

Il déroula la chaîne de son cou, s'adossa aux rayons, plia les genoux pour mettre sa nuque et la fermeture du collier au niveau du cercle métallique. Il posa la fourche sur la gorge du coupeur qui était conscient mais encore trop sonné pour réagir.

– Vas-y, et prends garde, caramba !

– C'est que c'est point facile, j'y vois peu et il m'a l'air bien petiot ce rivet.

Le crochet étant trop courbe, il fallut le redresser avant de pouvoir l'utiliser comme un coin et éjecter le rivet. Le fermoir s'ouvrit. Charlemagne se débarrassa du collier et de la chaîne et eut un mouvement de sympathie pour le charbonnier.

– Ze regrette d'avoir fait du mal à ton compagnon, mais vous étiez deux et z'avais peur que vous me capturiez au lieu de m'aider, expliqua-t-il en récupérant les mouchoirs de son frère enroulés autour du collier.

À cet instant, le carboniseur tenta de lui donner un coup de hacheron. Dans un même mouvement, Charlemagne l'évita et planta sa fourche dans la poitrine du charbonnier qui tomba sur le dos.

Les dents de la fourche s'étant coincées entre deux côtelettes, il l'abandonna et alla ramasser le hacheron et la serpe en disant avec agacement :

– Z'est bien ta faute, zi tu vas mourir maintenant.

Le carboniseur gargouilla quelques mots incompréhensibles que Charlemagne ne chercha pas à comprendre. Il prit la lanterne et partit inspecter la cabane. La sensation de légèreté autour de son cou et de ses épaules était grisante. Il vit une litière de feuilles, une cognée de bûcheron, des besaces vides, des couvertures roulées contre le poteau central, des cordes de plusieurs longueurs. Il découvrit aussi dans un recoin trois traquenards qui en disaient long sur les activités extra-charbonnières de leurs propriétaires. Posés sur une planche, il y avait du pain, du fromage, du sel et un gros éclat de sucre qu'il rangea dans l'une des besaces. Il prit aussi une corde et sortit de la cabane.

Il constata avec indifférence la disparition du coupeur-lieur. Le carboniseur en revanche était toujours là, la fourche toujours plantée dans sa poitrine. Il devait être mort car il avait cessé de se plaindre et le manche de la fourche ne bougeait plus. Charlemagne le fouilla et eut le bonheur de trouver un couteau à lame se repliant dans le manche, un briquet à amadou, ainsi que onze sols et trois deniers serrés dans une bourse de tissu fermée par une ficelle.

Il approcha du cheval et le flatta au cou et au chanfrein en lui murmurant ce qu'il allait faire. L'important n'était pas ce qu'il lui disait mais le ton sur lequel il le lui disait. Le limonier devait avoir une dizaine d'années et paraissait n'avoir jamais été monté. Charlemagne coucha soigneusement le poil de l'échine avec sa main avant de poser dessus la couverture en guise de selle. Faute de rênes, il lui noua autour du col la corde trouvée dans la cabane. Il éteignit la bougie dans la lanterne et la fourra dans la besace. Il retourna près du cheval, ôta ses entraves et sauta dessus, décidé à chevaucher jusqu'au petit matin s'il le fallait. Comme il n'était pas question de galoper ou même de trotter dans cette obscurité, il confia à l'animal le soin de trouver sa route.

Quatre heures plus tard, non seulement il n'avait pas encore croisé le grand chemin mais il avait le sentiment d'avoir progressé vers l'ouest au lieu du nord. Le ciel nuageux l'empêchant de se repérer aux étoiles, il continua de s'en remettre à sa monture qui reprit son pas lent et régulier de bonne bête de trait. Il menait une guerre perdue d'avance contre l'endormissement lorsque le cheval s'immobilisa et refusa de continuer. La fine peau de son entrecuisse et de son fessier étant à vif, Charlemagne mit pied à terre en grimaçant.

Après avoir allumé la lanterne, il vit qu'il se trouvait dans une ancienne clairière charbonnière. L'herbe y était haute et la meule centrale était en partie écroulée. Il entrava le cheval, récupéra sa couverture et alla se coucher dans la cabane désaffectée où il s'endormit avant même d'avoir fermé les yeux.

Il dormait profondément lorsque plusieurs beuglements rauques retentirent tout près. Reconnaissant le chant des cerfs amoureux, il ronchonna, changea de position et se rendormit.

Chapitre 18

Si de nos jours encore l'animal est toujours
présent dans l'homme, l'homme n'est jamais
présent dans l'animal.

Saint François d'Assise

Des bruits fracassants le réveillèrent à nouveau. Deux dix-cors en
rut s'affrontaient furieusement à l'autre bout de la clairière et le
raffut de leurs bois s'entrechoquant faisait vacarme dans la nuit.

Charlemagne poussa un grand soupir agacé. Il désapprouvait ces
bruyantes batailles saisonnières et les jugeait d'autant plus inutiles
que le nombre des biches excédait de loin celui des mâles. Mais
voilà, ces ruminants libertins n'étaient point des partageurs et voulaient des harpails entiers pour leur seul usage.

— La paix, caramba ! Allez donc vous encorner ailleurs !

Pour se traduire dans leur patois, il brama aussi fort et avec autant
de conviction, mais en vain, rien ne put déconcentrer ces surexcités
qui poursuivirent leurs violences en se précipitant l'un contre l'autre
avec des sifflements rageurs.

A l'aube naissante, l'évadé sortit de la cabane et gesticula pour se
désengourdir et se réchauffer. En plus d'être courbaturé, il avait les
fesses et l'intérieur des cuisses à vif. Le ciel était nuageux comme
la veille et une brise frisquette traversait la clairière. Le limonier
broutait paisiblement derrière la cabane.

Charlemagne mangea le pain et le fromage des charbonniers en
mâchant longuement chaque bouchée pour les faire durer. Il eut soif
et songea à l'outre suspendue au chêne qu'il avait bêtement oublié
de prendre. Armé de la hachette, de la serpe et du couteau à lame
pliante, il s'enfonça dans le sous-bois en humant avec plaisir l'âcre
haleine matinale de la forêt. L'automne étant l'époque des baies sau-

148

vages, il trouva sans peine des framboises, des mûres, des prunelles, des myrtilles et même des fraises, toutes délicieusement sucrées. Il entreposa sa collecte dans son tricorne et ramassa aussi des bolets bien joufflus et quelques girolles qu'il débusqua sous les feuilles mortes.

Il suivait pour s'amuser les traces d'un lièvre sur l'herbe quand il aperçut les deux combattants de la nuit précédente, mufle à mufle, épuisés, leurs bois enchevêtrés au point d'être prisonniers l'un de l'autre. Charlemagne décrivit un mouvement tournant qui le plaça à contrevent, puis il s'accroupit derrière un buisson d'arbrisseaux et scruta les ramures mélangées en essayant de localiser l'endroit exacte de l'emmêlement.

Les deux mâles pesaient dans les trois cents livres chacun. Celui de droite, un grand-cerf de six ans, était un peu plus gros que son adversaire, un dix-cors jeunement haut de cinq pieds au garrot. Autant qu'il pouvait en juger à cette distance, le maître andouiller et le surandouiller du grand-cerf avaient glissé sur leurs homologues et ils s'étaient verrouillés entre eux aussi sûrement qu'une serrure à trois tours. Pour se désengager, il aurait fallu qu'ils se concertent et accomplissent une manœuvre simultanée et en sens contraire. Comme ils en étaient incapables, ils étaient condamnés à se faire dévorer dans les heures à venir par le premier loup venu. Sans être fréquents, de tels accidents n'étaient pas rares, et quand on retrouvait les combattants à l'état de squelette, leurs têtes toujours jointes faisaient des trophées originaux à accrocher dans un couloir ou au-dessus d'une cheminée.

Charlemagne s'éloigna sans bruit et alla se fabriquer à coups de serpe une tricote de cinq pieds dans un rejet de cornouiller, un bois d'une grande dureté. Il retourna ensuite vers les cerfs et se mit à croupetons pour s'en approcher avec précaution. Les décousures causées par leurs ramures étaient plus dangereuses que celles causées par un sanglier. Les andouillers ne déchiraient pas comme le faisaient des crocs mais pénétraient comme plusieurs coups de poignard à la fois.

La brise leur étant contraire, les cerfs virent le bipède sans l'éventer, aussi ne s'en soucièrent-ils pas. Après une grande respiration, Charlemagne s'élança sur l'animal de gauche, abattit la tricote sur le maître andouiller et fit aussitôt demi-tour vers les fourrés.

Le cartilage du maître andouiller céda mais sans se détacher. Les

149

cerfs effrayés se débattirent en tirant à hue et à dia chacun de son côté. Alors Charlemagne s'élança derechef et visa cette fois le merrain de l'animal de gauche. Il y eut un bruit sec et les bêtes furent tout à coup séparées. Elles restèrent un court instant figées de surprise par cette liberté subitement retrouvée, puis, d'une détente, disparurent entre les arbres.

Charlemagne récupéra son tricorne rempli de baies et de champignons et retourna à la clairière, satisfait par sa bonne action, regrettant seulement que personne n'y ait assisté. Il était aussi un peu confus d'avoir privé ses alliés les loups d'un bon repas facile. Avisant un chêne de belle taille, il se hissa jusqu'au faîte pour prendre de nouveaux repères. Il vit ainsi, à une demi-lieue au nord, le grand chemin bien tracé dans le paysage par les alignements de frênes et de peupliers qui l'escortaient. Plus loin à main gauche, les toits de tuiles rouges d'un village brillaient d'humidité. Toutes les cheminées fumaient.

Revenu à la clairière, Charlemagne désentrava le limonier mais renonça à le monter tant son fessier le cuisait. Il prit la direction du grand chemin où quelque part en amont Laszlo devait probablement l'attendre... Probablement, car il n'était sûr de rien. Il s'attendrissait en songeant aux siens en train de se démener pour trouver l'argent de son évasion, quand il entra dans une vaste chênaie où des gardiennes de cochons bavardinaient tout en gaulant des glands avec des longues perches. Une trentaine de bêtes se goinfraient bruyamment autour d'elles.

Les femmes se silencèrent à la vue du louche individu tricorné sortant du bois qui approchait en tenant par la longe un cheval sans selle. Elles virent qu'il était saboté, que ses vêtements étaient crottés, déchirés par endroits, et qu'il était armé d'une grande trique de cornouiller.

Souriant de toutes ses dents, il désigna sa gorge pour dire :

– Le bonzour à vous, mes commères. Z'ai grande zoif et zi vous pouviez me bailler quelque chose à boire, ze zerais votre oblizé.

– Déguerpis, foutu faminos ou gare-gare à toi, s'écria la plus âgée en le menaçant de sa gaule.

Il allait protester lorsqu'une grassouillette d'une quinzaine d'années lança son chien sur lui en l'excitant de la voix. Mélange de chien courant et de chien d'arrêt, l'animal s'élança, avec pour objectif de mordre les mollets de l'intrus désigné. Mais celui-ci poussa alors plusieurs abois retentissants et identiques à s'y méprendre à ceux d'un molosse très en colère. Le chien pila, fit volte-face et fila à toutes pattes, les oreilles fuyantes, la queue rabattue entre les jambes, sourd aux rappels de sa propriétaire éberluée.

– Cador, Cador, reviens-nous de suite, scélérat !

Charlemagne brandit son bâton en leur criant fort et clair :

– Mauvaises femmes zans entrailles ! Que les loups vous croquent toutes un zour !

Il sortit un galet de sa poche et le lança sur la plus proche qui le reçut sur l'épaule. La gardienne poussa un glapissement pointu qui ne fut pas sans lui rappeler celui poussé par Bertille l'autre nuit, quand il lui avait écrasé les orteils.

– Z'avais visé les yeux, bourrique ! gueula-t-il en se pressant de disparaître derrière les chênes.

Voilà qui augurait mal des futures rencontres.

Pourtant, je n'ai plus de collier ni de chaîne et ma marque est invisible sous mes habits, dit-il en son for intérieur, un endroit où il ne zozotait jamais.

Il atteignit le grand chemin au moment où passait un convoi de quelque deux cents ânes bâtés chargés de minots de sel destinés aux greniers de Lodève. Les convoyeurs marchaient à côté de leurs bêtes en fumant la pipe ou en chiquant. Charlemagne fit un signe amical en leur emboîtant le pas. Il se sentit dévisager mais la présence respectable de son cheval leva les suspicions.

A une halte pour abreuver les ânes, il lia conversation avec un convoyeur au nez cassé qui lui apprit qu'à six lieues d'ici sur la route de Pezenas, un dangereux mauvais sujet s'était échappé de la chaîne et avait déjà assassiné à coups de hache toute une famille de charbonniers de Saint-Julien-en-Lergue. Ouïr de pareilles faussetés le fit trébucher sur un caillou. Plus tard, le même convoyeur au nez tordu accepta de lui vendre une mesure d'avoine pour trois sols.

Deux lieues plus loin, ils arrivèrent en vue de Lodève, perchée sur un plat à la sortie d'un défilé. C'était une cité entièrement dédiée à la confection de gros drap pour la troupe. L'entreprise Gamoute y avait collecté vingt-trois condamnés et Charlemagne gardait le mauvais souvenir d'une population hostile qui les avait accablés de quolibets et de gestes déplaisants.

Il descendit se dessoiffer sur la berge de la Lergue. A partir de cet endroit, le grand chemin s'élevait en se rétrécissant jusqu'à devenir un sentier muletier et traverser le Pas de l'Escalette en d'innombrables lacets. Pour l'avoir remarquée à l'aller, Charlemagne savait qu'une auberge-relais se trouvait au pied de la montée, et il pensait que si tonton Laszlo devait l'attendre quelque part, ce serait là.

Il franchit le porche à l'enseigne des *Trois Oies grasses* et traversa la cour encombrée par des charrettes chargées de barriques de poissons salés. Il attacha son cheval à un croc cavalier et entra dans l'auberge. Il eut un coup au cœur en se trouvant face à face avec deux gens d'armes moustachus en conversation avec le maître de poste. La majesté de la loi ne supportant pas les tailles courtes, ils étaient aussi grands que des cuirassiers et ils avaient beaucoup d'allure dans leurs bottes à la Condé et leur uniforme bleu à parements rouges.

Le plus gradé, le lieutenant Henri-Jacques Crésotier, était le fils d'une excellente famille de négociants en tissus de Lodève. Malgré quarante ans et des traits alourdis par trop de bonne chère, il faisait encore belle figure. Son subalterne, Augustin Noat, quarante ans lui aussi, n'était que brigadier. Originaire de Sète, né au sein d'une famille trop nombreuse de pêcheurs, il s'était enrôlé dès ses quatorze ans dans le régiment de cavalerie du Royal-Guyenne qui l'avait accepté pour sa grande taille. Dix ans plus tard, bien noté par ses supérieurs, ayant appris à lire et à écrire, le brigadier Noat avait postulé pour la maréchaussée de France. Ce prestigieux corps d'élite de quatre mille hommes se subdivisait en huit cent trente brigades qui couvraient – faiblement – le royaume dans sa totalité. Chaque brigade comptait cinq hommes. Le lieutenant Crésotier et le brigadier Noat appartenaient à la brigade de Lodève.

Un trio de rouliers en sabots buvaient à la table d'hôte. L'odeur poissonnière qui émanait de leurs blouses brunes les désignait comme les propriétaires des charrettes stationnées dans la cour.

– Bonzour à la compagnie ! lança Charlemagne en entrant.

Pour cacher qu'il avait tout à en craindre, il s'approcha des gens d'armes qui cessèrent de parler. Il soutint leur curiosité et les salua d'un hochement de tête, puis il s'adressa au maître de poste en faisant un effort de courtoisie.

– Faites excuse, monzieur l'auberziste, mais serait-il pozible de vous aceter de quoi manzer pour moi et mon ceval ?

Gras de partout comme la plupart de ses semblables, le bonhomme prit une mine écœurée.

— Bien sûr que c'est possible, puisque c'est une auberge ici! C'est trente sols, seize pour toi, quatorze pour le cheval.

— Ah, mais non, z'est beaucoup trop!

L'avoine acheté à l'ânier en ayant coûté trois, il lui restait huit sols et trois deniers qu'il tendit à l'aubergiste.

— Z'est tout ze que z'ai.

L'aubergiste compta les pièces et les empocha.

— Demi-ration pour le cheval... Et tu peux dormir avec dans l'écurie.

— Et pour moi, pour manzer?

— Un quart de pain, deux oignons... Et tu peux boire au puits.

Le maître de poste prit du pain dans la souillarde et choisit deux oignons parmi les plus petits.

Charlemagne fit demi-tour et sortit pour conduire son cheval aux écuries. Il le détachait du croc cavalier lorsque les gens d'armes apparurent.

— Pas si vite. On veut savoir d'où tu viens, déclara le lieutenant en examinant le limonier avec attention.

— Tu fais quoi présentement? dit le brigadier Noat en se plaçant devant lui, comme pour lui couper sa retraite.

— Ze m'appelle Navech et ze me rends à Millau, z'est tout.

— « C'est tout » n'est pas suffisant. As-tu un passeport de paroisse à nous montrer, un ordre de mission?

— Pourquoi faire, ze n'en ai pas besoin.

— Bien évidemment, tu en as besoin. Qui nous dit à nous que tu n'es pas un bricon, ou un déserteur, ou encore un réfractaire au tirage?

— Ou un évadé de la chaîne. Ton signalement concorde avec celui qui vient de nous être communiqué, surenchérit le brigadier Noat en se reculant d'un pas pour mieux dégainer son sabre.

— Puisque tu ne possèdes aucun moyen de te faire reconnaître, montre-nous ton épaule et si tu n'y es pas flétri, autant pour nous.

L'aubergiste apparut suivi des convoyeurs de poissons, attirés par le spectacle d'une prise de corps.

Charlemagne en aurait pleuré de rage. Se faire reprendre dans de telles circonstances était fort humiliant et bien nigaud. Si seulement il avait songé à regarder dans les écuries, il aurait vu leurs deux entiers et il se serait bien gardé d'entrer dans cette auberge.

153

– Inutile que ze me dépoitraille, il fait trop froid, ze me zuis évadé, z'est vrai, admit-il en caressant l'encolure du cheval comme pour lui faire ses adieux.

Sans autre motif que de démontrer à son supérieur le bon entretien de sa lame, le brigadier Noat trancha d'un coup sec la sangle de la besace.

– Voyez comme il coupe, monsieur le lieutenant.

La besace tomba à terre.

– Présente tes mains, ordonna l'officier en décrochant les bracelets de contention de son baudrier.

Il les avait utilisés pour la dernière fois un mois plus tôt. Il les avait passés à un impatient godelureau de la ville haute qui avait volé les bijoux de sa tante à héritage, prétextant qu'elle était « toujours malade mais jamais morte ».

Le brigadier rengaina son sabre et fouilla dans la besace. Il brandit le hacheron et la serpe en s'exclamant triomphalement :

– Très indubitablement, monsieur le lieutenant, voici à coup sûr des outils charbonniers.

Les deux gens d'armes conduisirent leur prisonnier à Lodève et l'enchaînèrent pour la nuit dans la geôle communale récemment vidée. Ils repartirent le lendemain pour Saint-Julien-en-Lergue avec l'intention de le confronter à la fillette et au charbonnier survivants. Ils firent halte à chaque auberge et relais du grand chemin où ils l'exhibèrent en faisant chaque fois un récit coloré de sa capture. Charlemagne apprit ainsi qu'il allait être à nouveau jugé et, sans aucun doute, pendu haut et court pour l'assassinat du carboniseur. Il apprit aussi qu'ils allaient se partager une récompense de cent louis.

En fin d'après-midi, une grosse pluie les contraignit à s'abriter en urgence dans l'auberge à l'enseigne de *La Fleur de Lys*, située à une lieue de Saint-Julien. La patache Pézenas-Millau et une malle-charrette dételée stationnaient dans la cour boueuse. Un lys en bois de trois pieds de haut peint en or sur fond azur pendait à une potence au-dessus de l'entrée. La salle au plafond bas était éclairée par des chandelles et par une flambée dans la cheminée. De la cochonnaille était accrochée aux poutres noires huilées par des décennies de vapeurs graillonneuses.

Le conducteur et son postillon buvaient du vin de Montpellier près de l'entrée. La longue table d'hôte était occupée par les passagers qui bavardaient en attendant d'être servis. Il y avait un notaire perruqué se rendant à Millau recueillir un testament, quatre drapiers de Montpellier venus négocier du tissu à Lodève, un maître tanneur et son fils de retour d'une visite en famille à Sète. Proche de l'escalier menant à l'étage, un huitième passager, un Anglais vêtu d'une *riding coat* à trois collets, écrivait ses impressions sur un calepin. Des impressions globalement négatives, surtout en ce qui concernait les prix et l'accueil dans les auberges, ainsi que l'amabilité des moyens de locomotion empruntés, l'actuelle patache étant de loin le plus inconfortable de tous.

Attablés près du tournebroche où rôtissait un peloton de poulets et de pintades, les passagers de la malle-charrette, une jeune fille en bonnet, trois jeunes gens tricornés et un individu à cadenettes et au regard bridé devisaient à mi-voix. Le tournebroche était actionné par un petit corniaud noir et blanc qui trottinait sans répit dans une roue analogue à une tournette pour écureuil. Qu'il ralentisse et le galopin de cuisine ranimait son ardeur avec un tisonnier.

La dernière table était occupée par un hongreur de Narbonne et deux tueurs de cochons itinérants qui jouaient au piquet voleur en fumant la pipe, en buvant du vin, en sacrant le nom de Dieu à chaque tour.

L'entrée de la maréchaussée poussant devant elle un prisonnier menotté fit sensation. Les conversations hésitèrent au milieu d'une phrase, puis cessèrent. Maître Lacombe ôta son bonnet et salua l'Autorité faite militaire. Pendant que les gens d'armes se dégageaient de leurs capotes ruisselantes, l'aubergiste improvisa une table avec une large planche qu'il posa sur deux tonneaux face à la grande cheminée.

Le lieutenant enchaîna son prisonnier au gros pilier central et lui ordonna de s'asseoir, de se taire et de ne plus bouger. Charlemagne obéit en gardant les yeux baissés pour cacher l'émotion qui lui avait volcanisé le cerveau à la vue des siens près du tournebroche.

– C'est un évadé de chaîne qui a méchamment occis un charbonnier de Saint-Julien, dit l'officier au passager de la patache qui le questionnait.

Les deux gens d'armes déposèrent leurs mousquetons et leurs baudriers dans le cantou bien sec de la vaste cheminée.

– Vous le ramenez à la chaîne ? demanda l'aubergiste en posant des verres et un flacon d'eau-de-vie de framboise sur la planche.

– Certes pas. Après la confrontation avec ses victimes, nous le ramènerons à Lodève où il sera dûment jugé et pendu haut et court, comme il le mérite.

Deux baillasses aux joues rouges de surmenage surgirent de la cuisine tenant à bout de bras des pichets de vin et des plats de veau aux pois qu'elles déposèrent sur la table d'hôte d'où s'éleva un murmure approbateur.

Charlemagne osa un regard vers les siens au moment où ils se levaient et quittaient leur table.

– Allez-vous souper ce soir ? les interpella maître Lacombe en les voyant prendre les degrés montant aux chambres.

– Oui, monsieur, nous soupons tous, mais dans un moment seulement, répondit Clodomir.

Charlemagne reconnut le ton qu'employait son frère lorsqu'il mentait.

Chapitre 19

Moriamur pro frater nostre!
(Mourons pour notre frère !)
Cri d'un Horace à un Curiace

Debout au centre de la chambre, une main dans le dos, l'autre tortillant l'extrémité de sa moustache en croc, Laszlo Horvath observait Clodomir qui déroulait la couverture protégeant le fusil de braconne.

– J'ai cherché, tonton, et je n'ai rien trouvé. Il n'y a pas d'autre solution, et en plus c'est sans doute notre seule occasion.

– D'ailleurs, même s'ils acceptaient d'être corrompus eux aussi, nous n'avons pas d'argent pour les payer. Il nous reste à peine de quoi rentrer au pays, ajouta Dagobert en regardant Clotilde et Pépin qui faisaient leurs bagages.

Le débourreur hongrois gonfla sa bouche et fit un bruit de cheval qui s'ébroue, signe de perplexité.

– *Ach*, c'est mauvaise affaire.

– Tu n'as pas à t'en mêler, tonton, tu n'as qu'à rester ici, nous avons juste besoin de tes pistolets et de ton mousqueton.

– Vous allez quand et comment, votre niaiserie la faire ?

– Maintenant, dit Clodomir. On descend, on les menace pour qu'ils déchaînent notre Charlemagne, on les ligote, on les enferme dans la cave avec l'aubergiste et tous les clients, et hop, on s'en va.

– Et on prend tous leurs chevaux, comme ça ils ne peuvent pas nous poursuivre, conclut Pépin.

Laszlo fit la grimace. Ses yeux étirés vers les tempes et ses pommettes saillantes lui prêtaient un air résolument hun qui avait été apprécié en son temps par la gent féminine.

– Mauvaise affaire, mauvaise affaire, je dis. Ça galope pas !

– Ce serait bien de leur laisser croire que nous prenons la direction de Montpellier, dit Clotilde en bouclant le sac de Dagobert.

– Peut-être, les maréchaussées vont quelque chose tenter, prévint Laszlo.

Il les sentait inquiets, émus, mais déterminés, et il savait par expérience qu'il serait plus facile d'essayer de se mordre le nez que d'essayer de les faire changer d'avis. Avaient-ils seulement conscience de la gravité de ce qu'ils allaient commettre ? On ne s'attaquait pas à des cavaliers de la maréchaussée impunément. Leur signalement allait être communiqué à toutes les compagnies de toutes les généralités du royaume et ils seraient recherchés pour le reste de leur existence, minimum.

Clodomir haussa les épaules avec fatalisme.

– Nous le savons, tonton, mais on ne peut pas laisser Charlemagne se faire pendre… Et puis nous serons déjà loin quand ils commenceront à nous poursuivre.

Clotilde se coiffa de son plus joli bonnet de batiste en disant :

– On ne pourra pas nous retrouver si personne ne sait où nous allons. L'aubergiste ignore qui nous sommes et puis Charlemagne, d'après ce qu'il nous a dit, a été condamné sous le nom de Charles Leloup, natif de Montpellier. Alors tout ce qu'ils auront, ce sera notre signalement et c'est pas beaucoup.

– Alors, tu nous les prêtes ces pistolets, tonton, un pour moi et un pour Clodomir ?

Laszlo sortit les armes de leurs fontes et visita l'état des amorces et des charges avant de les leur donner. Chevaucher avec des pistolets chargés n'était pas sans inconvénient et les secousses provoquées par les allures du cheval pouvaient, à la longue, faire descendre la charge vers l'extrémité du canon et ainsi créer entre la lumière et la charge un vide susceptible de provoquer une explosion lors de l'utilisation de l'arme.

– Il est lourd, dit Pépin en fermant l'œil gauche et en visant la fenêtre.

C'étaient des Küchenreuter de fabrication bavaroise, des armes pesantes qui portaient à trois cents pas et perçaient encore une planche d'un pouce. Laszlo conservait les cartouches et les plombs dans une giberne qui datait de la guerre de Sept Ans.

– Il nous faudrait aussi ton mousqueton pour que Dagobert se poste avec devant la porte d'entrée et surveille la clientèle.

Le Hongrois refusa.

– Je reste avec mousqueton. (Il les regarda tour à tour avant d'ajouter :) Mais près de l'escalier je serai, et toute la salle je surveille.

Il eut plaisir à voir qu'ils ne cachaient pas leur soulagement. Sa mémoire lui imposa un souvenir vieux de dix-huit ans, celui du jour de leur naissance où il les avait vus pour la première fois, alignés tous les cinq dans le tiroir d'une commode en guise de berceau. Ce même jour, Laszlo avait rencontré Immaculée, la femme de Caribert Tricotin. Depuis, la rumeur et une ressemblance avérée – mêmes pommettes hautes, mêmes yeux bridés – donnaient Mérovée pour son fils.

Clotilde prit le fusil de braconne des mains de Dagobert qui la laissa faire avec gratitude. Il n'aimait pas les armes et il éprouvait de la peur à devoir tuer comme d'autres éprouvent la peur de mourir. Personne n'y trouva à redire, Dagobert était materné par la fratrie depuis toujours, comme il avait été le préféré de leur mère, Apolline, avant qu'elle ne s'éteigne de chagrin et de septicémie.

Clotilde, ignorant de quel côté se mordait une cartouche, demanda à Pépin de lui enseigner la bonne manière de charger le fusil.

– C'est facile, tu vas voir, il n'y a que douze temps et dix-huit mouvements.

– Ouille, ouille, ouille, tant que ça !

– Ne te chaille pas, c'est bête comme chou... D'abord, tu tiens ton fusil ainsi... Et puis tu prends ta cartouche dans la giberne ainsi... Et puis tu la déchires avec tes dents jusqu'à la poudre... Oui, voilà... Et maintenant tu verses un tiers de la poudre dans le bassinet et le reste dans le canon... Bien... Maintenant, mets la balle et le papier, et bourre à fond avec la baguette... C'est tout.

Clotilde s'appliquait pour comprendre et pour retenir, mais il fallait faire tellement de gestes différents dans un ordre rigoureux qu'elle avait peur de ne pas tout mémoriser en une seule leçon.

– Tu vois, c'est simple, ce qui est difficile, c'est de faire tout ça vite. On m'a dit qu'un bon soldat entraîné chargeait en trente secondes, dit Pépin pour lui donner du cœur.

– Et puis tu n'auras pas à recharger puisque tu n'auras pas à tirer, ajouta Clodomir en redressant le chien du Küchenreuter.

Pépin l'imita, puis il racla sa gorge et cracha sur le plancher.

– On dit que quand on a peur, on a un défaut de salive, expliqua-t-il avec satisfaction.

Laszlo sourit en armant son mousqueton.

Clotilde rangea la baguette dans le fût et arma le chien du fusil de braconne. Clodomir marcha jusqu'à la porte et dit, d'une voix qu'il aurait aimé plus ferme :

– Allons-y !

Ils y allèrent, et, bien sûr, rien ne se déroula comme prévu.

Chapitre 20

Ne crache jamais au visage d'un Gaulois, sauf
si sa moustache est en feu.

Vercingétorix à Jules César

L'Anglais avait rejoint la table d'hôte. Il s'était assis à côté du
notaire qui grignotait un pilon de pintade avec l'attitude d'un cygne
obligé de subir le voisinage d'une bande de canards. Le conducteur
et son postillon mangeaient avec leurs doigts du poulet rôti, le hongreur et les tueurs de cochons continuaient leur partie de cartes, tandis que les gens d'armes se régalaient de veau fricassé aux pois baignant dans du jus de viande avec un appétit d'autant plus libéré que
les plats étaient offerts par la maison.

Maître Lacombe et l'une des baillasses aidaient le galopin de
cuisine à nettoyer les broches graisseuses. Sorti de sa cage, la langue
pendante, le petit chien s'était couché et n'en finissait pas de reprendre
son souffle.

Charlemagne vit Clodomir et Pépin descendre lentement l'escalier,
un pistolet à la main. Clotilde les suivait, armée du fusil de braconne
de grand-père Louis-Charlemagne, puis ce fut tonton Laszlo et son
mousqueton de cavalerie. Seul Dagobert avait les mains vides. Ils s'arrêtèrent sur la dernière marche et attendirent que Clotilde traverse la
salle et se poste devant l'entrée. Charlemagne croisa son regard lorsqu'elle passa près de lui et remarqua sa pâleur et ses mains crispées
sur le fusil. Il vit ensuite Clodomir avancer d'un pas raide vers les gens
d'armes tandis que Pépin crachait sur le plancher avant de le suivre.

Le dos à la cheminée, assis face à son brigadier, le lieutenant Crésotier mâchait une bouchée de veau aux pois lorsqu'une jeune garce
en cape de pluie passa à proximité et alla se placer le dos à la porte
de l'auberge. Il eut alors la mauvaise surprise de voir qu'elle tenait

un fusil et qu'elle le pointait dans sa direction. Crésotier cessa de mastiquer et nota presque simultanément la gracieuseté du visage de la jeune fille, son joli bonnet de batiste et sa façon plutôt gauche de tenir le fusil à la hanche.

Puis il y eut une formidable détonation, aussitôt suivie par un formidable choc dans la poitrine qui l'éjecta de son siège, malgré ses cent quatre-vingts livres, et qui le projeta en arrière dans l'âtre de la cheminée. Ses genoux soulevèrent la planche qui servait de table et les assiettes de ragoût, les verres et la chopine de vin s'envolèrent, tandis que le brigadier Noat avait un recul qui faillit le renverser de son tabouret.

— C'est parti tout seul, bredouilla Clotilde, les yeux agrandis par la surprise, les narines picotées par l'odeur de la poudre.

Le recul avait été rude, elle en avait presque lâché le fusil.

— Ne bougez pas, monsieur, cria Clodomir au brigadier en lui braquant son pistolet sur le visage, droit sur le milieu du front.

L'arme étant lourde, il dut raidir son bras pour ne pas trembler. Pépin alla se placer devant les baudriers et les mousquetons. Il dégaina l'un des sabres et le conserva dans sa main gauche, tel un pirate avant l'abordage. On le vit alors cracher sur le plancher et se montrer satisfait du résultat.

Maître Lacombe et sa baillasse apparurent de la souillarde. La femme poussa un cri à la vue du lieutenant agonisant sur le plancher.

— Atapinez-vous là-bas et ne bougez plus, ordonna Clodomir en leur désignant de son pistolet le tournebroche.

Dagobert vint examiner le moribond qui gisait les bras à demi écartés, le souffle déréglé, la bouche ouverte, les yeux fermés. Son tricorne était tombé dans le foyer et avait pris feu. La blague à tabac qu'il serrait dedans cramait en dégageant une bonne odeur de Vrai Pongibon.

— *Ratavo padutou !* s'exclama-t-il en constatant que la balle avait traversé le drap de l'uniforme au niveau du sein gauche.

— Z'est lui qui a les clefs, lui cria Charlemagne qui bouillonnait d'impatience autour de son pilier.

Les joueurs de cartes ne jouaient plus et les clients de la table d'hôte avaient cessé de manger. Le conducteur et son postillon itou. Personne n'osait se lever ni même remuer un orteil. Maître Lacombe, près du tournebroche, était incapable de démêler la situation. Il comprenait seulement qu'elle était grave. Il vit avec des yeux ronds la jeune fille mordre une cartouche entre ses belles quenottes blanches, verser en tremblant une pincée de poudre dans le bassinet puis une plus large dans le canon.

Tout en gardant un air buté, le brigadier Noat n'osait bouger de son banc. Rien n'était plus dangereux, rien n'était plus imprévisible que des amateurs d'une telle envergure. La triste preuve était allongée, saignante et mourante, sur le plancher.

Qui aurait pu prévoir que des complices se trouveraient à *La Fleur de Lys*, alors qu'ils n'avaient jamais eu l'intention de s'y arrêter ? Sans la pluie, ils auraient continué jusqu'à Saint-Julien, et ce cauchemar n'aurait jamais eu lieu.

— Je l'ai ! s'exclama Dagobert en retirant du gilet du lieutenant une clef en acier accrochée à un anneau du même métal.

Il alla aussitôt vers son frère et lui déverrouilla les bracelets avec un large sourire.

— C'est comme dans nos romans de chevalerie, eh !

— Z'est bien mieux, za nous arrive !

Sans même sacrifier à la tradition qui aurait voulu qu'il se frotta les poignets en grimaçant, Charlemagne alla en priorité s'emparer d'un mousqueton dans le cantou. Comme l'arme était vide, il ouvrit l'une des gibernes et fut impressionné par le rangement impeccable des quinze cartouches, des trois silex de rechange, du tournevis, de la fiole d'huile et d'une épinglette en laiton, indispensable pour déboucher la lumière du bassinet vite encrassée.

Les traits empourprés, le brigadier Noat ne put se contenir plus longtemps.

— Maudite arsouille ! Je te verrai pendre ! Et ce serment je le fais sur le sang du Christ et sur les larmes de Marie !

Sans un mot, Charlemagne retira la baguette du fût et l'enfonça dans le canon pour la chasser avec force à deux reprises, bourrant ainsi le papier fort, la balle et la poudre.

— Vous serez tous pendus, je vous le promets sur l'honneur ! Tous autant que vous êtes, misérables paltoquets de campagne ! Oui, je vous verrais TOUS pendus par le cou !

Charlemagne recula d'un pas, épaula à demi le mousqueton et, oubliant d'enlever la baguette, tira dans la tête du brigadier. Longue de quatre pieds, la baguette en fer forgé pénétra à une vitesse de neuf cents pieds seconde dans l'orbite gauche du brigadier Noat, traversa de part en part son cerveau et surgit de la nuque en emportant toutes ses pensées ainsi qu'un gros morceau d'occipital.

– Jésus Marie Joseph !

– Mordemonbleu !

– Sacré double nom de Dieu !

– Quand on le fâche, mon frère, eh bien il se fâche, déclara Pépin sur un ton explicatif dépourvu de raillerie.

Imité par Clodomir, il promena son pistolet sur les passagers de la patache, sur les joueurs de cartes, sur l'aubergiste, la baillasse, le galopin de cuisine, sur le conducteur et le postillon, les défiant de faire un seul mouvement louche.

Charlemagne s'agenouilla au-dessus du brigadier et le fouilla. Il récupéra le couteau à lame pliante, le briquet pris aux charbonniers et il s'appropria les quatre écus de trois livres, l'écu de six et la grosse montre en argent que le défunt aimait souvent consulter d'un air important.

– Maintenant, elle est mienne.

Clodomir agita son pistolet sur l'assistance pour ordonner :

– Maintenant, tout le monde se lève et tout le monde va dans la cave.

Une fois de plus, Charlemagne fit preuve d'un grand pragmatisme en proposant une variante.

– Avant, il faut leur prendre tout ze qu'on peut... Zurtout l'arzent !

Pépin mit ses mains sur les hanches pour s'esclaffer.

– Alors on devient aussi des grands brigands ?

– Oui, mais pour zette fois zeulement.

Malgré la pluie, l'obscurité, la fatigue, les chevaux réticents, la malle-charrette roula à petite vitesse sans s'arrêter jusqu'aux aurores.

La nuit se passa en conversations débridées où chacun rappela les faits marquants de la soirée et le rôle qu'il y avait joué.

– Le coup est parti tout seul, répéta Clotilde d'une voix contrite.

– Ce sont des choses qui arrivent, c'est la fatalité.

– Non, c'est la nervosité... J'avais tant peur de mal faire.

Incapable de se calmer, Charlemagne gigotait sur la banquette.

– Z'est une drôle de bonne fortune que vous vous zoyez trouvé dans zette auberze.

– On t'y attendait depuis deux jours. Hier, on a patrouillé le grand chemin toute la relevée et une partie de la soirée en espérant te voir apparaître.

Il leur expliqua comment et pourquoi le chef Carcasse l'avait libéré sans lui ôter le collier et la chaîne.

– Et puis il m'a libéré dans un bois et z'ai dû marcer toute la nuit hors du grand cemin. Voilà pourquoi on z'est manqué...

– C'est vrai que tu as occis un charbonnier?

Charlemagne haussa les épaules pour montrer le peu d'importance qu'il prêtait à l'incident.

– Z'est vrai.

N'éprouvant aucun remords, il ne pouvait imaginer avoir mal agi.

Ce fut Clodomir qui lui expliqua comment ils avaient réuni l'argent et comment ils avaient persuadé grand-père Floutard de verser sa part.

– Ça lui a fait aussi mal que si on lui avait arraché les poils du nez un par un.

Ils rirent méchamment et Pépin, dehors sur le siège du conducteur, enragea en les entendant de ne pas être parmi eux. Il s'était mis à l'abri du mauvais temps en volant au postillon sa grande pèlerine brune en tissu huilé sur laquelle roulait la pluie. Sur une suggestion de tonton Laszlo, il avait pris les quatre chevaux et les harnais de la patache et les avait attelés à la malle-charrette. Résultat, on allait plus vite mais on était plus fortement secoué.

Pépin reconnaissait avoir éprouvé du plaisir à participer à cette action quasi militaire de délivrance et le souvenir de l'excitante odeur de poudre noire lui faisait envisager une carrière de guerrier. Pourquoi ne pas devenir housard comme tonton Laszlo l'avait été dans sa prime jeunesse? Ou encore s'enrôler dans l'infanterie et partir aux Amériques guerroyer contre l'Anglais? L'année précédente, le roi y avait envoyé un corps expéditionnaire commandé par le comte de Rochambeau. Seule l'idée de se séparer des siens le faisait hésiter, mais, après tout, Clodomir n'allait-il pas les abandonner pour faire la traite en Afrique?

Voyageant en amont du grand chemin, le débourreur hongrois remorquait les chevaux de la malle-charrette et le couple de normands pris aux défunts de la maréchaussée. Une fois à Roumégoux, il se faisait fort de les revendre à un fourrier du Royal-Rouergue.

Trois jours et trois nuits plus tard, ils entraient dans Millau par le grand pont au-dessus du Tarn.

Ils se logèrent dans la poste aux chevaux à l'enseigne *Au Chien pétuneur*, et Charlemagne acheta le jour même, pour trente-sept livres, un billet de diligence Mende-Saint-Flour-Clermont-Ferrand-Bourges-Orléans-Paris.

Le brigandage des voyageurs et la mise à sac de l'auberge avaient rapporté sept cent quatre-vingt-quatorze livres, plus quatre louis de vingt-quatre livres que Dagobert avait dénichés dans la ceinture du drapier. Charlemagne s'en était octroyé cinq cents et avait gardé les quatre pièces d'or. Il avait renouvelé sa garde-robe en se servant dans les bagages de l'Anglais, de même taille et de même corpulence que lui. Il s'était également approprié le sac de voyage de ce dernier, ainsi que le portemanteau du lieutenant Crésotier, son sabre, son ceinturon, sa giberne et ses deux pistolets modèle 1733.

La veille de son départ, l'avenir de Charlemagne fut évoqué en longueur.

Laszlo lui conseilla de se présenter à l'hôtel du Point d'Honneur dans la rue Saint-Honoré. Trois années durant, il y avait été raffiné pour le compte du baron Fortuné Ocloff du Cap, et il en conservait un agréable souvenir.

– Toujours ce baron il cherchait des raffinés nouveaux pour ses combats. Mais vingt ans passés depuis, alors peut-être plus rien tu trouveras.

Quand Pépin suggéra qu'il pouvait toujours s'enrôler chez les militaires, Laszlo s'y opposa fermement.

– Officier il faut être, sinon la vie d'esclave c'est la vie de soldat, et officier tu peux point.

L'accès au grade d'officier n'était pas vraiment fermé aux roturiers, mais ils devaient passer par le rang, ce qui prenait vingt ans minimum, tandis qu'un noble y accédait directement dès lors qu'il pouvait produire un certificat attestant deux cents ans de noblesse.

– Ah ! mais z'est bien inzuste ! s'indigna Charlemagne.

– *Ja wohl*, bien injuste.

Leur séparation eut lieu dans la cour carrée de la poste aux chevaux. La diligence Millau-Saint-Flour était sur le départ. Sans un mot d'adieu, Charlemagne rentra dans la caisse et se coinça entre un métayer de Chastel-Nouvel qui sentait des pieds et le bedeau perruqué de la cathédrale de Mende qui sentait la civette.

Clodomir, Pépin, Dagobert et Clotilde s'en allèrent sans se retourner.

Deuxième partie

Chapitre 21

Le suprême bon ton à Paris est d'être américain à la ville, anglais à la Cour, prussien à l'armée, bref, d'être tout sauf français.

Louis Sébastien Mercier, 1780

Paris, le 4 novembre 1781.

La rupture d'une soupente sur la route royale d'Étampes retarda la turgotine Orléans-Paris de plusieurs heures, la faisant arriver dans la capitale à nuit noire. L'attelage s'immobilisa devant la barrière Saint-Marcel noyée dans le brouillard. Un commis en redingote des Fermiers généraux portant un fanal se présenta à la portière.

– N'avez-vous rien contre les ordres du roi?

Après que les passagers eurent répondu négativement, il grimpa dans la caisse et visita chaque bagage avec nonchalance. N'ayant rien trouvé justifiant un procès-verbal, il fit signe au sous-commis qu'il pouvait lever la barrière. La turgotine reprit sa route, mais le brouillard était si dense que le conducteur ordonna au postillon de marcher devant les chevaux et de sonder pour eux les ténèbres.

Coincé entre un rentier en habit de velours qui ne supportait pas le silence et se croyait obligé de distraire la société avec un bavardage continuel et une grosse fermière endimanchée en visite chez sa fille aînée, Charlemagne se répétait en lui-même : Voici Paris, et j'y suis, caramba! Il y était, certes, mais il ne voyait rien dans une pareille purée de pois.

En face de la fermière se tenait sa fille cadette, une grasse et fraîche jeune oie qui piquait des fards en papillotant des cils chaque fois qu'un cahot la faisait entrer en contact avec son voisin, un séminariste boutonneux qui n'avait ni souri ni lâché sa bible de tout le trajet. A ses côtés, un bas-officier en uniforme du régiment du Poitou toussait continuellement et crachait dans une boîte métallique qu'il vidait par la fenêtre chaque fois qu'elle était pleine, faisant entrer du même coup des bourrasques d'air glacé dans le véhicule · tout le monde le détestait en silence.

Arrivé au croisement de la rue de la Montagne-Sainte-Geneviève et de la rue de Judas, trois gardes-françaises à cheval surgirent du brouillard et firent signe au conducteur de s'arrêter. Le sergent cogna contre la portière avec le dard de son sabre.

– Montrez-vous au guet et nommez-vous.

La voix pâteuse indiquait que l'homme était ivre.

Chaque passager dut se présenter en déclinant son nom et sa qualité.

– Çarlemagne Tricotin. Ze viens de Racleterre-en-Rouergue.

– Pour faire quoi à Paris ?

– Ze viens voir le roi.

– Bien sûr, comme tout l'monde.

Le sergent tendit la main avec le naturel de la grande habitude et les passagers y déposèrent quelques sols.

– Y a rien de bon dans ces pierrots, tout est à jeter, grogna le bas-officier une fois la turgotine reparti.

– Si on lui avait rien baillé, il nous aurait enchagriné pour le restant de la nuit.

Considérant leur solde et leurs indemnités comme insuffisantes les gardes-françaises avaient pris l'habitude de rançonner les passants, à la sombre de préférence.

Arrivée place Maubert, la turgotine se rangea devant le bâtiment des Messageries de Paris. Plusieurs goujats ensommeillés vinrent s'occuper des chevaux en questionnant le postillon sur les raisons d'un tel retard.

Sitôt leurs bagages récupérés, les passagers s'égaillèrent chacun de son côté et Charlemagne se retrouva seul sur le pavé, sans la moindre idée de l'endroit où il était. Le conducteur lui signala l'hôtel du Jour Plein situé dans la rue Perdue, toute proche. Il avança en traînant ses doigts sur les façades pour pouvoir repérer le coin de la rue. Sous les porches et dans les embrasures dormaient de nombreux haillonneux serrés les uns contre les autres. Il trouva l'hôtel grâce à son enseigne démesurée représentant un grand lit gothique à baldaquin. Il cogna longuement contre la porte avant qu'elle s'entrouvre sur une matrone en bonnet de nuit munie d'un bougeoir.

Vaste comme un tiroir de moulin à café, la chambre coûtait six sols avec la chandelle. Il n'y avait pas de fenêtre et la porte n'avait pas de verrou. Quant au mobilier il se limitait à un lit sans baldaquin, à un matelas de crin d'une grande saleté et à un pot de chambre dangereusement ébréché. La tapisserie des murs pourrissait par lambeaux en dégageant des mauvaises odeurs.

Pour pallier l'absence de fermeture, Charlemagne traîna le lit devant la porte et plaça le sabre et les deux pistolets à portée. Il s'enroula ensuite dans sa couverture et se coucha sans se dévêtir ni se débotter tant il faisait froid dans ce puant taudis.

Comme chaque matin depuis des siècles, les deux cent quarante-sept clochers de Paris sonnèrent prime tous en même temps, ce qui fit beaucoup de bruit.

Charlemagne commença par pisser dans le pot de chambre ébréché puis il rangea les pistolets dans le portemanteau, retressa ses cadenettes, refit sa queue, lustra ses bottes sur le matelas qui en avait vu d'autres, boucla le ceinturon en peau de buffle et suspendit aux bélières le sabre du lieutenant Crésotier.

C'était une belle arme – le modèle officier – avec une monture à trois branches en volute qui protégeait bien la main. La poignée était entourée de filigranes de cuivre doré qui garantissaient une bonne prise. La lame mesurait trois pieds. Elle était large, droite, et elle avait été spécialement allégée par des gouttières et des pans creux jusqu'à peser moins de deux livres.

Il passa la redingote à triple collets du voyageur anglais et se coiffa du tricorne de Dagobert. Ainsi fin prêt, il quitta l'hôtel en refusant de répondre aux injonctions de la matrone qui prétendait lui faire signer un registre de police.

Dès ses premiers pas dans la rue Perdue, le vacarme et le va-et-vient des gens et des voitures l'abasourdirent. Même durant la foire de la Saint-Benoît, il n'avait vu pareil grouillement. Il comprit vite que la mauvaise odeur que dégageait le spectacle venait d'une sorte de moutarde noirâtre qui souillait les pavés et auprès de laquelle le cagadou du grand-père Floutard fleurait l'encens.

Un marché se tenait place Maubert. Des chiens sans maître fouinaient entre les étals et les échoppes. Plusieurs marchands ambulants allaient et venaient en poussant leurs cris par intervalles.

– A la fraîche, à la chaude, qui veut boire ?

– Voilà mon vinaigre, aigre à merveille !

– V'là le maquereau qu'est pas mort ; il arrive, il arrive !

– A la vie, à la bonne vie, à la bonne eau-de-vie, à un sou l'petit verre !

– La mort aux rats, la mort aux souris, la mort, la mort !

– Et moi, j'ai du bon caillé qui fait bien caguer !

A l'angle de la rue des Trois-Portes et de la rue Pavée, une vendeuse de café au lait avait appuyé sa fontaine de fer-blanc sur une borne à cheval.

– Z'est combien ?

– Trois sols pour vous, mon biau gentilhomme.

Elle remplit un bol mais attendit d'être payée pour le lui tendre. Charlemagne dégusta le breuvage couleur eau boueuse et légèrement sucré en s'ébaudissant sur la hauteur de certains immeubles entourant la place. On aurait dit plusieurs maisons l'une sur l'autre. Il compta jusqu'à six étages pour la plus élevée, soit près de quatre-vingts pieds, bien plus haut que le plus haut des arbres de sa connaissance.

Un tailleur de pierre, reconnaissable à ses outils rangés dans une large ceinture de cuir, commanda un bol de café au lait et le paya deux sols. Charlemagne haussa les sourcils.

– Et pourquoi z'en ai payé trois, moi ?

– C'est qu'vous, vous avez de quoi, assurément, mon biau gentilhomme à la mode, expliqua la vendeuse en souriant des lèvres seulement.

Réprimant sa première impulsion qui était de lui flanquer un coup de botte dans les chevilles, il ramassa ses bagages et s'éloigna avec dignité. Mais comme il ne pouvait pas tenir son sabre et son sac de voyage en même temps, le dard métallique du fourreau traînait par terre et rebondissait avec boucan sur chaque pavé.

Il s'engagea dans une rue en pente et croisa des lavandières et des porteurs d'eau qui revenaient de la rivière en trottinant. Des vendeuses de poissons, des vendeuses d'huîtres à l'écaille, des gagne-petit devant leur meule à aiguiser occupaient tout le haut du quai des Tournelles et, sur les berges, des portefaix déchargeaient d'un chaland une cargaison de bois de charpente et de briques de construction. Là aussi, des chiens errants furetaient partout à la recherche de quelque chose à croquer.

Pour l'avoir admirée sur des gravures, Charlemagne reconnut au premier coup d'œil Notre-Dame trônant sur son île au milieu de la rivière. Il marcha jusqu'au Pont-au-Double comme à l'habitude encombré aux deux extrémités par des fiacres, des voitures à bras, des cabriolets et même un carrosse doré à six chevaux. Tous voulaient passer en priorité et personne ne voulait céder.

Il se faufila avec les passants entre les véhicules et arriva dans une ruelle donnant sur le parvis de Notre-Dame. D'emblée, le jeune Rouergat fut favorablement impressionné par la taille de la rosace multicolore et surtout par les innombrables statues de pierre qui ornaient la façade. Comme il aurait grimpé à la cime d'un arbre pour se repérer dans une forêt inconnue, Charlemagne grimpa les quatre cent huit marches de la tour du Midi. Arrivé sur la terrasse, il laissa tomber ses sacs et reprit le souffle perdu un peu après la centième marche. Levant les yeux vers le ciel gris foncé, il réalisa qu'il n'avait jamais été aussi proche des nuages : d'ailleurs, en se dressant sur la pointe des pieds, il aurait pu facilement en arracher une poignée.

Près d'un vilain démon cornu aux ailes de chauve-souris, une famille de provinciaux admirait le panorama. A côté d'eux se tenait un jeune homme maigre, au teint pâle, aux traits allongés, entièrement fagoté de noir, une longue-vue de marine à la main. Il vint au-devant de Charlemagne avec un large sourire qui montra une quantité de petites dents plutôt jaunes que blanches.

— Bienvenue à Paris, monsieur, et bienvenue de la plus belle vue du monde.

Il eut un geste balayeur vers les milliers de toits qui s'étalaient de part et d'autre de la grande rivière.

Charlemagne s'approcha de la balustrade et hocha la tête devant le spectacle.

— Z'est mon premier zour dans Paris et ze viens izi pour reconnaître mon cemin.

— Et moi je me présente, Julien Chapier, étudiant à la Sorbonne, pour vous être agréable, monsieur... Peut-être voudriez-vous louer ma longue-vue ? J'ose affirmer qu'elle vous dévoilera la ville jusque dans sa moindre parcelle.

— Louer ?

— Pour un sol, seulement.

— Zi vous voulez m'être agréable, prêtez-la-moi, zeulement.

Les traits allongés de l'étudiant loueur de longue-vue se déformèrent pour composer une expression pitoyable.

– Ce serait avec plaisir, monsieur, mais je suis si pauvre que j'en meurs tout à fait de faim… Et c'est pour ne point défaillir d'inanition que je suis ici à louer la longue-vue de mon défunt papa.

Charlemagne hocha la tête et lui donna un petit écu de quinze sols. L'étudiant empocha la pièce d'argent avec la vitesse d'une langue de caméléon.

– Mille merci, monsieur, vous ne regretterez point cette modique dépense.

Charlemagne porta la longue-vue à son œil droit. La matinée était froide et humide et les milliers de cheminées sur les milliers de toits fumaient à l'unisson dans un ciel sans vent. Parce qu'il savait reconnaître une fumée à sa couleur – grise pour le bois bon marché, noire pour le coûteux charbon –, il put distinguer les quartiers pauvres des quartiers riches et constater que les premiers excédaient de loin les seconds. Puis il s'intéressa aux évolutions de grands oiseaux blancs qui volaient au-dessus des eaux en poussant des cris aigus.

Portant son attention sur la tour du Nord qui lui faisait face, il fut surpris de découvrir plusieurs nids de faucons crécerelles dans les anfractuosités des moellons. Il remarqua un mâle à la tête grise et à la queue barrée de noir qui se tenait à l'affût, perché sur la tête d'un saint Sébastien criblé de flèches. Il suivit le rapace lorsqu'il s'envola et dessina des cercles au-dessus du parvis. Soudain, il le vit descendre en piqué sur un moineau qui s'était écarté de sa bande pour picorer des fourmis entre les pavés. Le faucon crocheta son petit frère de race à plumes dans ses serres et s'en retourna le dévorer confortablement sur la tête de la statue. Plaçant ses mains en porte-voix, Charlemagne se mit à pousser des piaillements d'oisillon affamé qui stupéfièrent l'entière colonie de crécerelles, mais aussi la famille de provinciaux et l'étudiant Chapier.

Il s'expliqua en souriant :

– Z'est une farze, ze leur ai fait croire que z'était le printemps.

Il promena à nouveau la longue-vue sur l'océan de maisons et de clochers.

– Quels zont zes parterres fleuris, là-bas à main droite ?

– Ce sont les jardins des Tuileries que vous me désignez là, monsieur… Et à côté se trouve le palais du même nom… et puis encore à côté le château du Vieux Louvre et les jardins du Palais-Royal, juste derrière... Vous les voyez, monsieur ?

– Et la rue Zaint-Honoré ?

– Elle passe entre les deux.

Charlemagne prit pour repères la flèche de la Sainte-Chapelle, la statue équestre du Pont-Neuf et les tours du Vieux Louvre, puis il rendit la longue-vue à son propriétaire en lui disant :

– Ze veux la monnaie de mon écu.

– Mille et mille excuses, monsieur, je suis distrait, voyez-vous, mais ce n'est que trop normal lorsque par défaut de finances on ne mange rien depuis cinq jours.

– Eh ! zinq jours, z'est long, admit Charlemagne sans pour autant renoncer. Alors ?

– Alors quoi ?

– Alors, mon arzent.

– Oh oui, bien sûr, évidemment, bien sûr, voyez-vous, j'avais encore oublié... Mille excuses, mille excuses.

Charlemagne lui montra quatre doigts.

– Z'a fait quatre mille excuses, z'est bien azez.

L'étudiant sortit de son habit noir quelques piécettes et prit un air peiné en le voyant les recompter.

– Il en manque.

Un étonnement infini se lut sur son visage pâle.

– J'aurais pourtant juré, monsieur, que le compte était bon.

– Il n'est pas bon. Il manque quatre zols, et ze les veux, caramba !

– C'est comme je vous le disais, la famine me fait mal compter... Entendez-moi, monsieur, depuis huit jours que je ne mange rien, mon esprit en est troublé à la longue.

– Tout à l'heure, z'était zinq zours.

– C'est bien ce que je dis, c'est une grande confusion là-dedans, admit-il en tapotant son front *(toc toc toc)*, tel un aubergiste testant la contenance d'une futaille.

Son interlocuteur demeurant insensible à tant de détresse, l'étudiant Chapier dut rendre la monnaie dans sa totalité.

Quai des Morfondus, Charlemagne entra dans une boutique à l'enseigne *A la Bonne Heure* et posa sur le comptoir la montre-gousset du brigadier Noat.

175

– Ze ne zais pourquoi mais les deux aiguilles ze zont arrêtées un peu avant Millau, et elles ne zont plus reparties depuis.

Le maître horloger fixa une loupe ronde sur son œil, ouvrit le dos de la montre avec l'ongle de son pouce, examina les rouages. Après un court instant, il ôta sa loupe et regarda pensivement l'individu en belle redingote anglaise à trois collets planté dans son atelier qui ignorait qu'une montre devait se remonter périodiquement.

– C'est grave, monsieur… Mais pour trois livres je peux la réparer.

– Trois livres, z'est beaucoup !

– Adécertes, mais le dérèglement est important.

– Bon, alors réparez-la, dit Charlemagne en sortant de sa poche intérieur un petit écu de trois livres.

L'horloger s'assit à son atelier et lui tourna le dos, aussi ne vit-il rien de ce qu'il faisait. Il l'entendit cependant psalmodier d'étranges « abracadabra bra bra ».

– Votre montre est à nouveau en vie, monsieur… Et de plus je vous l'ai réglé à l'heure exacte du royaume.

Les aiguilles marquaient neuf heures et son premier quart. Charlemagne porta l'objet à son oreille et sourit en entendant le tic-tac du mécanisme, preuve irréfutable que la réparation avait réussi.

Le quai des Morfondus se terminait sur le Pont-Neuf et sur une grande statue équestre du roi Henri IV enfermée derrière une grille de fer. Dès qu'ils aperçurent Charlemagne, un marchand de pains d'épice, un marchand d'échaudés, un marchand de pâtés chauds, une vendeuse de poires cuites et une vendeuse de fleurs l'entourèrent en criant :

– Régalez-vous, régalez-vous !

– Eh ! laizez-moi rezpirer !

Son accent les encouragea à insister, aussi dut-il bousculer la bouquetière qui lui agitait ses roses à épines sous le nez en scandant d'une voix stridente :

– Ma fleur, ma fleur, en voulez-vous d'ma fleur ?

– Eh non, z'en veux pas.

Installées le long de la grille, une douzaine de vieilles marchandes proposaient des pyramides de gros fruits ronds et jaunes.

– Au Portugal ! Au Portugal, oranges fines, oranges fines, bien juteuses, à six les trois ! s'écrièrent-elles en le voyant approcher.

Il paya six deniers et reçut en échange trois fruits de la taille d'un

176

poing. L'écorce tavelée lui fit penser aux joues vérolées de leur bonne mère Apolline.

– Z'est la première fois et ze ne zais pas comment on les manze.

Après s'être assurée qu'il ne se gaussait pas, la marchande lui enseigna comment s'épluchait le fruit. Déposant ses bagages sur le large parapet qui surplombait la rivière, il dégusta tranche après tranche sa première orange.

– Elle est bonne ! lança-t-il à la marchande qui ne put que sourire devant tant de rusticité.

Un chien maigre aux yeux craintifs vint renifler les épluchures avant d'y renoncer, puis un décrotteur savoyard vieux de huit ans offrit ses services en montrant du doigt ses bottes anglaises moutardées.

– Pour deux liards, je les décrotte.

– A quoi bon, elles zeraient auzitôt recrottées.

Utilisant le couteau à lame pliante du charbonnier, il épluche une deuxième orange et la mangea en suivant les va-et-vient des bateliers sur la rivière.

La largeur du pont était partagée en trois parties : deux larges banquettes dévolues aux gens de pied bordaient une voie centrale réservée aux chevaux, aux carrosses et aux voitures à bras. Pour protéger les piétons de la moutarde, les banquettes avaient été surélevées d'escaliers à dix marches. Des portefaix auvergnats à bonnet noir occupaient les degrés et attendaient le client en jargonnant fort dans leur patois. Ceux de la Haute-Auvergne, assis sur les marches supérieures, étaient vêtus de souquenilles de drap brun étron, tandis que ceux de la Basse-Auvergne, assis sur les marches inférieures, portaient des souquenilles gris tourterelle.

Charlemagne cracha dans l'eau en reconnaissant le même patois baragouiné par les argousins de la chaîne. Il pela sa dernière orange et la mangea avec autant de plaisir que les deux précédentes. Portemanteau sur l'épaule droite, sac de voyage dans la main gauche, il reprit son chemin.

Le Pont-Neuf franchi, il suivit le quai de l'École jusqu'à un haut mur d'église recouvert d'affiches, d'ordonnances municipales, d'édits royaux, de réclames pour des remèdes garantis miraculeux. Il vit aussi de nombreux avis de recherche joints à des promesses de récompense : on offrait cent cinquante livres à qui retrouverait une levrette à la robe crème répondant au nom d'Azore, trois cent cinquante livres pour un caniche à tête noire et tache blanche sur le front

177

répondant au nom de Socrate, et mille livres étaient promises à celui qui retrouverait Voltaire, un épagneul blanc et brun âgé de dix mois.

Après avoir remonté la rue de l'Arbre-Sec sans en voir un seul, Charlemagne arriva devant une grande fontaine qui formait angle avec une rue animée. Plusieurs servantes, cruches à la main, attendaient leur tour en encombrant le passage et en babillant à pleine gorge. Il s'étonna de les voir toutes aussi bien vêtues et il se dit que, sans leurs cruches, il ne se serait jamais douté de leur condition.

Une grande enseigne montrant un corbeau tenant dans son bec un livre plus grand qu'un fromage et sur lequel se lisait *Au Papier qui Parle* attira son attention. Il entra dans la librairie, qui sentait fort le papier neuf. Des étagères de livres couvraient les murs et les vingt-huit volumes de l'*Encyclopédie* étaient exposés sur une table. Debout près de son bureau, le maître libraire Éloi Bourdin dictait à son grouillot le catalogue annuel de sa librairie.

– Ze veux asseter un dictionnaire.

Le regard ennuyé du libraire alla du tricorne aux bottes crottées en passant par le sabre, les bagages et la redingote à la dernière mode.

– Quelle sorte de dictionnaire avez-vous en tête, monsieur ?

La question troubla Charlemagne. Il ignorait qu'il pût y en avoir plus d'une sorte.

– Z'en veux un où zont expliqués tous les mots qui ze parlent.

Maître Bourdin hocha sa grosse tête ronde en désignant un rayon au niveau du sol où s'alignaient plusieurs très gros livres.

– J'ai ici les trois volumes du Furetière, j'ai les trois volumes du Trévoux, j'ai une première édition en deux volumes du *Dictionnaire de l'Académie* et une quatrième édition en un volume, j'ai aussi un Richelet en excellent état...

Il prit les volumes cités et les déposa sur une table de consultation.

Après les avoir examinés, Charlemagne se décida pour le *Dictionnaire universel contenant généralement tous les mots français tant vieux que modernes et les termes des sciences et des arts.*

Il posa son index sur le « tous » du titre.

– TOUS les mots zont vraiment dedans ?

Le libraire se permit un petit rire printanier.

– Pas un n'y fait défaut, mon cher, à l'exception des mots orduriers, cela va de soi.

– Combien le vendez-vous ?

Le marchand de livres prit un air pensif pour dire d'une voix teintée de regrets :

– C'est un bel exemplaire en maroquin que je vous cède pour douze livres, bien qu'il en vaille beaucoup plus.

Charlemagne paya avec quatre écus d'argent de trois livres qui suscitèrent une remarque au libraire.

– Il est plaisant de voir que l'art du marchandage n'a plus aucun secret pour vous, mon jeune monsieur... De Toulouse peut-être, ou de Carcassonne ?

– Ze zuis du Rouergue.

– Et cela vous sied à la perfection, dit le libraire d'un ton rassurant qui fit glousser le grouillot.

Hermétique à la raillerie, Charlemagne ouvrit le sac de voyage et casa difficilement à l'intérieur le lourd et volumineux dictionnaire.

– Pour un lecteur aussi exigeant que grand amateur d'absolu, permettez-moi de vous signaler ce *Dictionnaire raisonné des Sciences, des Arts et des Métiers* qui contient rien de moins que la somme universelle des connaissances humaines.

Éloi Bourdin désigna les vingt-huit volumes de l'*Encyclopédie* sur la table.

– Ici, sur cette modeste table de sapin, vous est offert la totalité de la Connaissance, monsieur du Rouergue. J'entends par là TOUT ce qui est connu, TOUT ce qui se sait, TOUT ce qui se peut expliquer en ce royaume est là... classifié et répertorié d'une manière si claire, si rationnellement cartésienne que même le plus couillon de TOUS les couillons peut s'y retrouver, c'est pour dire.

Charlemagne ouvrit la première page du premier tome et lut :

> Le but d'une Encyclopédie – ce mot signifie enchaînement de connaissances – est de rassembler les connaissances éparses sur la surface de la terre ; d'en exposer le système général aux hommes qui viendront après nous ; afin que les travaux des siècles passés n'aient pas été des travaux inutiles pour les siècles qui succéderont...

Charlemagne se demanda s'il y avait assez de place dans son esprit pour contenir tant de savoir.

– Alors, il zuffit que ze lise zes vingt-huit livres pour tout zavoir ?

– Certes, certes... Mais les lire ne suffit point, encore faut-il les comprendre et aussi les retenir. Pour cinquante livres à peine, ils sont tous vôtres.

– Et pour un zeul ?

– On ne peut les dépareiller, monsieur… Et si je peux me permettre, c'est *tout* ou rien.

Charlemagne haussa les épaules.

– Z'est trop coûteux pour moi, et en plus z'est bien trop lourd.

L'ensemble devait peser plus de cent livres.

– Si ce n'est qu'une question de poids, je vous les fais porter à domicile.

– Ze n'ai pas de domizile, monzieur le libraire, et à ze propos, ze me rends à l'hôtel du Point d'Honneur mais z'en ignore la location exacte, ze zais zeulement qu'il est zitué quelque part dans zette rue.

La physionomie d'Éloi Bourdin se modifia. Sa voix se délesta de sa raillerie pour se charger de politesse.

– Vous le trouverez à trois cents pas d'ici sur votre dextre, monsieur.

– Merzi bien, et ze m'en vais maintenant.

Chapitre 22

Au printemps 1662, Louis le Quatorzième, dit le Grand, commanda à son architecte Hardouin-Mansart un « nid d'amour » destiné
à sa première favorite officielle, Louise Françoise de La Vallière.

Bientôt, une bonbonnière de marbre rose en forme de cœur s'éleva
au milieu d'un parc du nouveau quartier Saint-Honoré. Le Nôtre dessina les jardins et conçut les jeux d'eaux du bassin tandis que
Mignard reçut la charge des décorations et des peintures des salons et
des appartements.

Quelques années et maîtresses plus tard, Louis le Grand se débarrassa du nid d'amour de la rue Saint-Honoré en l'offrant à son frère
Philippe, dit Monsieur, en récompense pour avoir gagné la bataille
de Cassel.

Résidant en son Palais-Royal avec femme et enfants, Monsieur,
apôtre enthousiaste du trou fignon, jugea pratique ce cœur de marbre
rose pour y abriter ses romances socratiques. Ainsi, Dante, le
concierge nègre de l'hôtel du prince de Condé, une pièce d'Inde de
six pieds trois pouces soldée à Gorée pour huit cents livres, revendue
à Bordeaux pour mille cinq cents, rerevendue à Paris pour deux mille

trois cents, eut le privilège de loger plusieurs mois dans les appartements décorés par Mignard. Les joues de Dante portaient, telles des armoiries parlantes, les balafres rituelles qui le signalaient comme appartenant à la lignée cannibale de la nation Mandingue : ses canines et incisives, limées en pointe, lui donnaient un sourire frissonnant qui avait séduit Monsieur, amateur éclairé de fellations à haut risque. Dante fut supplanté par Omar Tamame ben Khoyès, un esclave turc d'une force colossale, remarqué alors qu'il combattait à demi nu, armé d'un gantelet garni de plomb, un taureau dans l'amphithéâtre de la Barrière du Combat sur le chemin de Pantin. Après Omar, il y eut Günther, un garde-suisse du canton des Grisons, réputé auprès des filles du Palais-Royal pour son imposant bâton de chair qui, au garde-à-vous, disaient-elles, atteignait son plexus... et ainsi de suite.

Quand Philippe d'Orléans mourut, l'hôtel Monsieur devint la propriété de son fils Philippe, dit le Régent, qui s'en désintéressa royalement. A sa mort, son fils Louis, dit le Pieux, en hérita. Comme son père, il n'eut que faire d'une bonbonnière de marbre rose en forme de cœur et la laissa à l'abandon, n'entretenant que le parc et les jardins où le public aimait se baguenauder. Par un froid matin de février 1752, Louis le Pieux succomba à une maladie de poitrine.

Son fils Louis Philippe, dit le Gros, lui succéda. Cinq ans plus tard, en pleine campagne de Westphalie, le Gros offrit l'hôtel de la rue Saint-Honoré au raffiné baron Fortuné Ocloff du Cap, colonel et propriétaire d'Ocloff-Cuirassiers, qui venait de lui sauver discrètement la vie à deux reprises lors de l'affaire d'Hastenbeck. Le contraire d'un prince ingrat, le Gros lui obtint en surcroît d'honneur le cordon rouge de l'ordre de Saint-Louis et la pension inhérente : certaines langues de guêpe dirent alors que l'Orléans récompensait plus la discrétion du baron que son double sauvetage.

Au grand dam des riverains, le baron Ocloff transforma en quelques mois l'hôtel des Orléans en une sulfureuse académie de joueurs d'épée. Il commença par élever le mur d'enceinte et sceller les accès au parc et aux jardins, puis il ajouta deux ailes au cœur de marbre rose et y installa ses écuries, ses remises à voitures, son chenil à deux meutes, les gens de sa Maison civile et ceux de sa Maison militaire.

Le balcon-terrasse qui barrait la façade fut couvert et aménagé en une belle et vaste salle d'armes, tandis qu'un amphithéâtre à trois rangs de gradins pouvant accueillir une centaine de parieurs s'éleva près du bassin aux jeux d'eau de Le Nôtre.

Baptisés dortoir, les combles furent compartimentés en chambrettes qu'occupèrent les novices, recrutés partie dans la noblesse provinciale, partie chez les anoblis qui désiraient sans cesse affirmer par les armes leur nouvel état social, partie chez les roturiers pour qui le duel était un moyen expéditif de prouver sa bravoure et sa vaillance.

La cloison séparant l'antichambre du boudoir de la favorite fut démontée et l'espace converti en salon-bibliothèque, où le raffiné baron exposa sa collection de tableaux de batailles et de duels célèbres. Les rayonnages de la bibliothèque se garnirent de traités de polémologie, de traités de cavalerie, de manuels sur les armes et sur leur fourbissage, de manuels illustrés sur l'escrime et de gros livres reliés relatant l'historique de la compagnie Ocloff-Arquebusiers créée sous Henry IV par son ancêtre Sigismond Ocloff du Cap, promue sous Louis XIV régiment Ocloff-Cuirassiers.

Figurait aussi en bonne place le magistral ouvrage *Science du Point d'Honneur. Commentaire raisonné sur l'Honneur, l'Offense, le Duel, ses Usages et sa Législation*, écrit par le baron, et qui le distinguait des autres grands joueurs d'épée de sa génération.

L'ouvrage de neuf cent sept pages pesait six livres et, s'il tombait dessus, était capable d'écraser n'importe quel orteil. Dedans, tout ce qui touchait au duel y était réfléchi, soupesé, examiné, réglementé : tuer y était représenté comme un acte viril, et le dédain de la vie comme synonyme de noblesse de cœur.

Dans un souci de pure vanité, Ocloff avait réservé une étagère aux fascicules publiés par la Bibliothèque bleue et qui avaient popularisé le récit de ses meilleures rencontres. Le plus récent de ces fascicules regroupait *Les Treize Meilleurs Duels du Très Raffiné, Très Pointilleux, Très Chatouilleux Baron Fortuné Ocloff du Cap*, et incluait en appendice un *Précis d'Épée* dans lequel étaient décrites à la perfection six bottes de sa composition. Trois étaient létales, trois étaient estropiantes.

Au final, en guise d'avis aux amateurs, il était rappelé que le baron conservait par-devers lui trois bottes secrètes imparées à ce jour : la *Trois Regards*, l'*Ave saint Pierre* et la *Mariée en noir*.

183

La *Trois Regards* avait été baptisée après qu'Ocloff l'eut expérimentée lors de trois duels livrés le même jour : le premier, au matin, pour avoir été regardé de travers, le deuxième, en début de relevée, pour avoir été regardé de face, et le troisième, en fin de soirée, pour ne pas avoir été regardé du tout. La plus difficile, l'*Ave saint Pierre*, était un coup de pointe qui vous traversait la pomme d'Adam et vous transportait illico devant le concierge céleste. La *Mariée en noir* était une variante tarabiscotée de la botte de Nevers. Elle devait son nom au duel livré par le baron Ocloff le jour de son mariage avec le père de la mariée. Le coup de pointe avait perforé l'épine nasale du beau-père avant de pénétrer en profondeur dans sa cervelle.

Rien d'étonnant à ce que l'hôtel du Point d'Honneur, comme on le nommait désormais, devienne le rendez-vous obligé de tout ce que la belle jeunesse comptait de turbulents ferrailleurs, d'irascibles raffinés, d'atrabilaires pointilleux, de belliqueux chatouilleux.

La fureur du jeu qui sévissait à la Cour et partout ailleurs s'était étendue à la folie des paris. On pariait sur tout et sur rien, on pariait sur des courses d'escargots et sur le temps qu'il allait faire demain, on pariait sur le nombre de minutes que l'on pouvait tenir la tête plongée dans un baquet d'eau et on pariait sur des courses de chevaux, sur des combats d'animaux, sur des combats d'humains.

Avec un palmarès de deux cent huit combats homologués, Ocloff n'avait pas son égal pour organiser des duels à outrance de bonne facture durant lesquels se gagnaient et se perdaient des fortunes. Il était notoire que la plupart de ces combats étaient livrés dans le seul but de renflouer les finances toujours cahoteuses de la Maison des Orléans, ses très hauts et très puissants protecteurs.

En plus de combiner des rencontres au mépris des édits royaux et des anathèmes religieux, le raffiné baron tenait table ouverte dans un salon du rez-de-chaussée et offrait plusieurs sortes de distractions culturelles. Il aimait donner des lectures pointues sur le thème de la guerre, sur celui du duel, du Point d'Honneur, des mérites et des défauts respectifs de l'acier trempé à Solingen ou à Klingenthal... Ces lectures se terminaient par un concert, suivi de parties de pharaon où l'on jouait gros jusqu'aux aurores. Aux beaux jours, avec la participation rémunérée des comédiens de la Comédie-Française, Ocloff organisait des pièces de sa composition qui mettaient en scène Caïn et Abel, David et Goliath, les Horaces et les Curiaces, Jarnac et La Châtaigneraie.

L'été précédent, une polémique avait éclaté entre raffinés, pointilleux et chatouilleux autour du combat des rejetons d'Adam et Ève. « Caïn dit à Abel son frère : Allons dehors. Or, tandis qu'ils étaient dans la campagne, Caïn se dressa contre Abel et le tua. » Les raffinés reprochaient à l'affrontement de n'être qu'une vulgaire embuscade assassine qui n'avait rien de commun avec un duel fondateur, tandis que les chatouilleux objectaient qu'une invitation à sortir était depuis toujours la formule consacrée pour une provocation en règle, et donc qu'il s'agissait bien d'un duel. Ils ajoutaient que la phrase « se dressa contre Abel » prouvait que Caïn attaquait le premier et qu'Abel n'était pas assailli par traîtrise comme le prétendaient les raffinés.

De leur côté, si les pointilleux abondaient dans le sens des chatouilleux, ce n'était pas pour les mêmes raisons. Eux jouaient sur l'étymologie du mot « duel », issu du latin *duellum*, forme archaïque de *bellum*, guerre, et ils faisaient de cette querelle familiale la première mort violente de l'humanité, son premier deuil, sa toute première guerre.

Avant de devenir monstrueusement gras, Louis Philippe le Gros s'était marié et avait eu le bonheur d'obtenir un fils baptisé Louis Philippe Joseph, duc de Montpensier, futur duc de Chartres, puis d'Orléans.

Le gamin avait onze ans accompli lorsque son père lui acheta le régiment Chartres-Cavalerie et confia son instruction militaire au colonel-baron Ocloff du Cap, qui s'en montra flatté. Quatre fois par semaine, en uniforme d'officier supérieur, sabre miniature à la ceinture, escorté de son gouverneur, de son chirurgien, de son précepteur et de deux pages de sa chambre, le plus jeune colonel du royaume se rendait à pied du Palais-Royal à l'hôtel du Point d'Honneur, tout proche. Le raffiné baron l'attendait dans sa salle d'armes et l'accueillait d'un cordial : « Ah, ah ! comment se porte notre petit merdaillon, aujourd'hui ? » qui le ravissait et le faisait rire aux éclats en applaudissant des deux mains.

Année après année, le petit Louis Philippe Joseph avait mué en un grand lourdaud aux traits grossiers, débauché crapuleux qui sacrait comme un charretier (merci Ocloff !) et qui se complaisait dans l'agitation, le bruit et le libertinage : il aimait par-dessus tout qu'on l'étonne et « Je m'en fous ! » était de loin sa réplique favorite.

185

Sa haute condition de prince du sang le condamnant à l'oisiveté perpétuelle, il s'était préservé de l'ennui en s'acoquinant avec ce qui se faisait de mieux parmi les débauchés, les joueurs impénitents, les raffinés et autres libertins extravagants qui foisonnaient dans la capitale.

Il avait l'âge d'une vieille vache (vingt-trois ans) lorsqu'il épousa Louise-Marie Adélaïde de Penthièvre, une princesse dotée d'un marquisat en Picardie, d'un duché en Luxembourg, de nombreux domaines en Normandie et de diverses rentes d'une valeur de six millions de livres, un record absolu en matière de dot qui l'avait désigné comme le prince le mieux nanti de la capitale (« Je m'en fous ! »)...

Pourtant un train de vie excentrique, des pertes mirifiques au pharaon et aux courses de chevaux de son cousin Artois, des maîtresses dispendieuses, des gros paris trop souvent perdus, ratiboisèrent ce formidable patrimoine. Louis Philippe Joseph connut alors une série d'embarras financiers qui le mirent dans la délicate situation de devoir trouver de l'argent à n'importe quel prix, par n'importe quel moyen.

Chapitre 23

Le saint oublie l'injure
Le sage la médite
Le sot en tire vengeance
Le raffiné en fait ses revenus.

Comte de Bouteville,
père fondateur
des raffinés d'honneur

En cette fin d'année 81, le raffiné baron Fortuné Ocloff du Cap, âgé à son corps défendant de soixante-trois ans, s'efforçait de ne rien perdre de sa dangerosité en escrimant chaque matin et en chassant deux fois par semaine : il s'autorisait aussi un duel à outrance par-ci par-là. Soucieux de pallier les outrages du temps qui se manifestaient chez lui par une raideur des articulations et un souffle plus court qu'à l'accoutumée, Ocloff avait ajouté à son arsenal belliqueux une nouvelle arme que les encyclopédistes qualifiaient de « psychologique » et qui consistait, entre autres, à détruire le mental de l'opposant en se présentant au pré accompagné d'un cercueil sur lequel était déjà inscrit le nom de l'adversaire. Ainsi, lorsqu'il n'en décousait pas lui-même, le raffiné baron lâchait ses joueurs d'épée dans Paris à la recherche d'un duel à tout prix.

– Compte tenu de l'urgence, mes petits messieurs du bel air, je vous rabâcherai aujourd'hui les trois degrés d'offense en matière de Point d'Honneur.

Ocloff marqua un temps d'arrêt pour contempler ses joueurs d'épée qui s'étaient assis sans ordre sur les sièges du salon. En plus d'une insolente jeunesse, il lisait dans leur regard cette froide assurance qui ne s'acquerrait qu'après plusieurs duels. Les jugeant suffisamment attentifs, il poursuivit son exposé.

– Nous avons l'offense *simple* du premier degré, l'offense *grave* du deuxième degré et l'offense avec *voie de fait* du troisième degré. L'offensé du premier degré choisit son arme ; l'offensé du deuxième choisit son arme et son lieu ; l'offensé du troisième degré choisit son arme, son lieu et ses distances.

De la salle d'armes voisine venait de la musique, des bruits d'épée et des ordres secs : « Engagez sixte, monsieur ! Parez quarte ! Rompez ! »

– J'entends par offense ce qui se dit, s'écrit, se fait ou même s'omet avec l'intention de nuire à quelqu'un dans sa personne, dans son honneur ou dans ses biens.

Il s'arrêta à la hauteur de Gontran Valfleury de Bleuzac qui avait croisé les jambes et se rongeait les ongles d'un air affamé.

Les jeunes gens qui se tournaient vers les raffinés le faisaient entre quinze et dix-huit ans : certains mouraient au premier combat, beaucoup n'atteignaient pas les vingt ans et seul un petit nombre faisait carrière.

Fils cadet d'un nobliau périgourdin de Monmadalès, Valfleury de Bleuzac était ce que la noblesse provinciale pouvait produire de plus pathogène. A vingt-cinq ans, il ne savait pas signer son nom et n'avait jamais ouvert un livre. Pis, il professait que pour être bien noble il fallait d'abord être bien ignorant. Comme son père et ses aïeux, il voyait dans la lecture et l'écriture des techniques laborieuses relevant des arts mécaniques, ce qui en faisait des activités dérogeantes. Mais il n'était pas question de déroger quand on était issu d'une famille connue depuis 1180 et qui avait prouvé sa filiation depuis 1233. A vingt ans, il avait quitté le castel familial pour venir à Paris. Après un an de noviciat, il était devenu l'un des joueurs d'épée les plus performants de l'hôtel du Point d'Honneur et il comptait à ce jour douze duels au premier sang et dix à outrance, tous gagnés.

– Les offenses concernant l'amour-propre, la politesse, la délicatesse, relèvent du premier degré, les offenses concernant l'honneur ou la considération relèvent du deuxième degré, tandis que les offenses avec voie de fait occupent le troisième degré, le plus élevé dans l'échelle des offenses.

Les lattes du parquet centenaire craquèrent sous les bottes de chasse du très raffiné baron.

– J'entends par « voie de fait » toute mainmise, tout contact insultant et matériel d'un corps contre un individu. Tels sont les coups et blessures, les soufflets, les coups de pied et les coups de poing, les coups de coude, le fait de tirer les cheveux, la barbe, les bacchantes ou les oreilles, de donner des chiquenaudes, de secouer par le revers de l'habit en faisant les gros yeux, de jeter un verre, de lancer ses cartes à jouer, un gant, une crotte de nez, etc. Ce sont là des voies de fait... En résumé, le toucher équivaut au frapper. De cela, tous les auteurs sont d'accord, mais notez toutefois que la gravité de l'offense n'est point proportionnée à la force du coup. Que votre main frappe ou ne fasse qu'effleurer, le résultat est le même, il y aura voie de fait et vous serez déclaré l'offenseur... Et vous aurez manqué votre affaire.

Il prononça ce dernier mot en regardant Victoire Hendecourt de Montainville, la seule femme de l'assistance, qui était en beauté dans une longue jupe bleue d'amazone, un corsage échancré de dentelle et une jaquette écarlate à retroussis d'une coûteuse élégance. Elle avait posé ses coudes sur les accoudoirs de son fauteuil et tenait dans ses mains gantées une longue cravache de cuir plombée.

Victoire était la fille d'un major-comte des gardes-françaises. C'était une enfant emportée, belle et méchante, qui avait seize ans lorsqu'elle était devenue la maîtresse de l'irrésistible et très en cour Henri du Lioncourt, duc de Morné, authentique fils de Vénus et de Mars s'il en existait. La précédente maîtresse de celui-ci, Marie-Adélaïde marquise de Saintange-en-Ayles, en avait logiquement conclu qu'elle devait éliminer cette rivale si elle voulait retrouver sa position. Elle avait alors cartelé Victoire pour un duel au pistolet, à la minuit, dans le bois de Boulogne.

Loin de se dérober, Victoire vint à l'heure, vêtue de la redingote brune de son frère, lieutenant au régiment Ocloff-Cuirassiers, et d'une moulante culotte de peau rose tyrien qui s'enfonçait dans des bottes noires à larges rabats rouges. Son adversaire, coiffée d'un chapeau à panache aux couleurs de son cher ex-amant, était en robe à paniers au corsage largement décolleté. Elle avait apporté un joli coffret en acajou contenant deux pistolets de chasse.

– J'ai le mien, avait répondu Victoire en lui montrant un pistolet modèle 1733 des frères Pénel de Saint-Étienne, emprunté au baron

189

Ocloff et qu'elle avait chargé avec une aisance que l'on était surpris de trouver chez une si jeune garce.

Les deux querellantes s'étaient positionnées à dix pas et Victoire, en qualité d'appelée, avait reçu l'ordre de tirer la première. Se fiant point par point à l'enseignement du baron, la jeune fille avait pointé son pistolet sur son adversaire en faisant comme si le canon était la prolongation de son index, puis elle avait tiré sans plus réfléchir et le plomb de 18, détourné par le recul de l'arme, avait pénétré le menton au lieu du thorax visé. Il avait traversé la mâchoire inférieure et s'était frayé une sortie par la nuque, sectionnant au passage divers nerfs dont plusieurs cérébraux, provoquant une nuit définitive dans l'esprit de la marquise et la privant même d'un dernier cri.

Les motifs du duel et sa dramatique issue avaient suscité une émotion considérable à la Cour. Le père de Victoire, éminemment confus autant que supérieurement courroucé, avait réclamé et obtenu du roi une lettre de cachet l'autorisant à encouventer sa fille pour une période indéterminée. Dans l'élancée de sa colère, il avait commis l'imprudence de médire sur le baron Fortuné Ocloff, lui reprochant d'avoir assisté Victoire au lieu de la dissuader, et aussi d'avoir consacré une journée entière à lui apprendre le chargement et le maniement du pistolet.

La riposte du baron avait été aussi concise que foudroyante. Le soir même, le major-comte Hendecourt recevait le cartel suivant.

Monsieur,
Je vous veux demain à soleil faillant en mon hôtel de la rue Saint-Honoré.
L'arme sera l'épée, le duel à outrance, votre agonie sera lente.
Votre ennemi mortel,

Ocloff du Cap

Le raffiné baron avait poussé son raffinement jusqu'à faire délivrer le cartel par Grégoire Hendecourt de Montainville, le fils du major, frère de Victoire et lieutenant dans la compagnie d'élite de l'Ocloff-Cuirassiers.

Pour la plus mauvaise surprise du major-comte, le duel eut lieu dans l'amphithéâtre du Point d'Honneur, devant un public nombreux et très distingué qui paria des sommes grandioses. Les loges centrales étaient occupées par Louis Philippe Joseph, par le fringant

Artois et aussi par un petit groupe de dames masquées, en pouf et robe de cour. Il se chuchota toute la soirée que l'une d'entre elles n'était autre que la reine *incognito*.

Après trois feintes exploratrices, Ocloff avait jugé son adversaire hors forme et si peu dangereux qu'il s'en était amusé durant quelques passes ; puis il l'avait contraint à reculer jusque sous le balcon où se trouvaient les dames masquées et, là, il lui avait percé de part en part le plus gros de ses intestins, lui garantissant comme promis une mort longue et douloureuse. Cinq mois plus tard, Victoire séduisait le jardinier aveugle du couvent des Ursulines et profitait de son sommeil pour lui dérober la clef de la poterne et s'échapper. Dans l'impossibilité de retourner chez les siens qui l'auraient fait enfermer derechef, la jeune fille s'était rendue à l'hôtel du Point d'Honneur. Le baron avait mis à sa disposition l'un des petits appartements et avait accepté sa candidature au titre de joueuse d'épée.

Victoire avait livré son premier duel professionnel contre le duc de Morné, son premier amant. Elle l'avait provoqué à la terrasse du café de Foy, à midi, une heure d'affluence au Palais-Royal, et elle l'avait occis d'une balle dans l'œil droit. A ce jour, Victoire comptait quatre duels à outrance et aucune cicatrice.

— Votre objectif est donc de provoquer une offense du premier degré qui doit entraîner une riposte du deuxième ou du troisième, de façon que vous puissiez choisir votre lieu et votre jour.

— Et quel doit être ce jour, baron ? demanda Victoire en esquissant un sourire qui remua ses appétissantes lèvres pleines.

— Demain en début de soirée conviendra.

S'adressant à eux tous, il ajouta :

— Monseigneur sera là, ainsi qu'une partie de la Cour.

Dans la salle d'armes, le quatuor à cordes attaqua un menuet pour le bénéfice de la vingtaine d'élèves qui s'escrimaient sous la surveillance du maître d'armes florentin Giuseppe Del'Giangorgulo et de son prévôt de salle Évangile Frétin : « Parez de prime, monsieur ! Contre de quarte ! Du cœur, du cœur, vous dis-je ! »

Assis sous l'un des grands lustres, se tenait l'atrabilaire chevalier Jason Robert Secretan de Saint-Vit, un pointilleux tout de noir vêtu. Ses pieds étaient chaussés de luxueuses bottes à rabats qui lui avaient coûté deux cents livres (le prix de cent dix paires de sabots) et il les faisait reluire avec de la mousse de champagne uniquement. Un rien le fâchait, deux le poussaient hors de lui. Il était né vingt-quatre ans plus tôt rue Saint-Jacques, au sein d'une famille huguenote d'ancienne noblesse originaire du Jura et qui avait fui en Suisse pour échapper aux dragonnades de la Révocation. Deux générations plus tard, sous le règne de la Régence, la famille était revenue et prospérait depuis dans le négoce des montres, des horloges et autres mécanismes compliqués.

Jason Secretan de Saint-Vit avait étudié au collège Louis-le-Grand où son caractère soupe au lait lui avait valu bien des déboires. Ses vingt ans révolus, fort d'un nom qui remontait ses preuves jusqu'à la troisième croisade, il s'était rendu chez le généalogiste du roi, Bernard Chérin, et il avait postulé aux honneurs de la Cour.

En cette année 1781, sur les vingt-sept millions d'âmes que comptait le royaume, environ cent quarante mille étaient nobles et se répartissaient en neuf mille familles. Dans ce monde bien confiné, deux situations se paraient d'un éclat particulier : l'une était d'être nommé pair de France, l'autre de connaître les honneurs de la Cour. Ces honneurs se résumaient à un séjour à Versailles où l'on était officiellement présenté au roi, à la reine, au dauphin et à la dauphine. Pour être admis à une telle solennité, il fallait démontrer que sa lignée était d'une parfaite pureté, à savoir sans aucune trace d'anoblissement, et donc antérieure à 1400, date du premier anoblissement. Fort de ses preuves, Jason Secretan de Saint-Vit avait déposé sur le bureau du sieur Chérin une facture d'embarquement pour Constantinople datée du mois d'avril 1189 et délivrée au nom du « très leal Geodfroy Secretan de Saint-Vit ». Il avait aussi produit plusieurs quittances de solde attestant que ledit Geodfroy Secretan de Saint-Vit était bien un croisé, chevalier à l'ost royal de Philippe Auguste.

Le sieur Chérin avait refusé son admission en invoquant le petit négoce auquel son père se livrait avec ses montres, ses horloges et ses mécanismes compliqués.

– Que voulez-vous, mon jeune parpaillotin, c'est une activité par trop dérogeante à noblesse.

Déroger à noblesse signifiait perdre sa qualité de gentilhomme pour avoir exercé un état incompatible avec elle, soit par un art mécanique, soit par le petit commerce, soit en exerçant une charge inférieure, comme celle de notaire ou de procureur.

– Cela veut-il dire qu'en ouvrant boutique en son Palais-Royal monseigneur d'Orléans a subitement cessé, lui aussi, d'être un gentilhomme ?

192

Il avait obtenu du généalogiste une moue blasée et un geste de la main l'invitant à évacuer les lieux.

Jason avait récupéré ses preuves et s'en était allé en silence, tel un morceau de colère emporté par le vent. Quelques jours plus tard, les cloches de Saint-Germain-l'Auxerrois étaient victimes d'un attentat protestant. Jason avait consacré deux nuits à scier la poutre et l'axe métallique retenant l'infâme bourdon et l'ignominieux carillon qui avaient donné le signal du massacre de la Saint-Barthélemy. Le pesant ensemble s'était effondré avec fracas au premier tirage de corde du bedeau venu sonner prime. L'homme avait été grièvement blessé par des éclats du dallage qui avait explosé en mitraille sous le choc d'airain. Une enquête conduite par monsieur le lieutenant de police en personne n'avait mené à rien.

Depuis quatre ans, Jason Secretan de Saint-Vit vivait dans l'hôtel du Point d'Honneur et comptait huit duels à outrance gagnés, dont trois au pistolet.

– Ayez toujours deux témoins à portée de voix, et évitez autant que faire se peut de vous en prendre aux militaires ou à la concurrence.

Le baron faisait allusion à l'auberge des Trois Cartels et à l'hôtel du Coup de Jarnac, deux académies concurrentes placées sous les hautes protections des comtes de Provence et d'Artois, les frères du roi, qui avaient, eux aussi, de pressants besoins de finances fraîches.

– Si vous faites chou blanc au Palais-Royal et aux jardins des Tuileries, n'hésitez pas à visiter la salle d'armes de La Boissière, rue des Vieilles-Étuves, et celle de Donnadieu, quai des Écoles, les meilleurs tireurs de France les fréquentent... J'espère ne point troubler votre inattention avec mon bavardage, ajouta-t-il à l'intention de Nicodème Ruc-d'Autain qui s'était penché vers Édouard Hucquedieu et lui chuchotait le récit de sa soirée chez les filles du père Brissault.

Rejeton du banquier du même nom, Ruc-d'Autain ressemblait à un petit maître dans son frac gris tourterelle et sa culotte gris ardoise.

– Si fait, monsieur le baron, mais nous avons déjà connaissance de tout ça.

– Il y a des choses que l'on ne sait assez que lorsqu'on les sait trop... Et puisque vous le savez si bien, pourquoi échouez-vous autant ? Expliquez-nous, je vous prie, pourquoi vous vous battez aussi souvent chez les autres ?

Ocloff faisait allusion aux duels que Ruc-d'Autain avait livrés en tant que demandeur chaque fois que ses provocations avaient échoué. La semaine précédente, son manque de discernement lui avait fait provoquer le maître d'armes des Trois Cartels ; ce dernier lui avait imposé le sabre de cavalerie et l'arène concurrente. Ruc-d'Autain avait tué le maître d'armes après un combat acharné de quarante-cinq minutes, mais tous les paris avaient été collectés par Monsieur, propriétaire en sous-main de l'auberge des Trois Cartels.

Édouard Hucquedieu vint au secours de son camarade.

– Faites excuse si j'en témoigne, monsieur, mais c'est ce rodomont qui est venu nous chercher des noises. Nicodème n'a fait que lui rappeler sa place.

Ocloff prit une voix dépouillée de toute chaleur :

– Si vous aviez écouté, vous sauriez qu'on ne réplique jamais à une offense du premier degré, puisque si on y réplique on se met automatiquement à la merci de l'adversaire.

Hucquedieu hocha sa belle tête de séducteur, signifiant qu'il trouvait la critique justifiée. Il était le seul dans le salon à porter des moustaches qui avaient pour fonction d'atténuer la joliesse d'un visage trop féminin. En fait, il rêvait secrètement de recevoir un jour un coup de sabre balafreur qui viriliserait à jamais ses belles joues au teint de pêche. Agé de vingt-sept ans, fils d'un fermier général si fortuné qu'il prêtait aux banques, Édouard Hucquedieu avait pour unique idéal dans l'existence de ne jamais s'ennuyer, coûte que coûte. Il avait ainsi à son palmarès dix-sept duels à outrance qu'il appelait des « donne-peur », car avoir peur faisait partie de sa stratégie contre l'ennui.

Le baron Ocloff reprit l'énumération de ses conseils pratiques.

– Soyez sélectif sur la qualité de vos adversaires. Plus elle est haute, plus haute est la cote, plus hautes sont les mises et plus haute est la satisfaction de Monseigneur, qui les empoche.

– Mais alors, monsieur le baron, laissez-nous aller *en ce pays-ci*, là au moins les ducs et les marquis foisonnent, dit l'abbé Guilheme Haubert du Tranchet sur le ton de l'évidence.

Il avait posé son tricorne en castor sur sa canne-épée et s'amusait à le faire tourner autour, telle une girouette. Coiffé ce matin-là d'une perruque à la moutonne tissée de laine d'agnelets qui lui donnait l'air d'un angelot, il était vêtu d'un bel habit à la française prune bien mûre, d'une culotte de la même teinte, de souliers noirs à talons rouges et à grande boucle d'argent. Tous les boutons de son habit, comme ceux de son gilet, étaient en acier brillant, la dernière mode qui faisait fureur à la Cour. Le seul insigne dévoilant son état était le rabat noir bordé de blanc qu'il portait en place de la cravate. Fils d'un cardinal en poste au Vatican, âgé de vingt-huit ans l'abbé Guilheme n'avait jamais donné de messe et affichait à son palmarès vingt et un duels à outrance qui lui avaient rapporté le surnom de « Mon Saigneur », et la méchante réputation de ne jamais faire grâce. Il se battait en soutane et, sitôt qu'il tenait son adversaire à merci, il lui promettait la vie sauve s'il reniait Dieu, puis il l'enferrait malgré tout, afin d'avoir le plaisir de tuer à la fois l'âme et le corps.

En dehors de ses combats et de la chasse, rien ne l'intéressait plus que le siège, la prise et le démantèlement d'une vertu ou d'une réputation ; aussi lui arrivait-il de choisir ses adversaires parmi les pères qu'il avait déshonorés ou les maris qu'il avait cocufiés.

Le baron Ocloff réitéra son interdiction.

– Non, l'abbé, pas à Versailles.

Le jeune roi Louis était contre le duel. Provoquer un courtisan à la Cour aurait été mal vu et le blâme serait sans doute retombé sur Ocloff, et par extension sur son haut protecteur Louis Philippe Joseph qui était depuis toujours en mauvais termes avec son royal cousin.

Il était indubitable que ces duels, livrés dans des arènes privées, devant un public d'endiablés parieurs, n'avaient rien en commun avec des duels de Point d'Honneur et relevaient plutôt des jeux du cirque de la Rome antique. D'ailleurs certains nouvellistes à la main n'hésitaient plus à décrire le « bien ignoble spectacle d'assassinats organisés et perpétrés devant un public tout aussi bien ignoble ».

Une porte capitonnée s'ouvrit sur un piqueux qui portait une vieille Dampierre en sautoir. L'homme annonça d'une voix revêche que les meutes étaient dans leurs charrettes prêtes à partir.

Le baron Ocloff déclara aussitôt :

– Madame, messieurs, mon déduit m'appelle. Je reviendrai demain en fin de relevée pour collecter vos cartels.

A l'exception de Victoire, tous se levèrent respectueusement lorsqu'il sortit du salon, suivi de son piqueux.

Ocloff traversa la salle d'armes et s'offrit une vue d'ensemble des élèves qui ferraillaient de bon cœur au rythme d'une fugue de Mozart. Les novices, en plastron et masque de cuir, se distinguaient à leurs sandales lestées de plomb et aux pesants fleurets d'exercice que leur imposait le baron, adepte d'un entraînement façon spartiate. Tirer l'épée en musique était une innovation qui n'en finissait pas de scandaliser la Compagnie des maîtres d'armes de Paris, celle-ci jugeant le mélange par trop frivole.

Le régiment Ocloff-Cuirassiers possédait depuis quatre générations une fanfare qui comptait douze trompettes, douze timbaliers, six bassons, six hautbois et qui coûtait une fortune à entretenir. Mais Ocloff se serait plus volontiers défait de son épouse que de ses musiciens. Ce mélomane avait six ans lorsque son père, le colonel Antoine Vladimir Ocloff du Cap, lui avait offert un poney, un habit de lieutenant et sa toute première épée. Il l'avait alors accompagné pour une revue durant laquelle il avait été officiellement présenté au régiment. La fanfare avait produit chez l'enfant un effet euphorisant, inoubliable, et qui s'était manifesté plus tard par un goût prononcé pour la musique en général et les marches militaires en particulier. Ocloff avait vingt-sept ans à Fontenoy lorsque, à la tête de ses escadrons, il avait chargé à fond les carrés anglais, au son cadencé de ses vingt timbaliers qui avaient tonné la charge, pareils à une batterie d'artillerie. Ah ! le fameux concert !

Le *molto raffinato* maître d'armes florentin Giuseppe Del'Giangorgulo attira l'attention d'Ocloff.

– *Prego*, monsieur lé baron, avec votre permission.

– Je vous écoute, maître.

Le maître d'armes désigna quatre beaux jeunes gens rieurs qui paonnaient près du buffet sur lequel étaient disposés des plateaux de fruits, des biscuits, des vases de boisson, des jus de fruit, du chocolat, du café, du thé.

– C'est rapport à eux, *signor barone*, il sérait oppourtun *per finire*, dé lour interdire la sallé. Ils brisent lé règlement et sé rébiffent à mon autorité sous prétexté dé ma *piccola* condition. *Da vero*, ils viennent ici qué pour lé poublic et pour vous tondre la nappe.

196

Tout en parlant, le *maestro* ouvrait grands ses yeux de biche aux longs cils recourbés qui lui donnaient un air tragique, comme si chaque matin n'était que le recommencement d'une souffrance. Très noir de cheveux, très pâle de peau, son visage évoquait invariablement un morceau de charbon tombé sur de la neige. Il était né à Florence trente-cinq ans plus tôt et, son père étant un maître d'armes, il était devenu maître d'armes. Son père étant *maestro eccellente*, il n'avait pu que devenir *maestro superiore*. Puis était venu le jour où il avait défié son père et l'avait vaincu. L'amour-propre mortellement touché, le déchu géniteur avait alors placé son épée sous son menton et s'était embroché dessus. Pour le double motif de duel et de suicide, l'Église rancunière avait refusé de l'enterrer dans un cimetière consacré et aucune messe n'avait été dite pour le repos de son âme. Très affligé d'avoir ainsi condamné son père aux flammes éternelles, Giuseppe s'était exilé ; il était arrivé à Paris à l'époque où le raffiné baron Ocloff cherchait un *maestro* pour son hôtel du Point d'Honneur.

L'entrée de la salle d'armes étant libre, un public d'habitués assistait chaque jour aux leçons du maître d'armes florentin, appréciant du Gluck ou du Mozart tout en sirotant du chocolat chaud des Isles.

– Sans oublier, monsieur le baron, qu'ils refusent de porter le masque et les sandales et font les difficultueux pour acquitter leurs cotisations, ajouta le prévôt Évangile Frétin avec une mimique qui en disait long sur ce qu'il pensait des pages.

Bretteur d'une rare distinction au physique élancé, beau comme un vase (grec), les reins cambrés pareils à ces arrogants Ibériques à sombrero, Évangile Frétin avait été radié de la Compagnie des maîtres d'armes pour mauvais traitement envers ses élèves (il les châtiait d'une entaille sur le haut de la main ou d'une estafilade en travers de la joue). L'ex-maître d'armes avait dès lors tenu une salle clandestine dans l'arrière-boutique du cabaret des Trois Gerbes : l'enseigne montrait un moine, une blanchisseuse et un militaire bras dessus bras dessous en train de rendre leur repas en trois longues gerbes que l'artiste avait peintes fort à propos aux couleurs de l'arc-en-ciel. Frétin y avait enseigné en toute illégalité des bottes meurtrières à quiconque avait les finances pour lui verser cent livres la botte. Sa clientèle était composée de personnages pour qui le port de l'épée était prohibé : des garçons perruquiers vindicatifs, des fils de bourgeois tapageurs, des libertins à tout-va, des laquais plein de morgue, des goujats de boutique qui singeaient les petits maîtres et aussi un certain nombre d'ouvriers qui s'escrimaient quotidiennement en rêvant d'en découdre avec des gentilshommes. Durant cette période crapoteuse, Frétin avait livré plusieurs duels saignants qui l'avaient fait remarquer des connaisseurs. Les parieurs l'avaient surnommé depuis l'Enlumineur, en référence à sa particularité à viser les veines ou les artères de ses adversaires. En hiver, lorsqu'il avait neigé, il portait ses coups à la jugulaire, seul endroit du corps où le sang giclait à long jet, coloriant artistiquement les alentours.

Le baron avait extrait Frétin de son arrière-boutique en se l'assoldayant comme prévôt de salle à huit cents livres l'an, logé, nourri et apprécié. Frétin lui en était reconnaissant et le prouvait par une conduite irréprochable dans son travail.

– Y a plus déplaisant, monsieur le baron, il y a tout à l'heure ce grivois de M. Donzach qui a encore failli blesser son partenaire durant un échange.

Frétin pointa son doigt vers le buffet où se tenait Julien-Gabriel Estibaux de Donzach, un garçon de quatorze ans en habit des pages de la Chambre du roi.

Son voisin, Grégoire du Coudray-Mesnil, seize ans et trois mois, portait l'habit des pages de Monsieur tandis que Brémond Griffaux de Pontillac, seize ans depuis la Toussaint, était page du prince de Condé. Le quatrième, Alexandre de Tilly, le plus âgé avec ses dix-sept ans révolus, portait la livrée des pages de la Reine.

Le baron Ocloff les regarda quitter la salle de cette démarche sautillante qui était très à la mode en ce pays-ci. Il entendit Estibaux de Donzach dire de sa voix haut perchée :

– ... et à l'instant où je me fends et pousse ma botte ce jean-foutre me contre, volte et m'acc'oche la chemise. Que pouvais-je faire d'autre ?

Les pages disparurent dans le couloir en riant fort.

– Ce sont des nocifs précoces, monsieur le baron, et puis voyez...

Frétin montra le cadran de la pendule de parquet qui se dressait entre deux panoplies d'armes anciennes.

– C'est à peine dix heures et ils sont déjà saouls comme des saints Marcel... Surtout MM. Donzach et Tilly qui trimballent des topettes de casse-poitrine dans leurs poches.

Saint-Marcel était le plus populaire, le plus remuant, le plus inflammable des seize quartiers. Le nombre de ses cabarets et caves à vin y était considérable et on disait le quartier si pauvre qu'il y avait plus d'argent dans une seule maison du faubourg Saint-Honoré que dans tout le faubourg Saint-Marcel.

Tout en écoutant les récriminations de son prévôt, Ocloff regarda son piqueux qui bouillonnait dans ses bottes, incapable de dissimuler son impatience. Se voyant découvert, Lafutay bougonna :

– C'est rapport aux meutes, monsieur le baron.

En bon maître de chenil, il s'inquiétait pour les chiens qu'il entendait donner de la voix dans la cour. Il savait qu'ils n'aimaient pas rester confinés dans leur charrette et que s'ils s'impatientaient ils risquaient de se blesser contre les planches des boxes.

– Eh bien, allons-y, mon bon.

Chapitre 24

Toute chose a eu son commencement ; et l'on
ne peut supposer qu'on soit né anciennement
gentilhomme, comme l'on naît blanc ou nègre.

Sénac de Meilhan

Confortablement assis dans un vieux fauteuil Louis XIV qu'il avait placé entre sa loge et la porte cochère, le portier de l'hôtel du Point d'Honneur, le vétéran invalide Paul Montargens, fumait sa première bouffarde en surveillant les allées et venues. Son pilon de chêne était allongé devant lui et une canne au bout ferré reposait sur ses cuisses : en 57, pendant la sévère déculottée de Rossbach, un boulet de douze lui avait emporté la jambe dextre il n'avait jamais su où. Solidaire de ses cuirassiers, le baron-colonel Ocloff lui avait obtenu la plaque de vétérance et l'avait enrôlé à vie dans sa Maison civile.

Un coupé, une berline, deux whiskys, une vinaigrette et deux chaises à porteur s'alignaient le long de la cour, tandis que les cochers et les porteurs jouaient aux dés à un sol le point, accroupis en cercle près des écuries. De la musique mêlée à des bruits d'épée venait des fenêtres ouvertes du premier étage. Devant le chenil, deux piqueux en habit de vénerie feuille-morte galonné d'argent transféraient une meute de gris de Saint-Louis dans une charrette spécialement aménagée pour leur transport en forêt.

Un jeune m'as-tu-vu, fagoté anglais, franchit la porte cochère en faisant résonner ses bottes sur le pavé. Il était chargé comme un mulet d'artillerie et arborait à la ceinture un sabre de grosse cavalerie qui n'allait pas avec sa redingote à trois collets et son air de première jeunesse campagnarde.

Montargens l'interpella en levant sa canne :

– C'est-y pour quoi ?
– Ze viens voir monzieur le baron Ocloff.
– Y vous attend, monsieur le colonel ?
– Za m'étonnerai.

Le portier eut un geste vers le chenil.

– Monsieur le colonel y chasse le vendredi et y reviendra pas avant la fin de relevée. Y faut repasser.

Les chiens gigotaient de plaisir anticipé dans les boxes et leur impatience était presque palpable.

– Z'est mon tonton Laszlo qui m'a dit de venir. Z'est un anzien. Il était izi voilà bien longtemps et il m'a dit que monzieur le baron était zouvent dans le besoin de nouveaux raffinés.

Le portier prit alors un air bonasse.

– Fallait l'dire tout de suite que t'étais de recrue.

Il montra l'un des piqueux qui se dirigeait vers le perron de l'hôtel.

– Lafutay s'en va quérir monsieur le colonel, y va donc plus tarder.

Charlemagne déposa ses deux sacs sur les pavés et alla s'intéresser aux meutes. Bien que ce fût la première fois qu'il voyait des gris de Saint-Louis, il les reconnut à leurs yeux rouges et à leur robe terre brûlée qu'il avait remarqués dans les gravures des livres de vénerie du chevalier Armogaste. Il savait aussi que c'étaient des chiens très collés à la voie, lent d'allure mais avec beaucoup de fond, ce qui en faisait des tenaces pouvant poursuivre des jours durant. Il observa l'autre piqueux qui s'occupait d'une meute de braques courte-queue. Ceux-là, il les connaissait bien et les savait des chiens sages, durs, intelligents, mais aussi entêtés que des mulets catalans. Leur robe blanche semée de mouchetures noires était marquée à la cuisse d'un O majuscule timbré d'une couronne de baron.

Moi aussi je suis marqué, se dit-il en grimaçant à ce rappel désagréable.

Comme il aurait été mal vu d'entrer sans y être invité, il s'arrêta au seuil du chenil. Le sol en pavés de terre cuite était propre, bien tenu, et les litières fraîches sentaient bon. Des pieds de sanglier et des massacres de brocard décoraient le mur du fond et les battants des portes. Un vieux limier édenté et tout rapiécé se crut obligé de venir le renifler. Charlemagne le laissa faire et le complimenta sur les nombreuses cicatrices qui attestaient sa vaillance passée. Il effleura une épaisse balafre qui lui barrait le flanc gauche.

– On dirait que zelle-là, z'est une bête noire qui te l'a faite.

Son inspection olfactive satisfaite, le vieux chien s'en retourna vers son coin de litière en balançant de droite à gauche son fouet en faucille.

Quatre jeunes bavards apparurent sur le perron de l'hôtel et se dirigèrent d'un bon pas vers la porte cochère en continuant une discussion animée. Ils étaient jeunes, perruqués, portaient l'épée et tenaient leur chapeau sous le bras. Charlemagne décida qu'il n'avait jamais vu d'habits aussi richement brodés. Celui qui faisait le plus de grands gestes avait la voix aiguë d'un marmouset dont la mue reste à faire.

Soudain, au milieu d'une phrase (« … je lui ai alors lancé au visage que l'essence du fat n'était rien d'autre qu'une nuance d'esprit sur un grand fonds d'arrogance… »), Julien-Gabriel Estibaux de Donzach, page à la Chambre du roi, trébucha sur le sac de voyage de Charlemagne Tricotin, évadé de la chaîne d'automne, et s'étala sur les pavés. Comme il est dans la nature humaine de se réjouir chaque fois que quelqu'un tombe en public, le portier Montargens rit en secouant sa grosse tête.

Le jeune page se releva, ramassa son tricorne et rectifia l'ordonnance de sa perruque, ne voulant surtout pas montrer qu'il s'était fait mal. Il pointa un index accusateur sur les bagages.

– Sont-ils vôtres ?

Peu enclin à se laisser harpailler par un racaillon d'aristocrate, fût-il de la Maison du roi, le portier unijambiste répondit, gouailleur :

– Quand on marche sans regarder devant soi, eh bien on fait caraboum par terre, ainsi soit-il.

Serrant ses mâchoires, Estibaux de Donzach flanqua un violent coup de pied contre le sac de voyage, se tordant les orteils contre le dictionnaire, poussant aussitôt un grand « ouille ! » de douleur.

– Eh ! z'est mon bagaze, za ! protesta Charlemagne.

Sa voix trop forte résonna dans la cour carrée.

Les cochers et les porteurs interrompirent leur partie et les quatre pages le regardèrent approcher avec une curiosité rappelant celle de l'araignée pour la mouche.

– Vous ai-je bien ouï, maroufle, ce sa' est vôtre ? demanda Donzach en essayant de grossir sa voix de fausset.

Charlemagne s'arrêta à trois pas des pages et croisa les bras en fronçant les sourcils en signe d'avertissement.

– Z'est le mien et z'aimerais zavoir ze qu'est un « maroufle » !

– Foin d'étymologie, j'ai manqué me rompre les os sur votre balu-chon, moué, et c'est parfaitement insupportable, aussi je vous en demande raison, à l'épée et ici même.

Du regard, il sollicita et reçut l'approbation de ses camarades. Il est vrai qu'ils étaient en situation irrégulière et qu'ils auraient dû se trouver aux Grandes Écuries de Versailles, à suivre les cours de leur maître en mathématiques.

Appartenant à l'une des plus anciennes familles de Normandie, Estibaux de Donzach avait été parrainé à la Cour par son oncle maternel, grand officier à la Bouche du roi. Il avait douze ans lors-qu'il avait été admis dans le prestigieux corps des pages de la Chambre du roi, le plus convoité avec celui de la Chambre de la reine. Ce service, dit d'honneur, consistait à se trouver au Grand Lever du roi, à l'accompagner à la messe, à l'éclairer au retour de la chasse et à être présent au coucher afin de lui passer ses pantoufles.

Après deux années d'études médiocres et de service d'honneur à l'avenant, Donzach devait encore patienter trois années avant de recevoir une sous-lieutenance dans un régiment de cavalerie. D'ici là, il espérait grandir et surtout entendre sa voix muer. A cause d'elle, il s'était déjà battu à deux reprises : une première fois contre un page de la vénerie qui avait prononcé le mot « eunuque », une deuxième contre un laquais qui lui avait donné du « excusez, mademoiselle » en le bousculant sur le Pont-Neuf. Après ces combats, aisément gagnés, l'adolescent avait pris pour habitude de s'alcooliser et de courir les salles d'armes de la capitale en compagnie d'autres tur-bulents.

Des murmures s'élevèrent parmi les cochers et les porteurs de chaise lorsqu'ils comprirent qu'une querelle était en cours. Tous vou-lurent parier. Bien qu'il dépassât son adversaire d'une tête et que l'allonge de ses bras fût nettement plus longue que celle de Donzach, la cote de Charlemagne s'établit à la baisse, les parieurs misant sur la réputation de fines lames des pages de la Cour. Ne voulant pas être de reste, le piqueux alla les retrouver, laissant ses chiens battre le tambour avec leur fouet contre les planches des boxes.

Estibaux de Donzach confia son tricorne à son voisin puis dégaina avec un geste maniéré du poignet en déclarant :

– Vous me faites attendre.

Charlemagne décroisa les bras en poussant un « ah, la, la, la ! » qui en disait long sur son état d'âme.

– On ne ze bat pas pour un zac mal ranzé. Z'est trop minuzcule comme prétexte, z'est tout.

Donzach agita son épée en signe d'encouragement.

– Allons, allons, un peu de cœur, maroufle.

Voulant éviter une maladresse qui dévoilerait son inexpérience, Charlemagne dégaina son sabre lentement.

Ses lumières sur l'escrime auraient à peine éclairé l'intérieur d'un dé à coudre. Quelques années plus tôt, tonton Laszlo, en souvenir de leur bon père Clovis, avait enseigné aux quintuplés comment tenir une épée, comment parer un coup, comment se fendre et comment rompre. Il leur avait aussi montré les principales passes d'armes, mais Charlemagne les avait oubliées depuis, faute de pratique.

Le page protesta.

– J'ai dit l'épée, pas le sabre, et je vous redis qu'en qualité d'offensé je suis celui qui choisit l'arme.

Charlemagne désigna son œil avec son doigt.

– Offenzé mon œil ! L'offenzé z'est zelui qui est traité de maroufle, caramba !

Brémond Griffaux de Pontillac, le page du prince de Condé, dégaina sa fine flamberge et la lui présenta par la poignée.

– Je vous en prie, monsieur.

Charlemagne sentit son cœur battre plus vite, signe clinique que sa glande médullo-surrénale commençait à produire de l'adrénaline.

– Ze garde mon zabre et vous gardez votre cure-dent ! (Il ajouta, faussement bienveillant :) Écartez-vous, zinon vous allez être écla-bouzé par le zang de zette vilaine petite fouine.

La rodomontade ne fit rire que le portier : comme ancien militaire, il était connaisseur.

Ce refus de se plier aux règles dérouta Donzach qui n'avait pas envisagé cette éventualité.

– Mais l'honneur, monsieur, qu'en faites-vous ?

– Où est l'honneur quand on bute zur un zac et qu'on tombe comme un bêta, hein ?

Charlemagne brandit son sabre et l'agita à la hauteur du visage du page, un peu comme l'avait fait le bourrel Pibrac l'autre nuit dans l'église.

– Oh ! et puis vous m'avez encoléré maintenant, alors puizque vous voulez ferrailler, ferraillons !

Contrevenant à toutes les règles élémentaires, il donna l'assaut sans préavis et toucha Donzach au bras droit.

– Ah, le faussart ! s'écria le jeune page en lâchant son fer, incapable de le retenir plus longtemps.

Les trois pages dégainèrent, puis Grégoire du Coudray-Mesnil, le page de la Chambre de Monsieur, porta un coup droit que Charlemagne, surpris, esquiva d'une parade si peu orthodoxe que lorsque les lames s'entrechoquèrent il y eut une volée d'étincelles. Et puis Griffaux de Pontillac se fendit d'un coup de pointe qui lui toucha le haut du bras droit.

– Ouille !

Changeant rapidement son sabre de main, Charlemagne rompit et tenta de parer aux assauts conjugués de Coudray-Mesnil et d'Alexandre de Tilly, le page de la Chambre de la reine.

– Halte, messieurs, halte ! ordonna très sèchement le colonel-baron Fortuné Ocloff du Cap.

Cette voix pétrifia les duellistes, à l'exception de Charlemagne qui ne la connaissait pas et qui profita de cet arrêt pour flanquer un coup de banderole à Griffaux de Pontillac, lequel sauva sa vie en faisant un bond de cabri. La lame ouvrit de haut en bas les épaisseurs de son justaucorps, de son gilet et de sa chemise sur une longueur de plus de deux pieds, effleurant la peau sans la faire saigner, un miracle.

– Il coupe bien, hein ! railla Charlemagne pour cacher sa déception de ne pas avoir fendu en deux ce foutriquet emperruqué.

Il vit alors le portier se dresser sur son pilon et un vieil homme au front plissé de mécontentement s'approcher. Vêtu d'un habit de vénerie couleur châtaigne, comme les piqueux, il portait de belles heuses, ces bottes de chasse montant au-dessus du genou, qui étaient munies de retroussis bien serrés interdisant à la pluie de pénétrer.

Le baron Ocloff toisa brièvement Charlemagne avant de se tourner vers Estibaux de Donzach dont le visage était d'une grande pâleur. Du sang bien rouge glissait le long de son poignet droit. Coudray-Mesnil et Alexandre de Tilly tenaient toujours leurs épées menaçantes tandis que Griffaux de Pontillac, les yeux ronds, s'émerveillait du réflexe qui l'avait si bien sauvé. Il n'avait même pas eu le temps d'avoir peur.

– Je vous écoute, monsieur, et soyez bref, j'ai peu de temps.

205

– J'ai appelé cette roture pour une offense du premier degré, monsieur le baron, mais il s'est montré en dessous de tout. D'abord, il a renié l'épée que j'avais choisie, ensuite il m'a attaqué en pure malhonnêteté. Tous ici présents vous accréditeront mes dires, monsieur le baron.

– Ze n'ai pas attaqué en malhonnête, z'ai attaqué le premier… Z'est… z'est de la stratézie, z'est tout, et ze zont eux les malhonnêtes qui attaquent tous les trois en même temps ! protesta Charlemagne de sa voix toujours trop forte, terreur des tympans délicats.

Sa blessure commençait à le lancer et du sang s'égouttait sur le pavé. Il regarda Griffaux de Pontillac avec ressentiment. Ce dernier réalisait seulement que son justaucorps à quatre cents louis était fichu, idem pour son gilet à cent cinquante et sa chemise à vingt-cinq : ce coup de banderole lui coûtait une fortune.

– Et qui êtes-vous, monsieur le stratège ?

Le ton du baron était aussi amical qu'un pistolet au chien relevé. Il était entré dans la cour au moment où Charlemagne se faisait agresser par les trois pages. Il avait décelé sa grande inexpérience mais surtout il avait aimé la façon crâne que le jeune provincial avait eu de changer aussitôt de main pour continuer le combat. Mais attaquer par surprise était d'une perfidie recuite et un sévère accroc au code du Point d'Honneur.

– Ze m'appelle Çarlemagne Tricotin, natif du Rouergue.

Les pages se permirent quelques ricanements appuyés.

– Mais encore ?

– Z'est Laszlo Horvath, un anzien d'il y a longtemps qui m'a dit de venir et de me présenter.

Estibaux de Donzach avait ramassé son épée et connaissait des difficultés à la remettre dans son fourreau avec sa main gauche. Tilly se porta à son aide.

– Quelle est cette offense du premier degré ? demanda le baron Ocloff.

– Mon chemin s'est trouvé barré par ce sa' qui m'a fait chuter. Comme on ne peut se battre avec un bagage, j'ai appelé son propriétaire.

Le page secoua sa main ensanglantée. La douleur était supportable mais il ne pouvait saisir ou soulever quoi que ce soit.

– Avec votre permission, monsieur le baron, je vais me faire recoudre… Quant à vous, le maroufle de petite étoffe, souffrez que je vous appelle pour le premier jour du mois de décembre, à une heure avant sexte, dans le bosquet des Trois Fontaines. Vous viendrez s'il vous reste une once d'honneur. Mes témoins vous contacteront ces jours-ci.

— Je serai là moi aussi, monsieur, car, voyez-vous, j'affectionnai cet habit si fourbement et définitivement gâté, ajouta Griffaux de Pontillac.

Charlemagne montra du doigt son bras blessé.

— Et moi auzi, z'ai perdu une belle redingote... Et entièrement anglaise en plus ! Œillez le trou que vous y avez fait !

Il se tourna vers les souriants Tilly et Coudray-Mesnil et leur hurla au nez :

— Puizque zela vous amuse autant, pourquoi ne pas en être vous auzi ? Venez, venez et ze me ferai un plaisir de vous dézentripailler tous autant que vous êtes... Et z'est tout !

Les chiens dans les charrettes cessèrent d'aboyer, les violons s'arrêtèrent de jouer et plusieurs personnes plastronnées apparurent aux fenêtres. Sur le seuil de la porte cochère, un attroupement de passants s'était formé et le portier Montargens empêchait du regard ces curieux d'avancer davantage.

Le comte de Tilly salua Charlemagne d'un coup de chapeau ironique.

— C'est entendu, monsieur, je viendrai puisque vous m'y conviez si affablement.

D'une voix châtiée qui articulait chaque mot, Grégoire du Coudray-Mesnil se manifesta.

— J'accepte votre invitation, monsieur, mais dans l'expectative où vous survivriez à vos autres obligations, je choisis le pistolet à quinze pas. (Il se crut obligé d'expliquer son choix.) Je suis trop emprunté avec une épée, aussi, ce sera un duel au visé de pied ferme à tirs successifs... si vous le voulez bien.

— Ze le veux bien, dit imprudemment Charlemagne, ignorant tout des conditions d'un duel « au visé de pied ferme à tirs successifs ».

Visage fermé, lèvres pincées, refusant d'être soutenu par ses camarades, Donzach fendit la masse des curieux et sortit dans la rue à la recherche d'un fiacre qui le ramènerait à Versailles. Il appréhendait l'instant où il devrait expliquer à son gouverneur comment il s'était fait percé l'épaule.

Le baron Ocloff montra l'entrée de l'hôtel à un Charlemagne qui

207

faisait grise mine. Lui qui ne voulait pas se faire remarquer, voilà qui était rudement raté.

— Allez vous faire soigner par notre maître d'armes qui est aussi chirurgien… Ensuite, voyez avec Montargens pour qu'il vous enregistre et qu'il vous guide jusqu'à votre chambre.

Charlemagne remercia d'un simple hochement de tête, comme s'il allait de soi d'entrer novice dans une école de joueurs d'épée. Utilisant sa main valide, il épaula le portemanteau et ramassa le sac de voyage, notant le cuir fendu là où l'escarpin du page l'avait heurté.

Le baron examina sa nouvelle recrue avec circonspection.

— J'avoue m'interroger sur l'opportunité d'introduire en mon hôtel un insolite qui réussit l'exploit d'additionner quatre duels en une matinée.

— Oh, ze peux faire pire, grommela Charlemagne en songeant aux cinq cents hosties.

Le baron hocha la tête, signe d'une intense activité cérébrale. La voix comme les attitudes de cette recrue lui signalaient que, sous le mince vernis, le bois n'avait été ni raboté ni poncé… Et puis il y avait cette redingote trop à la mode qui se mariait mal avec ce sabre de maréchaussée… Sans oublier que la divulgation d'un quadruple duel entre un parfait roturier de province et quatre pages des plus grandes maisons allait enflammer les enjeux et faire s'envoler les cotes.

Ocloff interpella Charlemagne qui traversait le perron et s'apprêtait à entrer dans l'hôtel.

— N'oubliez pas que vous ne disposez que de vingt-cinq jours pour vous préparer, aussi, n'attendez point que votre blessure se soit refermée, entraînez-vous dès aujourd'hui de la main gauche.

— Z'est où le bozquet des Trois Fontaines ?

— Dans les jardins du château de Versailles et c'est bien fâcheux.

Chapitre 25

Ce n'est point parce qu'on entend bourdonner
parmi les abeilles quelques mouches venimeuses
qu'il faut prendre la ruche pour un guêpier.

Attila l'Herbicide, 451

L'organisation de l'académie était calquée sur celle des *ludi* impériaux, ces écoles de gladiature qui fournissaient les combattants aux cirques de Rome. Les novices étaient réveillés dès l'aube par le *doctor gladiatorum*, le prévôt Évangile Frétin, qui frappait contre les portes des chambrettes en lançant le traditionnel : « Debout, debout, messieurs, il est temps. »

En tenue légère, les novices traversaient le couloir au pas de course, dévalaient les escaliers jusqu'au rez-de-chaussée, faisaient trois fois le tour du parc, repartaient dans l'hôtel, montaient quatre à quatre les deux étages, les redescendaient, et terminaient leur mise en forme dans le salon-bibliothèque où les attendait un copieux buffet.

Au début, Charlemagne s'était trouvé un peu niais à courir ainsi après rien du tout, sans même être poursuivi, jusqu'à ce que le *maestro* Del'Giangorgulo lui explique l'importance du souffle durant un combat.

– Lé plous long ton souffle il est et lé meilleur il est, car *a forza uguale*, certains douels peuvent dourer longtemps et alors c'est toujours lé moins essoufflé qui gagne.

La collation terminée, les novices gagnaient la salle d'armes où se trouvaient déjà les musiciens en train d'accorder leurs instruments. Ils laçaient leur plastron, mettaient leur masque grillagé, chaussaient leurs sandales plombées et jouaient de l'épée plombée jusqu'à l'heure

209

du repas. Après, ils avaient quartier libre, à l'exception de Charlemagne qui devait poursuivre son entraînement jusqu'à la fin du jour : ses exercices consistaient à répéter et à répéter encore et encore la même feinte, la même attaque, la même parade, le même développement. S'il se pliait sans trop chicoter à toutes ces contraintes disciplinaires, il avait acquis le réflexe de rejeter en bloc l'obéissance sans condition et de n'admettre comme valable que ce qu'il pouvait raisonner, caramba ! Ainsi, lorsque le baron Ocloff lui donnait un ordre, Charlemagne exigeait qu'il le lui explique, et c'était seulement après l'avoir compris qu'il acceptait d'y obéir, ce qui mettait parfois à rude épreuve la patience plutôt mince du vieux raffiné.

La pratique du pistolet se faisait au fond du parc où un mannequin, affublé d'un vieil uniforme de cuirassier autrichien, était dressé en cible contre le mur d'enceinte.

Placé tour à tour à quinze pas, à vingt-cinq, à trente-cinq, Charlemagne visait, tirait, chargeait, visait, tirait, chargeait, visait, tirait, chargeait plus de cinquante fois par séance. Une telle répétition permettait de se familiariser avec le fort recul qui affligeait tous les pistolets de l'époque et qui pouvait léser les poignets inexpérimentés. Viser, tirer, viser, tirer, mais aussi comprendre afin de faire mouche à volonté et non par bonne fortune. Il n'avait pas agi autrement lorsqu'il s'était entraîné au lancer de pierre dans sa forêt.

– *Ma* pour bien viser, tou dois pointer lé canon sur ton belligérante commé si tou lé montrais du doigt, lui avait conseillé le maître d'armes.

– Ah ! za, ze le zavais dézà.

L'entraînement se terminait avec l'arrivée du crépuscule. Charlemagne était alors libre jusqu'au souper, servi deux heures après les vêpres dans le grand salon. Il aurait dû en profiter pour se laver de tous ses efforts transpiratoires de la journée, mais il ne le faisait jamais, car des domestiques se trouvaient toujours dans l'étuve pour renouveler l'eau chaude ou brosser le dos des baigneurs.

Ce déni d'hygiène n'était pas passé inaperçu et l'expérience d'officier en recrue pour le compte de son régiment avait donné au colonel-baron Ocloff maintes occasions de rencontrer des enrôlés qui refusaient de se dévêtir au moment de l'inspection. La plupart voulaient dissimuler une infirmité – un début de gibbosité, un orteil en surnombre, une maladie de peau, un troisième téton, une tache de vin trop large – mais, le plus souvent, c'étaient des dos fouettés militairement ou des épaules flétries judiciairement.

Le baron avait aussi remarqué que le sabre et les pistolets de sa recrue étaient des modèles spécialement fabriqués pour la maréchaussée, donc introuvables chez les fourbisseurs ou chez les armuriers civils... et puis que penser de cette garde-robe anglaise du dernier cri sur un provincial rouergat si peu dégrossi ? Au lieu de se baigner, Charlemagne attendait l'heure du dîner à lire son *Dictionnaire universel* dans la chambrette qui lui avait été allouée sous les combles.

Ces petites pièces étaient séparées par une mince cloison de bois qui n'atteignait pas le toit et le jour entrait par un œil-de-bœuf ouvert sur le parc. L'ameublement était plutôt sommaire : un tapis sur le plancher, un lit de campagne métallique, un matelas de crin, une chaise, une table à tiroir, un bougeoir de cuivre, une cordelette tendue d'un mur à l'autre en guise de penderie, un pot de chambre. Au lendemain de son arrivée, Charlemagne avait amélioré son éclairage en achetant chez un chandelier-cirier de la rue Froidmanteau un fagot de chandelles de dix heures, en cire d'abeille, qui éclairaient bien et sentaient bon. Il rêvait d'en posséder de cette qualité lorsqu'il lisait, ou écrivait, à la lueur des yeux de ses loups, là-bas dans sa grotte ornée de la Sauvagerie.

Il avait épinglé au-dessus du lit une gravure achetée *Au Papier qui Parle*. On y voyait un loup perché sur une branche en train d'incendier l'aire d'un aigle avec une torche enflammée tenue dans sa gueule. L'aigle serrait dans son bec un louveteau qu'il s'apprêtait à distribuer à ses aiglons. Charlemagne aurait été en peine d'expliquer ce qui lui plaisait dans cette allégorie... l'esprit de vengeance sans doute... ou peut-être lui rappelait-elle l'été 77, lorsque cet aigle fauve avait failli emporter l'un de ses loupiots ?

Tout au long de la lecture du dictionnaire, il regroupait méthodiquement sur un cahier les mots de même catégorie ayant des sens similaires, et il s'efforçait de retenir ceux dépourvus d'éléments zozoteurs : ainsi pensait-il contourner sa bénigne infirmité linguale en usant de synonymes et de périphrases. Mais c'était bien compliqué.

Lorsque le ciel le lui permettait, il délaissait sa chambrette et s'en allait grimper en haut du grand chêne planté par Le Nôtre cent dix-neuf ans plus tôt. Là, il continuait sa lecture en attendant l'heure du

211

souper. Parfois, il lui arrivait de s'adonner à de courtes rêveries durant lesquelles il était agité par toutes sortes d'envies et d'émotions qu'il comprenait mal.

S'il n'était pas obligatoire de souper, il était obligatoire d'arriver à l'heure. Aussi, dès que huit heures du soir sonnaient aux nombreux clochers du quartier, Charlemagne cessait de lire et se rendait au salon du rez-de-chaussée où étaient dressées trois tables autour desquelles s'installaient, sans ordre établi, les novices, les invités et les confirmés : un « confirmé » était un novice qui, après un semestre d'entraînement satisfaisant, avait réussi son « chef-d'œuvre » en passant un examen difficile et trois épreuves délicates.

Quatre valets perruqués en livrée aux couleurs d'Ocloff-Cuirassiers passaient les plats et les renouvelaient à volonté, faisant de même avec les boissons. D'emblée, les manières de table et l'appétit de Charlemagne avaient dérouté la bonne compagnie qui avait trouvé fort étrange cette façon de renifler tout ce qui lui était présenté. On s'était aussi interrogé sur la quantité gargantuesque de nourriture qu'il pouvait engloutir. Un seul estomac ne pouvant suffire à contenir une telle cargaison, où donc tout cela allait-il ?

L'ambiance à table était plaisante et les discussions d'une grande liberté, même lorsque le baron était séant, ce qui arrivait une ou deux fois par semaine. Les conversations roulaient principalement sur les duels passés.

Charlemagne avait remarqué qu'on l'observait en coin avec cette curiosité que la perspective de la mort éveillait chez certains : il avait vu la même chez les veneurs, au moment de l'hallali.

Le souper fini, le valet en chef annonçait que le café et les liqueurs seraient servi dans le salon-bibliothèque. Ceux qui ne sortaient pas pouvaient conclure leur soirée en jouant au kreps, au biribi, au pharaon ou même au billard. Ils pouvaient aussi consulter les centaines de livres mis à leur disposition et parmi lesquels figuraient les vingt-huit volumes de l'*Encyclopédie*.

Une collection de tableaux ayant pour thème les batailles et les duels célèbres décorait les boiseries. Le plus ancien datait de 1596 et montrait la bataille de Fontaine-Française durant laquelle Henri IV conjura l'offensive espagnole. La toute jeune compagnie Ocloff-Arquebusiers y avait connu son baptême du feu et l'artiste, Hogenberg, avait représenté le capitaine-colonel Sigismond Ocloff du Cap chargeant le sabre haut à la tête de sa compagnie.

Le tableau le plus grand, six pieds sur quatre, représentait l'extravagant duel du nain anglais Jeffrey Hudson, page à la cour d'Angleterre, avec Ludwig Croffts, un courtisan souplement échiné de race allemande. Le peintre avait choisi de peindre l'instant où Croffts se présentait sur le terrain – une clairière baignée de brume matinale – armé d'une longue-vue pour être en mesure d'apercevoir son minuscule adversaire. Valentin Picon du Coussac, le voisin de chambrette de Charlemagne, lui avait expliqué que, le tirage au sort ayant été favorable au nain, celui-ci avait tiré le premier et avait occis le Teuton farceur d'un plomb de douze en plein front.

Le tableau le plus insolite, intitulé *Le Défaut*, montrait un étonnant premier plan du pied du roi Achille peint jusqu'au mollet, et chaussé d'une sandale de facture myrmidonienne qui laissait son fameux talon à découvert. On distinguait au loin le corps sans vie d'Hector allongé devant les murailles de Troie et on aurait pu penser que l'artiste, Georges de La Tour, avait peint son œuvre au niveau du sol.

Le favori de Charlemagne dépeignait le combat des trois frères Horace, contre les trois frères Curiace. Le duel avait eu lieu dans l'espace séparant les deux armées. Chaque soldat était montré avec ses armes et son uniforme distinctif, et le peintre, Pierre L'Enfant, avait su capter l'instant capital où l'unique Horace survivant prend la fuite en laissant ses deux frères morts dans l'herbe, tandis que les Curiaces, blessés tous les trois, s'élancent à sa poursuite sous les acclamations de leur armée.

– Le Point d'Honneur n'avait point d'existence en ces temps-là, mon cher, et rien n'était de règle ; tous les coups étaient permis, et je dis bien *tous* les coups, surtout les plus pendables, lui avait confié l'intarissable Valentin Picon du Coussac. L'important était avant tout de triompher car seule la défaite déshonorait.

Valentin l'avait captivé en lui narrant la suite.

– Bien qu'indemne, le dernier des Horaces est trop faible contre trois blessés, en revanche, il reste dangereux pour chacun pris séparément. Aussi, à un moment donné, le voilà qui fait volte-face, il se précipite sur le plus avancé des trois et le tue net, caraboum. Sans souffler, il fonce sur le deuxième et le tue net itou, recaraboum. Quant au troisième, Tite-Live nous conte qu'il est si écœuré par ce qu'il vient de voir qu'il se laisse égorger sans réagir, et re- et recaraboum.

Charlemagne n'avait pas manqué de rapprocher ce comportement de la technique du loup qui fuit devant la meute, isole un suiveur, s'arrête, l'égorge et repart pour recommencer plus loin. Cet Horace n'avait pas agi autrement.

Il avait donné sa pensée, et Valentin Picon du Coussac avait ouvert des yeux ronds :

— Jésus-Christ à cheval ! Les loups font *ça* !

— Oh oui, ils font za et bien plus, les loups zont des grands malins.

Chaque matin après la course à pied, Charlemagne se rendait dans l'appartement du *maestro* Del'Giangorgulo pour qu'il examine sa blessure et renouvelle son pansement. La blessure était profonde mais en séton et n'avait rien lésé d'autre que du bon gras rouergat. Del'Giangorgulo l'avait recousu avec cinq points de suture et les avait ôtés douze jours plus tard, moment où la guérison chatouillait la cicatrice.

A chaque inspection, Charlemagne prenait soin de ne dévoiler que son épaule droite, mais il ne pouvait dissimuler les remugles dégagés par son corps bien pouacre.

— *Accidenti !* Tou sens aussi mauvais qu'un bouc mouillé.

Il avait haussé sa bonne épaule.

— Plus le bouc pue et plus la cèvre l'aime.

Le Florentin n'avait pas été convaincu.

— C'est oun *punto di vista*, mais il sérait mieux qué tou té baignes quand même.

— Ze fais ze que ze veux, z'est tout !

A partir du 20 novembre, des parieurs hauts et puissants, tels le cousin Orléans et les deux frères du roi, Monsieur et Artois, assistèrent aux séances d'entraînement, désireux de juger *de visu* les capacités du querellant, estimant ses chances de survie pratiquement nulles. Peut-être vaincrait-il le premier page, peut-être même vaincrait-il le deuxième, mais les deux autres ?

Plusieurs sortes de paris s'établirent. On paria sur ses chances de survivre aux quatre duels, on paria sur le nombre d'opposants qu'il pourrait vaincre, on paria sur le temps qu'il ferait ce 1er décembre et on paria sur un improbable long feu lors du duel au pistolet. Compte

tenu du lieu choisi, Versailles, on paria sur la perspective d'une interdiction de dernier moment venant du roi. Une constante émergeait de
cette diversité : quel que soit le mode de pari adopté, la cote de Charlemagne stagnait au plus bas, alors que celle des pages ne cessait de
grimper. Principalement celle d'Estibaux de Donzach qui venait d'en
découdre avec un page des Grandes Écuries pour une histoire de chapeau prêté, réclamé et non rendu : Donzach l'avait dépêché d'une
botte qualifiée d'inédite par les témoins.

– Cela nous enseigne que son bras s'est bien rétabli, commenta
sèchement le baron lorsqu'il fut mis au fait de la nouvelle.

Ocloff avait l'intention de parier sur son novice comme vainqueur
aux trois premiers combats, aussi faisait-il diffuser des rumeurs sur
sa mauvaise condition physique et son détestable moral, histoire de
faire encore baisser la cote. Seul le lieu du rendez-vous, le bosquet
des Trois Fontaines, restait préoccupant.

Le baron s'était rendu un matin aux Grandes Écuries pour y rencontrer le jeune page.

– S'il ne devait y avoir qu'un seul affrontement, je ne dis pas, mais
il va y en avoir quatre... ce qui laisse tout loisir à monsieur le grand
prévôt de Sourches d'intervenir. Ne serait-il pas plus convénient de
préférer un autre lieu ?

Le marquis de Sourches commandait la compagnie de suisses chargée de la police du château et des jardins : ses gardes, qui patrouillaient en permanence, ne manqueraient pas de découvrir les querellants et de les interpeller, ainsi que les témoins et tous les parieurs
présents. Après tout, le duel était une rébellion au roi, une infraction
à ses ordonnances, une violation de sa justice, un trouble flagrant à la
tranquillité publique, et, de surcroît, une terrible transgression des
commandements de Dieu.

– Et moué, monsieur le baron, je pense qu'il n'y aura pas d'occasion pour un second duel, puisque je vais rondement vous l'expédier
ce maroufle des provinces.

Trois combats se donnèrent en ce mois de novembre dans
l'amphithéâtre du Point d'Honneur. Charlemagne n'assista qu'à
celui de Victoire Hendecourt contre le duc de Penthisson, un courtisan fameux pour n'aimer les femmes que par ce qu'elles avaient
de commun avec les hommes. Les gradins et les loges étaient

pleins et la lumière fournie par trente domestiques brandisseurs de torches.

Victoire s'était attifée d'un corsage de soie safrané qui épousait sa ronde poitrine (qu'elle trouvait trop grosse) et d'une culotte de peau cuisse de nymphe émue qui moulait son tressautant arrière-train (qu'elle jugeait trop rebondi). Elle portait des bottes cavalières noires à rabats crème et sa chevelure aile de corbeau, regroupée en queue à la militaire, était décorée d'une grande broche représentant une tête de Méduse souriante. L'attention de Charlemagne durant le combat avait été perturbé par la vision de toutes ces rondeurs qui frémissaient chaque fois que la jeune tueuse feintait, parait, rompait, se fendait. Un spectacle à émouvoir la frigidité d'un ange.

L'affrontement avait duré près d'une demi-heure et le duc, un lourd quadragénaire hors d'escrime depuis longtemps qui avait sous-estimé son adversaire, avait chèrement payé son erreur par une profonde entaille entre deux côtelettes qui avait dramatiquement colorié sa chemise. Le duel n'étant qu'au premier sang, il avait pris fin, et la jeune femme avait usé de son droit de dépouille pour s'approprier la belle épée de cour du vaincu. Trois laquais de la Maison du duc avaient soulevé le navré et l'avaient transporté se faire recoudre chez un chirurgien. L'assistance avait terminé la soirée en jouant au pharaon dans le salon-bibliothèque pendant qu'un quatuor exécutait toutes sortes de petites musiques de nuit.

Cinq jours avant le 1er décembre – à la minuit selon la tradition –, le baron Ocloff entra dans la chambrette de Charlemagne, accompagné de Del'Giangorgulo et du prévôt Frétin portant des flambeaux allumés. Le baron tapa de son soulier le pied du lit de camp.

– Debout, monsieur le novice, vêtissez-vous et suivez-nous.

Charlemagne se dressa sur son séant, le cœur battant, l'air mauvais.

– Mais ze n'ai rien fait !

– Qui dit que vous avez fait quelque chose ? Veuillez vous lever, je vous prie.

Charlemagne s'habilla et les suivit à travers le couloir et l'escalier jusqu'à la salle d'armes vide. Trois des huit lustres, ceux du centre, étaient allumés et réduisaient la grande salle à une large tache lumineuse. Une paire de fleurets mouchetés et une bible étaient posés sur une table de style rocaille. Le maître d'armes et le prévôt se retirèrent.

– Je sais que vous n'êtes que novice et que vous devriez le rester encore quelques mois, mais, à situation exceptionnelle, méthode exceptionnelle. Je m'autorise donc à bouleverser la tradition et à vous enseigner avant l'heure l'une de mes bottes secrètes.

Le visage de l'intéressé s'éclaira.

– Eh ! Za oui, ze veux bien !

– Mais avant, il vous faut prêter serment sur Dieu et tous ses saints, dit le baron en allant prendre la bible sur la table.

Charlemagne refusa d'y toucher avant d'en savoir plus.

– Quel zenre de zerment ?

– Celui de ne jamais utiliser cette botte contre celui qui vous l'a enseignée.

– Eh ! Za auzi, ze veux bien, dit-il en posant sa main sur le gros livre relié cuir et tellement gavé de craques.

Durant l'heure qui suivit, le colonel-baron lui enseigna une botte de jeunesse baptisée la *M'as-tu vu ?* qui consistait à considérablement décourager l'adversaire en l'énucléant d'un habile coup de pointe suivi d'une rotation du poignet.

– Z'ai compris ! s'exclama Charlemagne avec un sourire reconnaissant qui toucha le vieux raffiné malgré lui.

Ocloff était de ceux qui pensaient que montrer une émotion, n'importe quelle émotion, était exposer une faiblesse.

Vint le matin du dernier jour de novembre.

Demain, je serai peut-être déjà mort, songea lugubrement Charlemagne lorsque onze heures sonnèrent aux clochers du quartier Saint-Honoré. Le sentiment indéfinissable d'angoisse qui l'accablait ces derniers jours s'était clairement identifié au réveil en peur de mourir.

– Eh bien, monsieur, je vous sens aussi tendu qu'une corde d'arbalète. Quelque chose vous tracasserait-il ? demanda avec ironie le prévôt Évangile Frétin.

Charlemagne ôta son masque grillagé pour répondre :

– Ze n'ai que faire de vos railleries.

Frétin ôta lui aussi son masque, mais pour mieux ricaner :

– Le pire dans la peur, c'est de ne pas pouvoir la montrer, n'est-ce pas ?

La justesse du trait surprit Charlemagne.

— Z'est vrai, mais demain à la même heure ze zerai peut-être mort et enterré, moi, alors z'ai des raisons d'avoir peur, z'est tout !

— On fait des paris sur votre défection au champ d'honneur.

— Zur mon quoi ?

— Certains pensent que vous vous esquiverez avant la fin de la journée et que vous vous en retournerez ainsi au néant campagnard d'où vous n'auriez jamais dû surgir, disent-ils.

Charlemagne eut un sourire désarmant.

— Z'y ai penzé, z'est vrai, mais ze me plais izi... et ze ne zuis pas un frileux, même zi z'ai un peu peur... Zurtout pour le duel au piztolet où ze n'est pas moi qui dois tirer le premier...

Ils remirent leur masque et reprirent l'entraînement.

Chapitre 26

Les rois sont nés pour posséder tout et commander à tout.

Louis XIV, un jour où il était de bonne humeur

Château royal de Versailles, 1er décembre 1781.

Plus de 20 000 personnes gravitaient quotidiennement en ce pays-
ci et la Maison civile du roi totalisait à elle seule 4 204 officiers
servant à l'année ou par quartier. Sa Maison militaire comptait
12 400 hommes qui étaient répartis en 5 200 cavaliers, 3 600 gardes-
françaises, 1 300 gardes du corps et 2 300 gardes-suisses.

La Maison de la reine comptait 2 030 officiers et celle du dauphin
201 officiers. Les maisons civiles et militaires de Monsieur et d'Artois, les frères du roi, totalisaient 1 005 officiers.

Venait ensuite le peuple des courtisans estimé à 2 000 frelons,
guêpes de Cour, caméléons hume-le-vent, tondeurs de nappes et
autres extravagants à projets. Ces courtisans étaient régis par la triple
hiérarchie du rang, de l'étiquette et du crédit. Leur vie quotidienne
se résumait à se tenir à l'affût du roi, des princes du sang ou des
ministres favoris du moment, et de s'en faire agréablement remarquer. Le but étant d'obtenir une promotion, un don, une gratification,
une pension exceptionnelle, un commandement aux armées, une
lieutenance générale de province, un gouvernement de ville, voire
un simple cordon bleu, un évêché, ou, pourquoi pas, une petite
ambassade.

En ce pays-ci existait un air de Cour qui consistait à se tenir une
épaule plus élevée que l'autre tout en ayant un air averti. Il existait
aussi un ton de Cour truffé de formes rustiques destinées à dérouter

la bourgeoisie et à mieux mettre en valeur un parler raffiné : c'était une manière de patois qui escamotait les accents et les consonnes finales. Par exemple, Monsieur disait volontiers « sa' » au lieu de sac, « taba' » au lieu de tabac, et ne prononçait jamais le T dans « commen-*t* allez-vous ? ». Il disait aussi « moué » pour moi, « roué » pour roi, « cheu soi » pour chez soi et ainsi de suite.

En ce pays-ci, les courtisans retrouvaient leur liberté une fois le roi endormi... mais tout recommençait dès qu'il se réveillait.

Six heures trente.

Louis ouvrit les yeux dans l'obscurité. Il était allongé dans un grand lit à baldaquin aux tentures closes.

— Je me lève, dit-il sans bouger.

Sa voix nasillarde résonna dans l'air froid.

Aux aguets derrière la porte, le duc de Villequier, premier gentilhomme de la Chambre à l'année, entra et écarta les tentures, faisant apparaître le jeune roi en bonnet de nuit.

— Bonjour, Votre Majesté.

— Bonjour, monsieur le duc. Quel temps fait-il ?

— Froid et humide, Votre Majesté, bien trop méchant pour votre déduit.

Le premier gentilhomme alla tirer les rideaux. Les fenêtres ouvertes étaient responsables de la froideur qui régnait dans la chambre. Semblable à son arrière-arrière-arrière-grand-père Louis XIV, Louis le Seizième avait la phobie de la chaleur et voulait ses fenêtres béantes en permanence.

Louis sortit du lit et accepta la robe de chambre que lui présentait son premier valet de la Garde-Robe à l'année. Il s'assit ensuite sur sa chaise d'affaires et se vida en contemplant le ciel nuageux signifiant encore une journée sans chasser.

Le valet perruquier par quartier profita de son immobilité pour lui ôter son bonnet de nuit et lui ajuster sur le crâne une perruque toute simple, dite du Petit Lever. Le valet barbier à l'année en profita à son tour pour venir le raser avec cet air d'importance qu'adoptaient tous ceux qui avaient le privilège de toucher le corps sacré du roi.

Deux valets de la Garde-Robe par quartier l'aidèrent à rentrer dans un habit de drap gris à revers violets : l'un des valets avait le gouvernement de la manche gauche, l'autre celui de la droite.

Sur le marbre de la commode, un valet de la Chambre avait aligné comme chaque matin une bourse contenant trente-cinq livres, des lunettes contre la myopie, trois grands mouchoirs à damiers brodés, un couteau à lame pliante et un gros trousseau de vingt-neuf clefs que Louis avait lui-même forgées de ses grandes mains aux doigts déjà boudinés.

Il répartissait le tout dans ses poches lorsque le grand remonteur à l'année entra et lui remit une belle montre ronde.

– Sire, voici votre heure vraie.

Sa fonction se bornait à prendre chaque soir la montre du roi et à la lui rendre au Petit Lever, remontée et réglée à l'heure *vraie*. Louis tenait beaucoup à cette montre qui lui rappelait un grand moment : Papa-Roi la lui avait offerte le jour où, après trois années d'intenses tergiversations, il avait pu consommer son mariage.

Monsieur Lucien, le porte-chaise d'affaires à l'année, se présenta en habit de velours bleu nuit, épée au côté, chapeau bas. Cet ancien petit tailleur s'était offert sa charge après avoir gagné à la loterie. Grâce à l'excellent appétit du jeune roi, elle lui rapportait vingt mille livres l'an. Le geste digne, le porte-chaise d'affaires souleva le siège de la chaise d'affaires et constata avec plaisir que le vase de Limoges était copieusement rempli.

Monsieur Lucien conservait le royal « jus de nature » qu'il vendait en flacon ; il faisait de même avec le « bran du roy » qu'il séchait, pulvérisait et vendait vingt livres l'once aux apothicaires levantins friands de pareilles marchandises. Personne n'y trouvait à redire puisque *tout* ce qui se rapportait au corps du roi était de nature divine.

Louis était devenu surhumain en recevant le saint chrême qui l'avait doublement promu oint du Seigneur et lieutenant de Dieu sur terre. Ce jour-là, Louis était devenu tellement sacré qu'on lui avait fait toucher « deux mille quatre cents écrouelleux vérifiés, bien puants, montrant bien leurs marques » ; à chacun, on lui avait dit de dire : « Le roi te touche, Dieu te guérit. » Sept ans s'étaient écoulés depuis et il n'avait jamais osé demander s'il y avait eu des conséquences heureuses à ses deux mille quatre cents attouchements.

Une fois levé, vidé, rasé, perruqué, mais point poudré, Louis traversa de son pas plantigrade une enfilade de trois cabinets et une bibliothèque avant d'arriver dans sa salle à manger privée où l'attendaient trois officiers de la Bouche par quartier.

Une dizaine de tableaux montrant ses meilleures chasses décoraient les murs. L'une de ces toiles éternisait ce matin de printemps où il avait tiré deux cent neuf hirondelles. Une prouesse, compte tenu de sa myopie et de la taille réduite du volatile. M. Pierre, le premier peintre du roi, n'en avait omis aucune et le résultat était des plus frappants.

Louis gloutonna un plat de gibier accompagné d'une salade de cœurs de laitue, un quartier de mouton au jus et à l'ail, une pleine assiette de pâtisseries et conclut en avalant six œufs durs sans même faire *gloup*.

A sept heures dépassées, il gagna sa bibliothèque aux murs tapissés de livres visiblement tous lus. Son bureau en acajou était placée face à la fenêtre qui s'ouvrait sur la petite cour de Marbre. Deux très beaux globes terrestres entouraient une magnifique horloge qui, chaque demi-heure, faisait apparaître des coqs cocoricoquant, tandis qu'un jeune Louis XIV en or fin sortait d'un temple et que la Renommée, juchée sur un nuage en argent, venait le couronner au son d'un joyeux carillon.

Le roi déverrouilla le tiroir où il serrait son Dépensier, son Journal des chasses et son Journal de famille. Avec un goût certain pour les statistiques, il notait dans le premier tous les frais journaliers de sa Maison civile, ses dépenses personnelles, le montant des pertes au pharaon de sa femme, les factures des couturières et des joailliers de la même, les pensions et les gratifications accordées aux courtisans…

Dans le deuxième cahier, il consignait le récit de ses chasses, le nombre exact de ses prises, le lieu de l'hallali ou celui de la retraite s'il avait fait buisson-creux.

Dans le troisième cahier – débuté le 1er janvier 66 à l'âge de douze ans –, il relatait ses rares impressions personnelles (« Mort de ma mère à huit heures du soir ») et il signalait les événements familiaux tels que la rougeole d'Artois, l'arrachage d'une molaire de Provence, l'accident de carrosse du cousin Orléans, les saignées de la reine, ses deux couches victorieuses, les petites véroles de ses grand-tantes…

Ouvrant le Journal des chasses, il coinça une extrémité de sa langue entre ses dents, signe de concentration, et inscrivit d'une petite écriture appliquée :

Mercredy 30... la pluie m'a empêché de chasser le chevreuil.

Pendant que l'encre séchait, il regarda par la fenêtre les courtisans qui allaient et venaient dans les cours. Ils attendaient l'heure de son Grand Lever en se répétant les dernières *Nouvelles à la main* ou le dernier bon mot de M. d'Untel. Louis les craignait comme on craint les mouches en été ou les rhumes en hiver. Tous, sans exception, voulaient quelque chose de lui, tous.

Il ouvrit le Journal de famille, coinça sa langue entre ses dents puis écrivit :

Mercredy 30... Rien.

Il ouvrit alors son Dépensier et s'abstint de soupirer, bien qu'il y eût motif.

Mercredy 30...
Robe et pouf de la Reine, 45 000 livres pour la Rose Bertin.
Pension de 30 000 livres pour M. de Vaudreuil.
Pour dette d'honneur d'Artois, 55 000 livres.
Pour raccommodage de porcelaine, 134 livres, 10 sols.
Pour un verre de montre, 12 sous.
A Bastard, pour un port de lettre, 9 sous.

L'heure suivante fut dédiée à la lecture des rapports de ses gardes-chasse et de ses piqueux. Ces derniers faisaient les bois chaque jour pour repérer les gagnages où s'étaient nourris les animaux durant la nuit, et ils signalaient les endroits où ces bêtes passeraient leur journée au repos.

Sa préférence ce matin s'arrêta sur le rapport de Tourlourou, le garde-chasse du bois de Meudon, qui affirmait avoir retrouvé la trace de Lèse-Majesté, un dix-cors chassé à trois reprises cet automne dans le canton de Fausses-Reposes. Ne pas prendre, c'était admettre que l'on avait été joué par plus fin que soi, et quand soi était roi, un tel entêtement relevait du forfait, d'où le sobriquet trouvé par le marquis Tancrède de Beltegueuse, compagnon de vénerie du jeune roi et excentrique connu pour chasser la bête noire à l'ancienne, torse nu et à l'épieu, tel un barbare des Ages gothiques.

Louis déploya la carte détaillée du bois de Meudon et prit un vif plaisir à développer une stratégie de poursuite et d'attaque. Comme il était exclu de se faire distancer une quatrième fois, il disposa en certains points du trajet des hardes de chiens frais qui seraient emmenées sur place en charrettes et qui prendraient le relais de la meute déjà engagée. Avec un pareil dispositif, Lèse-Majesté était condamné d'avance, et, ma foi, autant pour le *fair play*. Tous, sauf l'intéressé, savaient que le roi était un viandard qui chassait pour tuer, et qui était capable de chevaucher dix heures d'affilée pour y parvenir.

Louis inscrivit le nom des chevaux et le nom du maître d'équipage qui l'accompagneraient. Il nota aussi le nom des valets de limiers et celui des piqueux, ainsi que le nom de chaque clef de meute. Il conclut par une liste non exhaustive des invités qu'il autorisait à le suivre.

Des bruits de pas en provenance du plafond signalèrent l'arrivée de Gamain dans la forge au-dessus. Consultant sa montre, il lut qu'il ne lui restait plus qu'une heure et demie de solitude avant de reprendre le si pesant office de roi de France et de Navarre. Dieu était témoin qu'il n'avait jamais souhaité l'être et qu'il devait cet accablement d'honneur à une succession de trois décès : celui de Bourgogne son frère aîné, mort de consomption à l'âge de dix ans, celui du dauphin Louis Ferdinand de France son père, mort d'une terrible fluxion de poitrine, et enfin celui de Papa-Roi, son grand-père Louis le Quinzième, emporté par une puante vérole sept ans plus tôt.

Louis sonna le baron de Ville d'Avray, son valet de chambre préféré, qui n'était jamais loin, et lui remit le plan de chasse.

– Baille-le au maître d'équipage de la grande meute et dis-lui de m'envoyer Tourlourou en fin de relevée.

– Si fait, Votre Majesté.

Louis suivit un long couloir étroit et prit un escalier aux degrés grinçants qui le mena au deuxième étage, occupé autrefois par les favorites royales. Seul Bourbon à n'en pas posséder, Louis avait préféré installer le comte de Maurepas dans les appartements de la Du Barry en disgrâce. Le vieux mentor avait eu le mauvais goût de mourir de la goutte la semaine précédente et il manquait au jeune roi, chroniquement indécis.

La forge était installée au fond du couloir, dans l'ancien laboratoire de Papa-Roi, et le maître serrurier Gamain venait chaque matin perfectionner Louis dans le travail du fer.

— Votre Majesté a-t-elle passé une bonne nuit ?

— J'ai bien dormi.

Louis enleva son justaucorps et noua un grand tablier de cuir autour d'une taille déjà bien épaisse.

— Monsieur le dauphin se porte comme il se doit ?

— Grâce à Dieu, comme un charme.

L'autre mois, le maître serrurier avait eu l'occasion d'assister à l'accouchement de la reine. Il y avait tant de monde dans la chambre qu'il avait dû se hisser sur le marbre d'une commode pour mieux voir le nouveau-né.

Prénommé Louis Joseph Xavier François, le royal poupard était présentement entre les mains de Mme Poitrine, sa nourrice, tandis que sa mère était en relevailles en son château de Trianon, en compagnie de ses entours favoris, dont Louis ne faisait pas partie.

Cette naissance attendue depuis onze ans était une grande victoire, doublée d'un grand soulagement, car, en assurant ainsi sa descendance, il avait verrouillé le bec aux médisants folliculaires qui ressassaient dans leurs *Nouvelles à la main* combien il « manquait de voix », et combien son « foutre était sec ». Autant pour vous, messieurs les médisants.

Louis œuvra ce matin-là sur une serrure à pêne dormant qui était le contraire d'une pièce facile à forger, aussi se donna-t-il beaucoup de mal et transpira-t-il d'abondance. Là comme à la chasse, il compensait son absence de talent par un entêtement obstiné qui forçait parfois l'admiration.

Onze heures sonnèrent aux cartels, aux horloges de parquet et aux pendules de cheminée du château. Louis rangea ses ustensiles et salit son premier mouchoir à damiers en s'essuyant le visage et les mains.

Il prit un étroit escalier menant au belvédère qu'il s'était fait construire sur le toit des petits appartements au lendemain de son sacre. A l'exception d'un valet, personne ne pouvait y entrer. La vue dominante était totale. D'un côté tous les jardins, de l'autre toutes les cours jusqu'à l'avenue de Paris, flanquée des Grandes et des Petites Écuries.

Un vieux fauteuil Boulle aux accoudoirs torsadés et une magnifique lunette suisse fixée sur un tripode en acajou cerclé de cuivre trônaient au centre. Le valet déposait chaque matin une assiette de biscuits, une jarre de miel, une carafe remplie de citronnade et un verre à pied sur une table à tiroir : le tiroir contenait un Journal annexe de ses chasses. Trois carabines de vénerie et un mousqueton de cavalerie reposaient sur un râtelier suspendu à la cloison. Ils étaient chargés tous les quatre.

Malgré le froid, Louis ouvrit les fenêtres et s'installa derrière sa superbe lunette, commençant par balayer les toits et les gouttières à la recherche d'un oiseau ou d'un félidé à tirer. Le lion dans la Ménagerie rugit comme chaque matin. Louis braqua son objectif sur Trianon où dormait la reine. Il vit dans la cour plusieurs gentilshommes s'empresser autour d'une femme en pouf et en grand panier qui lui parut être la favorite de sa femme, la comtesse Jules de Polignac, une brune aux yeux bleus qui ne brillait point par la rigueur de ses mœurs. Il vit alors apparaître sur le perron des valets aux couleurs de la reine portant des fauteuils de salon.

Louis s'intéressa ensuite à un groupe de provinciaux visitant le bassin d'Apollon, puis il regarda vers la pièce d'eau des Suisses où il ne se passait rien. Il se tourna alors vers Versailles au moment où un carrosse de six chevaux traversait à grande vitesse la place d'Armes : les armoiries sur les portières étaient celles de son détestable cousin Orléans. Vers quel mauvais coup se dirigeait-il de si bon train ? L'attelage franchit les grilles sans être arrêté par le Suisse, et il s'engagea dans la cour royale pour se ranger adroitement entre les carrosses de Provence et d'Artois ; seuls les princes du sang et les membres de la famille royale avaient ce privilège d'arriver en voiture jusqu'ici ; le commun des mortels ne pouvait dépasser les grilles et devait continuer à pied ou en chaise de louage.

Six gardes-françaises débraillés, tenant leur mousqueton n'importe comment, traînaient leur nonchalance d'une cour à l'autre. Les courtisans et quémandeurs ne cessaient d'arriver, par flots continus. Certains venaient se montrer au Grand Lever de onze heures et demie, mais la plupart visitaient les ministères en quête d'une charge, d'un office, d'un bénéfice, d'un avantage. Tous avaient quelque chose à lui quémander et c'était ainsi depuis qu'il existait des rois.

Louis retourna son épatante optique sur les jardins et vit plusieurs pages qui marchaient d'un pas décidé vers le bassin de Neptune. Il nota qu'aucun n'était de la même maison, d'où ce gracieux chatoiement de livrées très chamarrées. Il y avait un page rouge à parements bleus de Monsieur, un page jaune jonquille à parements rouges du prince de Condé, un page cramoisi brodé or et argent de la reine, un page rouge galonné d'or de la Maison d'Orléans, deux pages verts à parements amarante du comte d'Artois, et il reconnut à sa démarche sautillante le petit Donzach, l'un des pages de sa Chambre. Un bien mauvais sujet, s'il en était. Dissipé, querelleur et affligé d'un précoce amour-propre d'écorché. Ne venait-il pas encore de se battre ces jours-ci avec un page des Grandes Écuries ? Et quand il avait voulu le faire embastiller pour lui déchauffer les humeurs, la reine était intervenue et avait sollicité une lettre de rémission, qu'elle avait obtenue, évidemment. Les pages étaient mêlés à plusieurs gentils-hommes dont M. Lassone, le premier médecin de la reine, celui-là même qui lui avait si joliment dénoué l'aiguillette avec une paire de ciseaux quelques années plus tôt.

Louis trempa deux biscuits dans la jarre de miel aux mille fleurs et les croqua avec bonheur. Il était clair qu'il aimait manger. C'était même l'une des rares activités, avec la chasse, où il ne montrait aucune timidité. C'était pourtant cette timidité qui l'affligeait depuis sa petite enfance qui l'empêchait de gouverner après sept ans de royauté. Ses ministres le faisaient pour lui, et il se contentait de donner son accord à leurs propositions. Mais le pire venait de son irrésolution chronique qui lui ligotait le vouloir. Il appréhendait de se tromper ou de commettre une bévue, aussi il avait peur de porter un jugement et d'être encore humilié. Même un bigot vaniteux comme le comte de La Vauguyon, le gouverneur de son enfance, s'en était rendu compte et avait tenté d'y remédier en lui inculquant les quatre principes du métier de roi : la piété, la bonté, la justice, la fermeté. Revenant sur ce dernier point, il lui avait répété et répété encore « qu'une tyrannie à la Louis XI était préférable à une indolence à la Henri III ».

Louis trempa deux autres biscuits dans le miel et les engloutit. Soudain :

– Oh, oh, oh, sale bête en vue !

Un *felis cattus* rouquin comme un diablotin venait de sauter hors d'une lucarne des Grands Communs et s'engageait avec la sûreté d'un somnambule sur le bord de la gouttière de plomb. La bouche encore pleine, le cœur battant plus vite, Louis décrocha le mousque-ton de cavalerie, visita l'amorce, se posta près de la fenêtre, mit le chat en joue et fit la mire avec son pouce gauche.

Le gros mâle de trois ans que sa maîtresse, une chambrière de Mme Royale, avait appelé en toute impunité Minounou faisait comme chaque matin la tournée de son territoire, contrôlant méthodiquement tous les marquages odorants de la veille. Minounou s'approcha de l'une des cheminées centrales et en renifla longuement la base. Satisfait, il s'immobilisa, dressa en hauteur sa longue queue et tressaillit de tout son corps en pulvérisant sur la cheminée un fin brouillard d'urine fortement parfumée.

Tout en sachant que la portée utile du mousqueton était de deux cents pas et que sa précision n'était pas fameuse au-delà de cent, Louis bloqua sa respiration et pressa la queue de détente. Le coup partit. Le plomb de huit pénétra en vrillant dans le flanc de Minounou et saccagea sauvagement l'intérieur avant de ressortir et de s'aplatir sur une brique de la cheminée.

– Touché !

Louis déposa son arme et vérifia l'impact dans sa longue-vue. Le chat agonisait en silence, incapable de bouger comme de concevoir d'ailleurs ce qui venait de lui arriver. Louis se frotta les mains de satisfaction avant d'ouvrir son Journal annexe et de noter son exploit, car c'en était un d'atteindre une si petite cible mouvante à une si grande distance, pour quelqu'un réputé myope.

Jeudy, premier de décembre… J'ai tué au mousqueton un chat rouge à 140 pas sur le toit des Grands Communs.

Soucieux de détail, il retourna à la lunette pour vérifier l'exacte couleur de robe du matou. Mais son attention fut détournée par un curieux remue-ménage du côté du bosquet des Trois Fontaines, tout proche.

– Oh, oh, oh !

Il s'ébaudit de reconnaître son cousin Orléans conversant avec Provence et Artois, installés dans des fauteuils, comme au spectacle. Que complotaient ces trois mauvais esprits réunis et que faisait parmi eux le baron Ocloff du Cap, ce paradigme de raffiné, s'il en existait ? Bien que Louis sache que l'individu avait plus de deux cents duels sur la conscience, il ne pouvait s'empêcher d'admirer quelqu'un capable de jouer sa vie autant de fois. Fallait-il si peu y tenir pour la risquer aussi souvent ? Il savait aussi que ce vieux baron avait été compagnon de chasse de son Papa-Roi et qu'il était aussi l'heureux propriétaire d'un régiment de cuirassiers qui s'était couvert de gloire durant la guerre de Sept Ans. Louis savait également qu'il avait été le maître d'armes du cousin Orléans lorsque celui-ci était enfant.

Son étonnement s'accrut quand apparurent dans sa performante lunette helvète le comte Jules de Polignac et sa femme, la comtesse Yolande. Debout à ses côtés se tenait le comte de Vaudreuil qui faisait le beau en racontant quelque chose d'inaudible à cette distance. Une dizaine de parfaits inconnus se trouvaient mêlés à tous ces grands seigneurs et il arrêta sa lunette sur l'un d'eux, au tricorne emplumé, qui se tenait campé les bras croisés près de la fontaine centrale, semblant attendre quelque chose, ou quelqu'un.

Louis développa quelques soupçons lorsqu'il remarqua des épées et des pistolets alignés sur l'un des bancs de pierre. Il balaya les bassins et les allées environnantes et retrouva le groupe des pages qui s'engageait dans l'allée du bosquet des Trois Fontaines. Cherchant les gardes du grand prévôt, il les trouva près du bassin de Latone en grande parlote avec des valets en livrée de la Maison d'Orléans.

Le roi but un verre de citronnade, rechargea avec soin le mousqueton et le replaça sur le râtelier. Puis il mangea deux biscuits emmiellés qui disparurent dans son estomac sans fond. Revenu devant sa lunette, il vit que les pages avaient rejoint les princes aux Trois Fontaines. Donzach se détacha du groupe et rejoignit l'inconnu au chapeau emplumé. Celui-ci avait décroisé les bras et tenait une grande épée à la main. La présence du baron Ocloff convainquit Louis qu'il allait assister à un duel. Une bouffée de chaleur porta au rouge ses joues poupardes.

– Ils n'oseraient pas se battre en ce pays-ci, tout de même ?

Il avala six biscuits emmiellés à la suite, but un autre verre de citronnade, rangea son Journal annexe, ferma le tiroir à clef et sortit du belvédère en se baissant pour ne pas se cogner au chambranle car il mesurait six pieds deux pouces.

Il descendit quatre à quatre l'escalier au pied duquel se trouvait la salle des gardes du corps. Le capitaine et les six officiers de service se dressèrent comme un seul homme à la vue du roi faisant irruption dans leur salle.

Reconnaissant le duc de Ruynes, un géant de six pieds quatre pouces, capitaine à la compagnie de Luxembourg, Louis lui dit avec autorité :

– Monsieur le duc, suivez-moi avec vos gens.

Chapitre 27

En visitant l'appartement que le roi venait de
quitter, il était amusant de voir les figures de
vauriens en guenilles se promener sans surveillance dans le palais, et jusque dans la chambre du
roi ; et j'étais bien la seule personne à me demander comment diable ils pouvaient être là.

Arthur Young, voyageur anglais
relatant sa visite de Versailles

Le château comptait 226 appartements et 452
chambres, tous occupés et sans aucune commo-
dité. Oh oui, on peut le dire, ce pays-ci fleurait
de loin la merde.

Colonel-baron Fortuné Ocloff du Cap,
Mémoires d'un raffiné, 1790

Le cabriolet blasonné d'une couronne de baron sur chaque portière
quitta l'avenue de Paris et se mêla aux encombrements de la place
d'Armes.

Pour mieux voir la ville, Charlemagne était resté à la portière
depuis la rue Saint-Honoré, avide de nouveautés et heureux d'être si
souvent étonné. Il était dans un bel habit de veneur couleur brun
plantigrade à revers futaie profonde qu'il s'était acheté chez un
habilleur du quartier et s'était coiffé d'un tricorne noir à galons rouge
et or sur lequel il avait fiché trois plumes ayant appartenu plusieurs
mois à la queue d'un coq de bruyère. Conseillé par le maître d'armes
florentin, il s'était fait fabriquer chez un chaussurier du duc de
Chartres des bottes à treize plis, identiques à celles des housards, qui
lui avaient coûté la somme exorbitante de quatre-vingts livres.

Del'Giangorgulo et le novice Valentin Picon du Coussac, ses

témoins désignés, étaient assis sur la banquette lui faisant face. Le Florentin avait sur les genoux sa mallette de chirurgien contenant tout ce qui était utile pour traiter les plaies par fer et par balle. Valentin, vêtu d'un frac vert à la polonaise semé de larges rayures jaune clair, avait la charge des pistolets et des épées de rechange.

Charlemagne portait à la hanche l'épée prêtée la veille par le baron. Il s'agissait d'un fer sans ornementation, à l'exception de quelques filets d'or sur la lame en acier bleuâtre ; la coquille protégeant la main avait été bronzée pour éviter les miroitements et la surface était percée de petits trous appelés casse-pointe dont c'était précisément la fonction. En regardant plus attentivement, on pouvait voir des traces de coups anciens. La peau de chien de mer qui garnissait la fusée était si dure qu'elle aurait pu, après quelques échanges seulement, provoquer la formation d'ampoules très douloureuses, aussi Ocloff avait fait coudre autour une mince peau de chamois permettant de tirer sans frottement, même à main nue. Bref, c'était une arme de professionnel, spécifiquement conçue pour le duel à outrance.

– C'est ouné *grande onore* qué lé baron t'a fait là.

– Peut-être, mais ze qu'il veut, z'est avant tout que ze gagne.

Ça au moins, Charlemagne l'avait compris. Si bien compris qu'il en tirait vanité. Une vanité qui s'était déjà manifestée dans le passé lors de ses mises à prix successives (« Je vaux beaucoup... j'ai donc beaucoup de valeur »).

Le cabriolet s'arrêta non loin d'un gros carabas qui déversait sa cargaison de petites gens devant les grilles. Une foule de provinciaux endimanchés se pressait autour du concierge suisse pour lui acheter la *Manière de montrer le Palais et les Jardins*, un guide écrit par Louis XIV en personne et que l'opportuniste Helvète des Grisons vendait une livre pièce.

– Et si d'afenture, fous rencontrez le roi, ne lui parlez point éfidemment, recommandait-il avec un air de gravité affectée.

Charlemagne lui acheta un exemplaire et le fourra dans sa poche, songeant ce faisant que dans moins d'une heure il n'aurait peut-être plus jamais de temps pour lire.

L'aspect général du château le déçut. L'ensemble lui parut médiocre et bien trop aplati ; et puis il n'y avait aucun donjon, aucune muraille crénelée, aucune tour, pas même un pont-levis. En fait, cela ne ressemblait en rien à un château, tout juste à une grande et vaste demeure. Ignorant le chemin des jardins, il accorda ses pas sur ceux du maître d'armes et de Valentin.

Une demi-douzaine de gardes-françaises qui déambulaient de cour en cour les regardèrent passer avec indifférence. Pourtant Valentin transportait deux fontes à pistolet bien reconnaissables et deux épées dans leur fourreau. Ils traversaient la cour d'Honneur lorsque l'attelage richement décoré du comte d'Artois les dépassa à grand fracas sur les pavés et vint se ranger dans la cour Royale, à côté du carrosse vide de Monsieur.

— Tous ces princes viennent pour té voir té battré, tou vas dévénir *istantaneamente famoso*, dit gravement Del'Giangorgulo en gravissant les trois degrés menant à la cour de Marbre.

— Ils viennent pour parier, z'est tout.

— Oui, c'est vrai, mais après ils vous connaîtront par votre nom et c'est déjà beaucoup en ce pays-ci, dit Valentin avec une pointe d'envie dans la voix.

Ils s'engouffrèrent dans le vestibule qui traversait le château et débouchèrent sur une grande terrasse dominant à perte de vue des parterres de verdure, des pièces d'eau, des statues, des fontaines ruisselantes.

Malgré le temps gris et froid, une affluence de courtisans ragotait en attendant l'heure du Grand Lever comme on attend le chant du coq, la venue de l'aurore ou le lever du rideau. Une famille de provinciaux en habits neufs alignée sur l'escalier se faisait des souvenirs au spectacle déambulant de tous ces beaux gentilshommes et de toutes ces nobles dames si joliment fagotés.

Ils marchèrent vers les Trois Fontaines qui s'étageaient sur trois niveaux, telles des marches pour géant. De tous les bosquets, c'était celui qui devait le plus à l'art du jardinier, et il en avait fallu beaucoup pour tirer un si beau parti d'une telle irrégularité de terrain.

Charlemagne s'immobilisa et tendit l'oreille. De formidables rugissements inconnus venaient d'éclater à main gauche. Seul un très gros animal pouvait hurler ainsi.

— C'est le lion dans la Ménagerie, dit Valentin avec un geste désignant l'est.

— Le roi a un lion !

— Oui, mon cher, un lion qui a été ramené d'Afrique. Il a aussi un tigre, un rhinocéros et bien d'autres bestioles encore.

Ils marchèrent jusqu'à la fontaine du milieu, un bassin carré d'où jaillissaient huit jets d'eau qui redescendaient en dessinant quatre arches faites de milliers de gouttelettes scintillantes.

Une volée de moineaux qui explorait le gravier s'envola à leur approche. Del'Giangorgulo claqua dans ses mains avec satisfaction :

– *Va bene*, nous sommes les premiers.

– Je me demande pourquoi Donzach a choisi cet endroit, dit Valentin avec une moue dubitative qu'il copiait sur celle de son père, un président à mortier redouté pour sa sévérité et sa grande vénalité.

Il déposa les pistolets et les épées sur l'un des bancs de pierre tandis que Del'Giangorgulo prenait une fiasque dans sa mallette et la tendait à Charlemagne.

– Bois et *fa presto* pendant qu'il n'y a personne.

Charlemagne renifla le goulot.

– *Ques aco ?*

– C'est du vin *un poco speciale. Bevilo presto.*

Charlemagne sourit.

– Alors z'est une friponnerie ?

Le Florentin prit un air matois.

– *Ma no !* Ça aidera jousté à combattre lé fatigué. *È* oune *rinvigorente* inca.

– Hein quoi ?

– Inca, c'est ouné peupladé dou Pérou, *creo.*

Charlemagne but une petite gorgée et le lion rugit à nouveau dans le lointain, mais bien sûr cela n'avait aucun rapport.

– Z'est zucré pour du vin.

– *Bevi, bevi, ti dico.*

Del'Giangorgulo ignorait la composition du breuvage, mais il en garantissait les effets. Il se le procurait auprès d'un Levantin spécialisé dans les remèdes en provenance de l'Est lointain.

Charlemagne but deux gorgées, il allait faire un commentaire lorsque le baron Ocloff, Louis Philippe Joseph d'Orléans, les comtes de Provence et d'Artois, des femmes en grande robe suivis d'une ribambelle de domestiques portant des fauteuils apparurent dans l'allée.

Il but une dernière lampée, rendit la fiasque presque vide et alla se poster près de la fontaine. Croisant les bras sur la poitrine, il regarda approcher avec intérêt ce qui se faisait de mieux dans le monde de la plus haute noblesse. Il reconnut le cousin Orléans malgré son uniforme de housard et les frères du roi pour les avoir entrevus à l'hôtel du Point d'Honneur lors des entraînements, mais il voyait pour la première fois la belle femme brune qui les accompagnait et autour de qui beaucoup papillonnaient. Elle était coiffée d'un extraordinaire édifice de gaze et de faux cheveux qui s'élevait sur deux pieds de hauteur et qui était chargé d'étonnants accessoires.

— Elle est belle comme un pistolet neuf, caramba !

— Belle sans aucun doute, mais point neuve. C'est la comtesse Jules, mon cher, avec son mari le comte Jules de Polignac et son amant le comte de Vaudreuil, l'informa Valentin en baissant la voix pour ne pas être entendu.

— Quelle drôle de coiffe elle porte !

— C'est un pouf. Il n'y a pas plus à la mode.

— Regarde, il y a des bonshommes qui ze battent à l'épée dezus... Regarde, regarde, ils bouzent !

Valentin attendit que la comtesse soit plus proche pour confirmer.

— Voilà un pouf des plus appropriés, je dois dire.

Les Polignac étaient de loin la plus importante coterie du moment ; tout le monde savait que la comtesse Jules, comme on aimait l'appeler en ce pays-ci, était la favorite de la reine et que celle-ci ne lui refusait rien.

Valentin Picon du Coussac se rendait chaque semaine à la Cour pour voir et être vu, dans l'espoir d'être remarqué ou d'y faire une rencontre intéressante. Son ambition était de s'acheter un brevet de capitaine, mais le récent édit du comte de Ségur exigeait un minimum de quatre quartiers de noblesse et Valentin n'en possédait que trois : le quartier de son père anobli par lettre patente achetée et les deux quartiers de sa mère, une noble dame issue d'une lignée de vieille roche ruinée depuis deux générations et qui avait été épousée uniquement pour son patronyme, dame Marguerite du Coussac Tremblard de La Vaisonnée.

— Tu as autant d'arzent que za ? s'était ébaubi Charlemagne.

Valentin avait secoué sa tête perruquée. Sous un extérieur avenant, il cachait un orgueil démesuré et un entêtement à toute épreuve.

— Mon père en a et il me le baillera le moment venu... Mais avant, il me faut outrepasser cet édit de malheur.

Il avait choisi l'hôtel du Point d'Honneur parce que le baron Ocloff était colonel-propriétaire d'un régiment de grosse cavalerie et qu'un jour peut-être...

— Voyez-vous, mon cher, ces aristocrates se réservent la totalité des charges d'officier... Ils les veulent toutes pour eux et ils vous servent comme échappatoire qu'ils ne peuvent rien faire d'autre dans leur existence sans déroger. Et moué, je leur dis foutaises, foutaises et foutaises !

Les valets pleins de morgue des différentes maisons s'activèrent pour installer les fauteuils des spectateurs selon l'étiquette : d'abord Monsieur, puis son frère Artois, puis monseigneur d'Orléans et enfin, trois petits pieds en retrait, madame la comtesse Jules et ses entours.

Chapitre 28

Créquis, grand frondeur, me disait un jour :
« Voulez-vous savoir ce que c'est que ces trois
frères Bourbon : un gros serrurier, un bel esprit
de café de province, un faraud des boulevards. »

Fragments de l'histoire de ma vie,
Prince de Ligne

Des trois princes qui avançaient de front sur l'allée des Trois Fontaines, le comte de Provence, dit Monsieur, signe du Scorpion, était celui qui marchait avec le plus de difficulté. Courtaud et déjà bien gras pour ses vingt-cinq ans, une malformation congénitale des hanches lui donnait une démarche dandinante de canard se rendant à la mare. Il regrettait à chaque pas de ne pas être venu en chaise, mais cela ne l'empêchait pas de pérorer comme à son habitude.

– ... moué, je suis de tout cœur avec ce cher Boulainvilliers lorsqu'il nous dit que les Francs, en réduisant les Gaulois à la servitude, les ont attachés à la glèbe, et que par la suite, en évitant les mariages mixtes, ils ont gardé un sang pur.

Monsieur racla sa gorge et cracha en avant sur les graviers.

– Aussi ne fait-il aucun doute à mes yeux que nous descendons de cette glorieuse race de vainqueurs, tandis que toute cette roture descend, elle, de ces pitoyables Gaulois vaincus.

Persuadé depuis toujours d'être celui des trois à montrer le plus d'esprit et de résolution, Monsieur ressentait quotidiennement un sentiment d'humiliation à ne pas être roi à la place de son soliveau de frère aîné. Le jour du sacre, un souvenir particulièrement affligeant, il était placé près de l'autel lorsque l'archevêque de Reims, ému sans doute, avait déposé de guingois la couronne sur la tête de Louis. Il avait alors entendu ce gros benêt se plaindre de sa voix nasillarde : « Elle me gêne ! »

Monsieur était suivi de sa présumée maîtresse, Sophie Le Beau jarret, une actrice de la Comédie-Italienne fournie pour la journée par le sieur Brissault, et de son surintendant des Finances, Cromot du Bourg. Derrière, venaient des valets portant des fauteuils et une grande malle en osier.

Bien que marié huit ans plus tôt à une très laide princesse de Savoie au visage grêlé par la petite vérole, Monsieur de Provence était le seul de la famille à ne pas encore avoir de descendance, pis, il subodorait qu'il n'en aurait jamais. Aussi l'image de libertin que lui prêtait la compagnie de l'actrice n'était là que pour dissimuler son impotence. Et voici que le mois dernier, cette foutue salope d'Autre Chienne avait eu l'impudence de vêler d'un couillu qui avait aussitôt fait dégringoler Monsieur de plusieurs tiges de l'arbre de succession au trône. Il avait contre-attaqué en lançant diverses rumeurs sur la légitimité de ce dauphin, sur la vertu de la mère et sur l'impuissance du père. Il avait loué pour ce faire les services d'une « entreprise de démolition » par pamphlets et libelles interposés que dirigeait la fine équipe de plumitifs du Palais-Royal, Radix de Sainte-Foix et Bour-boulon. Plus inventif encore, il avait corrompu un maître graveur de l'hôtel des Monnaies pour qu'il ajoutât des cornes au profil du roi sur une nouvelle série de dix mille écus de six livres.

— Ah ! voici un fort bel exemple de Gaulois, dit Monsieur avec un geste vers le duelliste aux bras croisés qui les regardait venir près de la fontaine dégoulinante.

Louis Philippe Joseph, dit Monseigneur Je-m'en-fous, trente-quatre ans depuis avril, signe du Bélier, n'avait que faire des ratiocinations de son pédant parent et s'efforçait plutôt d'accorder ses pas sur ceux plus traînants de ses deux cousins. Il avait revêtu pour l'occasion un chatoyant uniforme de colonel-général des housards qui flattait sa forte corpulence et faisait oublier un instant sa dégaine de fêtard. Son regard fixe et brillant lui donnait un air plein de morgue qu'adoucis-sait à peine son grand tarin bourbonien, véritable marque de famille. Les anneaux d'or qui pendaient à ses oreilles ne faisaient qu'en rajouter dans le mauvais genre.

Comme son cousin, Louis Philippe Joseph était accompagné de son trésorier, Seguin, un petit homme râblé aux traits crispés de ceux qui chaussent des escarpins trop neufs.

A deux pas en retrait, droit comme une trique, suivait son ancien maître d'armes le vieux baron Ocloff, plus raffiné que jamais dans un habit à la française noir corbillard à broderies or et argent. S'il n'était pas l'organisateur des combats à venir, il en était le directeur, et c'était sur lui que reposaient la régularité et le bon déroulement de la rencontre.

— Comment se porte notre champion, monsieur le baron ?

Fringant en diable, monseigneur.

Ocloff avança à la hauteur de son ancien élève pour murmurer rien que pour lui :

— Je lui ai enseigné l'une de mes meilleures bottes, monseigneur.

Le visage trognonnesque d'Orléans se fendit d'un large sourire qui dévoila un grand nombre de mauvaises dents. Ses boucles d'oreilles se balancèrent joyeusement au bout de leur lobe.

— Fort bien, monsieur le baron, fort bien.

Gagner aujourd'hui n'était pas un caprice mais une nécessité absolue. La veille encore Seguin l'avait froidement mis en garde : « Si vous ne nous procurez pas cinq cent mille livres, monseigneur, nous ne serons plus en mesure d'assurer le paiement des arrérages du mois à venir, monseigneur. » Ces rentes, contractées des années plus tôt afin de combler un important déficit de trésorerie, avaient eu pour conséquence d'aggraver ce déficit.

Louis Philippe Joseph avait fini par prendre en grippe tous ces rentiers exigeants qui ne supportaient aucun report et qui l'empêchaient de s'en foutre en toute quiétude. Dieu lui pardonne, mais qu'une maladie épidémique vienne à frapper la population des rentiers, et il se faisait fort de chasser tous les médecins de la capitale afin qu'il en crevât encore plus et que fussent soulagés d'autant ses dispendieux arrérages.

Tout proche, Charles Philippe, comte d'Artois, le plus jeune des Bourbons avec ses vingt-trois ans, signe de la Balance, traînait les pieds sur le gravier avec une lassitude non feinte. Il ne s'était pas couché et cela se voyait au teint cendré de son long visage ovale. Il était habillé d'un frac anglais aux boutons en acier, d'une cravate bouffante, d'une paire de bas rayés à la zèbre, d'escarpins à boucle d'acier et il portait un large chapeau à la Pennsylvanie qui lui aurait fait une belle ombre s'il y avait eu du soleil. Sa maîtresse du moment, la plus toute jeune Rosalie Duthé – une danseuse de l'Opéra qui, quatorze ans plus tôt, avait eu le privilège de dépuceler Louis Philippe Joseph –, marchait à ses côtés d'une allure tout aussi lasse. Coiffée à la capricieuse dans une robe à la circassienne aux manches en entonnoir, Rosalie avait glissé dans son manchon de fourrure un jeune loulou de Poméranie qui gigotait pour en sortir.

D'une nature encline aux intempérances de toutes sortes, Artois menait l'existence chaotique d'un dépravé mondain prêt à tout pour son jouir. Plein de morgue, il ordonnait à ses entours sur un ton absolu et violent qui faisait que sa Maison le détestait et le servait avec dégoût. Ces derniers temps, il était devenu un artiste d'élégance se piquant d'anglomanie jusqu'à créer un champ de courses à Fontainebleau où l'on pariait à tout-va. Il s'adonnait aux femmes faciles, à l'extravagance et aux délicieux croupions des coqs d'Inde, mais surtout aux jeux de hasard et aux paris, insensés de préférence. Eh oui, que diable, il fallait bien l'étouffer cette languissante oisiveté princière.

Les dettes de jeu de monseigneur d'Artois se chiffraient en millions de livres, et il devait souvent faire appel à sa meilleure amie, Marie-Antoinette, afin qu'elle intercède auprès du roi pour que le Trésor honore les plus pressantes.

Escortée de son époux et de son amant, la radieuse comtesse Jules marchait à petits pas dans sa robe verte à paniers à charnières, une nouveauté fort ingénieuse de la Rose Bertin qui permettait de replier les paniers sous les bras et de pouvoir enfin passer aisément une porte ou monter en carrosse.

Cela faisait six ans que Marie-Antoinette était tombée sous le charme de la comtesse Jules qui en usait et souvent en abusait. L'indolente avait ainsi réussi à ce que ses dettes de jeu – quatre cent mille livres – fussent acquittées par la Couronne, et, pas plus tard que le mois précédent, elle avait obtenu une rente de huit cent mille livres pour doter sa fille, ainsi qu'une autre rente de trente mille livres pour son cher Vaudreuil. Yolande travaillait ces temps-ci à convaincre la reine de convaincre le roi de faire duc son mari le comte Jules. Elle briguait aussi pour elle la charge de gouvernante des enfants de France, présentement détenue par la princesse de Rohan-Guémenée.

Il n'y avait pas que sa robe qui la gênait pour marcher sur les graviers, il y avait aussi le très haut et très circonstanciel pouf au cartel sorti hier au soir en urgence des ateliers du Grand Mogol de l'incontournable Rose Bertin. Sur un décor champêtre, deux figurines articulées représentant des duellistes agitaient leur épée à chaque pas de la comtesse, donnant l'illusion que le combat était commencé.

La mode de ces coiffures à thèmes datait de 74, l'année de l'avènement du dauphin Louis et de sa Marie-Antoinette. Ce fut d'ailleurs elle qui avait baptisé ces extravagants postiches en s'exclamant « Pouf, ma chère ! » devant celui dit à l'Inoculation que lui proposait la Bertin : on y voyait une énorme massue menaçant un vilain serpent enroulé autour d'un olivier en fleur sur un fond de soleil levant, l'ensemble symbolisant le triomphe de la Science sur le Mal. Depuis, les poufs s'étaient succédé sans jamais se ressembler, puisant leur inspiration dans l'actualité du moment. C'est ainsi qu'il y eut un pouf « Rentrée du Parlement », un pouf « Sacré Louis », un pouf à la « Elle me gêne », un pouf « Bal paré à Trianon », un pouf « Renvoi de M. Necker », un pouf « Départ de M. de Rochambeau », etc.

La comtesse Jules disposait d'un crédit de cent mille livres, à parier pour la reine sur la victoire du page de sa Chambre Alexandre de Tilly. Son époux comptait miser vingt mille sur une victoire du jeune Donzach, tandis que son amant, Vaudreuil, avait parié dix mille sur Coudray-Mesnil, le page de Monsieur, qu'il connaissait comme une fine gâchette malgré son âge bambin.

Une fois les fauteuils placés en demi-cercle, les valets reçurent l'ordre de jouer les sentinelles aux deux entrées du bosquet et de refouler les curieux. Les valets de la Maison d'Orléans, eux, eurent pour mission de trouver les patrouilles du grand prévôt et de les corrompre afin qu'elles évitent les Trois Fontaines.

Le valet de la Bouche de Monsieur étala une nappe brodée sur le gravier, ouvrit la malle en osier et sortit des couverts en vermeil, des verres de cristal, des assiettes de porcelaine, des en-cas au poulet, au faisan, au sanglier, des pâtisseries, plusieurs flacons de vin. Bientôt, Monsieur put commencer à s'empiffrer.

Monseigneur d'Orléans ignora les révérences de Del'Giangorgulo et de Valentin et eut un regard hautain vers Charlemagne et son tricorne emplumé.

Soudain, un coup de feu retentit en direction du château. Les trois princes ricanèrent à l'unisson.

— Encore un ramier qui vient de connaître son créateur.

– Ou un matou. Notre frère éprouve une inexplicable aversion envers cette race féline... Souvenez-vous de cette foué où il a massacré d'un coup de marteau le chat favori de M. de Maurepas.

– Serait-ce parce que les chats ne se laissent pas dresser pour la chasse ?

– Moué, je l'ai vu avec sa canne briser les reins de l'épagneul de la marquise du Val-Cornette.

Des éclats de rire, dont un fort pointu, annoncèrent l'arrivée des pages dans l'allée.

– Voici nos belliqueux, dit Valentin.

Charlemagne crut un instant que tous pouvaient entendre les battements désordonnés de son cœur. Décroisant les bras, il fit quelques pas, les yeux baissés sur le sol, remarquant les rayures laissées par les râteaux des jardiniers. Il se sentait l'esprit limpide, la vision lumineuse et l'ouïe affinée au point d'entendre à la fois les *cric-cric-cric* d'une araignée terminant sa toile, les mastications de Monsieur et les bruissements de l'index du comte de Vaudreuil caressant sa moustache à rebrousse-poil. Se composant une mine absorbée, il dégaina son fer et entreprit d'en affûter la pointe avec un morceau de grès.

Julien-Gabriel Estibaux de Donzach avait conscience de vivre la journée la plus extraordinaire de son existence et la présence des Très Hauts Seigneurs venus le voir se battre lui tournait un peu l'entendement. D'autant plus tourné qu'il savait par son oncle, officier de la Bouche du roi, qu'il était le favori et que des sommes considérables reposaient sur la pointe de son fer.

– ... en vérité, je vous le dis, le fait que saint Martin ait donné la moitié de son manteau à un pauvre eut pour résultat qu'ils prirent froid tous les deux.

Il récolta une volée de rires nerveux qui le conforta à peine. Le jeune page avait appris plusieurs boutades destinées à montrer qu'en dépit de ses presque quinze ans il restait maître de lui, quelle que soit la conjoncture. Après tout, il était bien trop jeune pour se sentir aussi vieux.

A ses côtés, Tilly, Coudray-Mesnil et Pontillac s'efforçaient de dissimuler leur appréhension en jouant, comme lui, les désinvoltes. M. Lassone, premier médecin de la reine, était présent par amitié pour Tilly, tandis que le chevalier Belliston du Vor et le vicomte

Julien Percy-Ventre de La Ferté, tous deux écuyers cavalcadeurs aux Grandes Écuries, étaient là comme témoins représentant les quatre pages. Ils portaient chacun une épée et un pistolet de rechange et Percy-Ventre avait en supplément un écritoire pour les procès-verbaux et un exemplaire de *La Science du Point d'Honneur* en cas d'un éventuel litige d'ultime instant. Deux pages de la Chambre de Monsieur et trois de la Maison de Condé étaient présents au titre d'amis de Pontillac et de Coudray-Mesnil.

– ... et chez les rustiques à la campagne, si on pratique l'inceste c'est pour ne point abîmer le bétail.

Nouvelle volée de rires contraints.

Donzach cherchait une nouvelle saillie lorsqu'il vit Charlemagne près de la fontaine, en train d'aiguiser son fer d'un air appliqué.

– Bonne notice, messieurs, notre maroufle est déjà là.

Il eut un regard appuyé vers les toits du château qu'il apercevait au travers des arbres défeuillés. Il savait qu'à cette heure précise le roi se trouvait dans son belvédère, à l'affût derrière sa lunette, et Donzach était persuadé qu'il remarquerait tôt ou tard leur attroupement.

Les pages saluèrent chapeau bas les princes du sang, la comtesse, le baron Ocloff, mais ignorèrent tous les autres.

– Allons, messieurs, allons, il est temps d'en découdre, dit Artois d'une voix mortellement ennuyée.

Il était le seul à avoir misé vingt mille livres sur le *Coup des deux veuves* au premier combat, un coup rarissime où une action offensive portée simultanément tuait les deux escrimeurs en même temps. Il bâilla en se grattant l'entrecuisse.

Chapitre 29

On connaît l'esprit du château au bout d'un jour d'examen. Ce qui s'est fait la veille se fera exactement le lendemain; et qui a vu un jour a vu toute l'année.

Mémoires d'Isidore Legandin,
hâteur de rots auprès de Sa Majesté

Charlemagne ôta son tricorne et son justaucorps, déboucla son ceinturon et se laissa visiter par les témoins Belliston du Vor et Percy-Ventre. Tous deux, férus de Point d'Honneur, étaient plus impressionnés par la présence du célèbre raffiné baron que par celle des trois princes du sang.

Del'Giangorgulo et Valentin se livrèrent à une inspection analogue sur Estibaux de Donzach. Il fallait s'assurer que les combattants ne portaient rien qui puisse arrêter la pointe de l'épée, comme une médaille autour du cou, une ceinture, un corset filou, des genouillères, etc.

Le baron Ocloff délimita un champ de combat de trente pas sur treize qu'il marqua aux quatre coins par des mouchoirs. Percy-Ventre inscrivit ces dimensions dans le procès-verbal de rencontre destiné à prévenir les éventuelles contestations entre parieurs mauvais perdants.

Charlemagne présenta son épée qui fut comparée en longueur et en poids avec celle de son adversaire.

– Messieurs, veuillez prêter attention.

D'une pichenette, le baron Ocloff fit tournoyer un écu de six livres en l'air et le rattrapa en refermant sa paume dessus.

– Avers, dit Donzach grossissant sa voix.

– Revers, dit Charlemagne avec indifférence.

Le baron ouvrit la main et le profil médaillé du jeune Louis le Seizième apparut. Donzach choisit de se placer face au château. Percy-Ventre inscrivit le résultat sur le procès-verbal et alla le faire contresigner par les témoins, Del'Giangorgulo, Valentin et le baron Ocloff.

Nous y voilà, songea Charlemagne en se plaçant à cinq pas du page.

Celui-ci le salua par un gracieux mouvement de son épée qu'il porta à la hauteur de son visage. Charlemagne l'ignora. Il n'avait aucune envie d'être courtois envers un mauvais coucheur qui allait tout faire dans un instant pour le transpercer. De plus, il avait trouvé dans son dictionnaire la signification du mot « maroufle », « nom masculin désignant un grossier personnage, un lourdaud », et il n'avait pas apprécié, notamment le qualificatif « lourdaud ».

Son inhabituelle acuité auditive, d'origine péruvienne il va sans dire, continuait à lui faire entendre toutes sortes de bruits inaudibles en temps normal tandis que ses capacités olfactives, également exacerbées, étaient capables de renifler à vingt pas le comte d'Artois musqué comme une fouine. De la même façon, il renifla l'odeur de casse-poitrine qui flottait autour de son adversaire et sut qu'il avait bu.

— Messieurs, vous connaissez les conventions de cette rencontre. J'ajouterai, à la demande de l'appelant, qu'il n'y aura pas de reprise et que le combat s'arrêtera au premier sang. Je vous rappelle itou que l'honneur vous ordonne de ne faire aucun mouvement avant que je n'aie lancé le « Allez ! ». De même, vous devrez vous arrêter au signal « Halte ! » si je juge opportun de le donner.

Charlemagne racla le sol avec sa botte, tel un taureau impatient.

— En garde, dit Ocloff.

Donzach se positionna. Charlemagne fit de même. Ceux qui avaient parié sur la durée de la rencontre sortirent leur montre.

Le baron Ocloff recula de deux pas et lança son terrible « Allez ! », comme s'il appelait la Mort par son prénom.

A la vitesse d'une vipère qui aurait eu mal aux dents, Donzach attaqua. Charlemagne para de prime et riposta avec puissance, ébranlant le poignet du page. Le coup fut si fort que Donzach crut à une tromperie. Il est vrai qu'il ne s'était jamais entraîné, lui, avec une épée lestée de plomb.

Charlemagne avança d'un pas et frappa avec une égale violence, obligeant Donzach à rompre. Il frappa encore, aussi vite que possible, et Donzach grimaça, para et rompit en laissant échapper des chapelets de « Mais ! mais ! mais ! » consternés.

Charlemagne enchaîna alors ses coups à une vitesse et une violence confondantes. Certes, ce n'était pas élégant, ce n'était pas non plus *raffiné*, c'était seulement très efficace. Faisant un saut de carpe en arrière pour éviter un coup d'estoc, Donzach chuta.

— Oh, Jésus !

L'épée haute, Charlemagne fonça sur lui lorsque la voix agacée du baron claqua avec autorité :

— Halte !

— Mais pourquoi ? Ze le tiens bien là !

— Si vous le frappez à terre, monsieur, vous perdrez votre honneur et vous perdrez le combat.

Les joues de Charlemagne s'empourprèrent.

— Z'est idiot ! Z'il ze relève tout est à recommenzer... Et il y en a trois autres qui attendent leur tour, alors ze ne veux pas trop me fatiguer.

Donzach se releva avec souplesse. Il s'épousseta les coudes, la culotte et les bas tout en invectivant son adversaire d'une voix essoufflée :

— La preuve est faite qu'en sus de votre marouflerie, vous avez l'âme toute pétrie de félonie. Car c'est déjà la seconde fois, n'est-ce pas, que vous m'attaquez en faussart... Ah, faquin, comme je t'exècre !

Le baron Ocloff l'interrompit :

— Messieurs, en garde.

Le combat reprit et ce fut une horreur.

Après quatre échanges d'une rare violence, Charlemagne se créa un jour dans la défense du page et frappa d'un coup de banderole si violent qu'il lui ouvrit l'abdomen, du grand au petit oblique, mettant à jour une partie de l'estomac. Estibaux de Donzach tomba sur les genoux, les yeux écarquillés, la bouche ouverte comme pour y inviter une mouche à entrer.

— Aaaaaaaaaggghhhh...

M. Lassone et les pages accoururent.

Le baron Ocloff fit un geste vers le duc d'Orléans lui signifiant l'heureuse fin du premier combat.

— Il m'a tué, se plaignit Donzach d'une voix effectivement mourante.

— Ze zuis désolé de vous avoir tant ouvert, ze ne le voulais pas autant, expliqua Charlemagne en examinant le tranchant de son épée avec admiration.

Il entendit le comte d'Artois se plaindre auprès de sa voisine la comtesse :

— Ce n'est point de l'escrime, ça, c'est du bûcheronnage ! Même au sabre, on ne se bat point ainsi.

Il venait de perdre vingt mille livres et, comme d'habitude, il s'en voulait au point d'avoir envie de se faire du mal.

— Un boucher avec son hachoir n'aurait pas fait mieux, surenchérit Vaudreuil de sa belle voix grave.

Bien qu'il ait perdu dix mille livres, Monsieur avala un onzième en-cas sans sourciller. Il héla d'un geste Seguin, le trésorier de son cousin Orléans, qui représentait la trentaine de parieurs qui n'avaient pu ou qui n'avaient pas osé venir.

— Trente mille sur le sabreur.

— Je le note, monseigneur.

Croyant déceler une pointe de réprobation dans le ton du trésorier, Monsieur ajouta d'un ton pédant :

— Être riche, mon cher, ce n'est pas posséder de l'argent, c'est le dépenser.

Impassible, Seguin s'inclina puis crayonna la somme et le nom du parieur sur un calepin. En bon courtisan, il rebondissait toujours obligeamment chaque fois qu'on voulait bien lui donner un coup de pied au cul : l'existence en ce pays-ci en était beaucoup plus supportable.

Donzach fut traîné hors des limites du champ et allongé sur les graviers. Il était encore conscient mais pâle comme un suaire et lorsqu'il se plaignit du froid se fut d'une petite voix fluette d'enfant. M. Lassone déchira la chemise pour dégager la plaie pénétrante et, après avoir épongé le sang avec un morceau de charpie, il fouilla à l'intérieur pour trouver d'éventuels bouts de tissu.

Alexandre de Tilly s'approcha de la comtesse Jules et lui expliqua qu'il était impossible de déporter le blessé dans son logis des Grandes Écuries.

— Outre la distance, madame, il faudrait traverser le château et les trois cours. Avec la foule qui s'y bouscule, cela n'est guère indiqué, vous en conviendrez...

Se battre en duel était interdit et se battre à l'intérieur d'une enceinte royale était une circonstance aggravante proche du lèse-majesté.

— Bien que ce petit infortuné vienne de coûter dix mille livres à la reine et autant à ma bourse, colloquez-le à Trianon, voulut bien agréer la comtesse avec un léger hochement de tête qui fit sursauter le cœur du page.

— A ce propos, monsieur de Tilly, sachez que ma reine a parié trente mille livres sur votre victoire, vous seriez aimable de ne point la décevoir.

Tilly remercia par une révérence mais sans un mot. Il avait perdu beaucoup de son assurance face au spectacle d'extrême brutalité auquel il venait d'assister. La vitesse avec laquelle ce hacheur avait asséné ses coups était préoccupante.

Les pages de Monsieur, aidés de ceux du prince de Condé, soulevèrent Donzach qui geignit pauvrement.

— Oooohhhhh... j'ai si mal !

Ils entreprirent de le transporter à Trianon, situé à quelque six cents toises des Trois Fontaines.

— Prenez par l'allée qui longe le pré des Crapauds, vous éviterez peut-être les gardes, leur conseilla Tilly d'une voix peu convaincue.

Belliston du Vor regroupait le justaucorps, le tricorne et l'épée du blessé lorsque Charlemagne l'interpella et réclama l'épée, selon le droit du vainqueur.

— Et ze la veux avec le fourreau.

Il songea au sabre acquis du même droit par leur bon père Clovis au lendemain de leur naissance et qui avait orné des années durant la hotte de la cheminée. Il regretta que ses frères et sa sœur n'aient pas été là pour apprécier la façon dont il venait d'assaisonner ce soupe au lait de petit page.

— Jé n'ai pas souvénir dé t'avoir enseigné ouné pareille escrimé, avoua Del'Giangorgulo.

— Moi non plus, répondit Charlemagne en lui montrant les traces de coups sur sa lame.

Valentin tapota son épaule avec bienveillance.

— C'est ce qu'il fallait faire pour lui rabattre le caquet, à cet arrogant... Et j'ajoute que votre prestation était des plus caraboum, mon cher.

— Messieurs, en place ! lança le baron Ocloff.

Brémond Griffaux de Pontillac ôta son justaucorps sans pouvoir cacher sa fébrilité. Contrairement à ses trois camarades, il n'avait jamais combattu et il regrettait son cartel lancé pour faire l'important, peut-être aussi pour ne pas être de reste avec ce suffisant plastronneur de Donzach.

Valentin le visita pendant que Del'Giangorgulo examinait son fer, une belle flamberge longue et fine qui servait à pointer. Sur une face était gravé *Ne me tirez point sans raison*, sur l'autre *Ne me remettez point sans honneur*. L'épée avait appartenu au frère aîné de Pontillac, mort en 57 à Rossbach, le jour où le portier de l'hôtel du Point d'Honneur avait perdu sa jambe.

La plume de Percy-Ventre crissa sur le feuillet du deuxième procès-verbal. Un bruit qui rappelait des mauvais souvenirs aux oreilles de Charlemagne.

Ocloff refit tournoyer son écu dans les airs. Pour conjurer le sort, Pontillac choisit le revers, Donzach ayant choisit l'avers. Ce fut le revers, qui montrait le double écu de France et de Navarre surmonté de la couronne royale. Pontillac prit la place opposée à celle choisie par son malheureux prédécesseur. Charlemagne se retrouva face au château, à ses toits, à son belvédère et à la lunette suisse de Louis.

Il capta le regard du page et lui sourit.

– Ze zuis en grande forme.

Pontillac répliqua d'un ton cinglant.

– Vous m'en voyez enchanté.

– Messieurs, en garde.

Valentin et Del'Giangorgulo regagnèrent leur coin, Ocloff recula pour sortir des limites du champ. Pontillac fit un signe de croix avec son pouce devant sa bouche.

– Allez !

Euphorisé par sa première victoire, Charlemagne y alla de bon cœur. Plaçant son fer dans la ligne du dedans, la main inclinée de tierce, il marcha sur Pontillac à petits pas hardis tout en lui infligeant des coups droits successifs qui finirent par le contraindre à la défensive. Il recommença alors ses terribles coups de sabreur, stimulé par la peur qu'il lisait dans les yeux de son adversaire. Il feinta dans le haut de la ligne du dehors et allait conclure par un coup droit assassineur, lorsque Pontillac poussa un gémissement désespéré, lâcha sa flamberge et décampa dans l'allée sud à la vitesse d'un cheval qui aurait une guêpe dans l'oreille.

Radieux, Charlemagne se tourna vers le baron Ocloff.

– Alors z'ai gagné !

– Oui, monsieur Tricotin, gagné vous avez.

Ocloff le vit avec attendrissement ramasser la flamberge du fuyard et se l'approprier.

– Voilà un camarade que nous ne reverrons point de sitôt en ce pays-ci, décréta Tilly pour qui une pareille dérobade équivalait à un suicide social.

Percy-Ventre choisit un feuillet vierge dans son écritoire et entreprit la rédaction du troisième procès-verbal de rencontre.

Charlemagne s'agenouilla au-dessus du bassin et but dans ses mains réunies en coupe. Il récupéra son justaucorps et le jeta sur ses épaules pour se protéger du froid.

L'attention générale se porta sur le page Alexandre de Tilly qui ôtait son justaucorps rouge et argent et son gilet brodé pour se prêter à l'inspection des témoins.

L'écu de six livres virevolta dans l'air froid pour la troisième fois. Tilly choisit revers et ce fut revers. Il se plaça le dos au palais, de façon à être bien vu de la comtesse. Pourtant, il n'en menait pas large derrière son joli visage poudré. Il avait sous-estimé ce maroufle en pensant qu'il n'aurait pas à le combattre parce qu'il se serait fait éliminer soit par Donzach soit par Pontillac. Fort de cette certitude, Tilly s'était peu entraîné et avait poursuivi ses activités de gentil libertin.

C'était son oncle, le marquis de Vennevelle, qui l'avait parrainé aux pages de la reine lorsqu'il avait eu quatorze ans. L'année d'après il avait séduit Madame Adélaïde, une dame d'honneur âgée de trente-six ans qui avait admis plus tard n'avoir su résister à ses grands yeux noirs aux longs cils recourbés. Tilly s'enorgueillissait d'avoir reçu la même année son premier coup de pied de Vénus, et d'avoir été mis aux arrêts par son gouverneur sous le motif « qu'il passait sa vie à putasser chez les actrices au détriment de ses études et de son service ».

L'année de ses quinze ans, il avait rompu avec sa dame d'honneur et il avait rapiné la maîtresse d'un officier supérieur des gardes-françaises. L'année de ses seize ans, il avait connu son premier duel après s'être harpaillé sur le mot « caparaçon » avec le sieur Vincent Milane du Saint-Pré, un anobli qui prétendait qu'il fallait dire « cara-

paçon » et qui n'avait plus voulu en démordre. Tilly l'avait traité de
« paltoquet inabécédaire », et après, bien sûr, il avait fallu se battre.
Il admettait avoir combattu deux fois ce jour-là, une fois contre
son adversaire, une fois contre sa peur, et il avait remporté les deux
combats.

– En garde.

Les duellistes prirent la pose. Leurs fers se croisèrent sans se toucher.

– Allez !

Charlemagne changea subitement son arme de main et donna un
coup de pointe à Tilly qui para de justesse en poussant un « Oh là ! »
bien écœuré. Changeant à nouveau de main, Charlemagne attaqua
avec un coup cavé qui rata le bas du dedans de la cuisse de Tilly.

– Ze ferai mieux la proçaine fois, promit-il en reculant vivement
pour parer la contre-attaque du page.

Les échanges suivants confirmèrent sa supériorité en vitesse et en
énergie, et il parut indéniable aux témoins que Charlemagne était en
train de prendre goût aux duels comme le tigre prend goût au sang.

– Aïe ! cria Tilly, en sentant la lame lui traverser le gras du mollet.
(Il se tint sur un pied en grimaçant.) Je suis entamé !

Charlemagne sourit largement, et, à la stupéfaction générale, se
campa sur ses jambes, rejeta la tête en arrière et se mit à hurler tel un
grand-vieux-loup heureux qui tient à le faire savoir aux autres meutes
de la forêt. Pas un loup n'ayant la même voix, il avait imité celle de
Bien-Noir, le chef du clan de la Sauvagerie, un virtuose lupin capable
d'exécuter des canons et des soli en plus de toutes sortes d'improvi-
sations. Oublieux de l'endroit où il se trouvait, les yeux mi-clos, les
joues rougies par l'effort, il hurla derechef sa joie et son grand soulagement d'avoir vaincu et d'être encore en vie.

Le premier à réagir fut le loulou de Poméranie que sa maîtresse
avait libéré de son manchon et qui s'enfuit droit devant lui en pissant
de frayeur. D'autres aboiements se firent entendre çà et là dans le
parc, et même le lion dans sa cage y alla d'un nouveau rugissement
qui ravit Charlemagne.

– Harloup ! Harloup ! cria Artois amusé par cette imitation si
réaliste.

On criait « Harloup ! » lorsque, à la chasse, on en voyait un par
corps.

Artois héla le trésorier de son cousin.

– Seguin, mordemonbleu ! Je mise dix mille sur cet insolite.

Monsieur se montra contrariant.

– Je vous le déconseille, mon frère, vous gaspillez vos louis. Il n'a aucune chance face à mon page qui coupe un cheveu en son milieu à cent pas.

Artois haussa les épaules et maintint son pari.

M. Lassone, le premier médecin de la reine, n'étant toujours pas revenu de Trianon, c'est Del'Giangorgulo qui s'occupa de Tilly qui sortait du champ à cloche-pied en évitant de regarder vers la comtesse Jules. Il vit cependant le maroufle s'approprier son épée et la déposer sur le banc de pierre où se trouvaient déjà celles de Donzach et de Pontillac. Del'Giangorgulo découpa son bas pour dégager le mollet transpercé, puis il prit dans sa mallette un onguent de feuilles d'ortie et l'appliqua sur la plaie qui cessa de saigner. Il noua un bandage autour et se releva en frottant ses mains sur son gilet.

– Tu as entendu ? Le lion m'a répondu, dit Charlemagne à Valentin qui sortait les pistolets des fontes.

– Évidemment que j'ai entendu, et avec moi tout Versailles.

Charlemagne remit son justaucorps sans que personne ne trouve à y redire. La force de pénétration d'une balle étant très supérieure à celle d'une pointe d'épée, les duellistes au pistolet n'étaient pas tenus à se dépouiller aussi complètement que s'ils se battaient à l'arme blanche. Les témoins examinèrent les deux armes et les déclarèrent vierges de fraudes et donc tout à fait recevables. Le pistolet de Coudray-Mesnil, couleur nègre marron, était un modèle 1733 sorti de la manufacture royale de Maubeuge, doté d'un long et fin canon d'une sobre élégance.

En se surveillant mutuellement, Belliston du Vor chargea le pistolet de Charlemagne tandis que Valentin Picon du Coussac chargeait celui de Coudray-Mesnil. Le chargement était une opération de la plus grande importance. La vie du duelliste dépendait d'une cheminée obstruée, d'une capsule mal assujettie ou d'une autre étourderie facile à éviter. De plus, chacun savait que quelques grains de poudre en plus ou en moins ou quelques coups de baguette trop vigoureusement donnés pouvaient amener de regrettables incidents.

Le directeur de combat mesura les quinze pas convenus et marqua les places sur le sol en traçant un X avec son talon. Les conditions idéales pour un duel au pistolet étant la rase campagne, le bosquet des Trois Fontaines était loin de convenir, et la possibilité qu'une balle perdue fasse scandale chez un résident ne pouvait être écartée.

L'écu ressortit de la poche du baron une quatrième fois, tandis que la plume de Percy-Ventre attaqua le quatrième procès-verbal en crissant. Ce crissement parut décider Charlemagne qui interpella son adversaire.

– Ze vous préviens que ze refuse votre mode de duel. Il m'est bien trop défavorable.

Pris au débotté, le page de Monsieur donna un coup de menton en l'air signifiant sa désapprobation.

– Je crains que ce soit trop tard pour vous dédire. Ce qui est dit a été dit et bien dit, j'ai dit.

– Et moi, ze refuse de me faire tirer comme un faisan englué sur za brance, merzi bien, caramba et auzi caraboum !

– Ah ça, monsieur, si vous m'insultez, ayez au moins cœur de le faire en français.

Charlemagne croisa les bras sur sa poitrine comme pour les retenir.

– Z'ai dit oui l'autre fois parze que ze ne zavais pas, mais maintenant ze zais, et ze dis non, z'est tout. (Pour éviter que l'on se méprenne sur son refus, il ajouta d'un ton accommodant :) Ze propose de nous battre à volonté.

La veille au soir, après lui avoir prêté son épée, le baron Ocloff avait abordé les conditions désastreuses de ce quatrième duel.

– C'est une erreur d'avoir accepté ses conditions. Il a agi comme s'il était la victime d'une offense du troisième degré qui donne le droit au triple choix de l'arme, de la distance et de la primauté du tir. Vous avez donc toute latitude pour contester et demander demain à changer de duel. Permettez-moi de vous suggérer un duel à volonté.

Dans un duel à volonté, les combattants étaient placés à vingt-cinq pas, dos à dos ; au signal, ils se retournaient et faisaient feu à volonté : la victoire appartenait généralement au plus rapide plutôt qu'au plus adroit.

Coudray-Mesnil donna du menton avant de s'adresser au baron Ocloff d'une voix châtiée de peleur d'artichaut :

– Soit, ce sera un duel à volonté... Mais ne pourrait-on point conserver les quinze pas ?

En insistant sur cette distance, il signifiait clairement qu'il voulait la mort de son adversaire.

– Conservons-les. Messieurs, à vos armes, dit Ocloff en faisant signe aux témoins de remettre les pistolets chargés aux duellistes.

Le lancer d'écu lui étant favorable, Charlemagne alla se placer face au château et s'intéressa à Percy-Ventre qui écrivait un genou en terre, l'autre lui servant de pupitre. Coudray-Mesnil se posta sur le X tracé sur le sol.

– Messieurs, vous connaissez les nouvelles stipulations qui viennent d'être ratifiées, aussi je vous avertis que l'honneur vous oblige à les respecter et à attendre le signal « Tirez ! » pour vous retourner et faire feu. (Ocloff reprit sa respiration.) Et maintenant, messieurs, tournez-vous le dos.

Assisté du chevalier Belliston du Vor et de Valentin, le baron Ocloff vérifia le bon alignement des querellants.

– Messieurs, soyez prêts.

Par peur d'avoir peur, Charlemagne se racla la gorge et cracha par terre en songeant à Pépin.

Une rumeur de gravier piétiné par un grand nombre de personnes venant de l'allée sud se fit entendre mais passa inaperçue. Tous les présents étaient trop captivés par le spectacle de ces deux jeunes gens qui, d'une seconde à l'autre, allaient froidement s'entre-tuer et faire changer des fortunes de bourse.

– Tirez !

Tout en tendant son bras, Charlemagne se retourna et déchargea son arme sur Coudray-Mesnil, découvrant simultanément que celui-ci n'avait pas bougé et qu'il lui tournait toujours le dos. A neuf cents pieds seconde, le plomb, gros comme une cerise, pénétra entre les omoplates du page et le projeta en avant. Adieu jeunesse, plus rien ne va.

C'est alors que Charlemagne aperçut, remontant l'allée, un groupe de gardes-suisses armés de hallebardes encadrant un grand et corpulent jeune homme qui marchait vite en se dandinant. Une centaine de courtisans à la mine réjouie – enfin, il se passait quelque chose d'inhabituel en ce pays-ci – suivaient derrière.

Tout en s'étonnant de voir les trois princes du sang et même la belle comtesse se lever, Charlemagne interpella le baron Ocloff :

– Vous avez œillé, monzieur le baron, il ne z'est même pas retourné et pourtant vous avez lanzé votre « tirez ! »… En tout cas, moi ze l'ai entendu.

– Attention, voici le roi, aussi mâchez bien ce que vous allez lui répondre, lui souffla le vieux baron en allant s'occuper de Coudray-Mesnil qui râlait faiblement en produisant des bulles rosâtres, signe qu'un poumon était atteint.

Le roi ? Le roi !

L'esprit embué par un sentiment d'irréalité, Charlemagne douta que ce gros jeune homme en habit gris qui approchait d'une démarche palmipède puisse être celui qui commandait à vingt-sept millions de sujets et au nom duquel tout se faisait en ce royaume.

Après avoir vérifié que la balle n'avait pas traversé, le baron Ocloff s'agenouilla pour aider Del'Giangorgulo à découper le justaucorps, le gilet et la chemise du blessé.

— Il est intransportable tant que le plomb est à l'intérieur.

— *Io so, io so, signor barone.*

Le baron Ocloff se releva et fit face au roi qui approchait. Il se décoiffa et le salua bien respectueusement.

Tout en évitant de regarder dans la direction de ses frères et de son cousin, ratant ainsi la révérence fort réussie de la comtesse Jules, Louis s'immobilisa à deux pas du vieux baron Ocloff et lui dit sèchement :

— Monsieur le baron, je vous écoute.

— Il s'agit d'une affaire de Point d'Honneur, Votre Majesté, rien d'autre.

Louis s'intéressa brièvement à Del'Giangorgulo, penché au-dessus du page de Monsieur, qui manipulait une sorte de pince à épiler servant à extraire les bouts de tissu que le plomb avait emportés à l'intérieur de la plaie. Louis découvrit alors Alexandre de Tilly debout sur une jambe et qui le salua d'une expression embarrassée. Son autre jambe était bandée au mollet et du sang avait traversé la charpie, faisant apparaître une tache rouge qui attirait l'œil.

Les gardes-suisses avaient formé une barrière autour du roi et maintenaient à distance la foule des courtisans qui ne cessaient d'arriver du château. La présence des trois princes de France et des Polignac échauffait les imaginations ; chacun y allait de son hypothèse.

— Monsieur de Ruynes, assurez-vous de ces personnes, ordonna Louis avec un geste englobant Charlemagne, Tilly et les témoins Valentin Picon du Coussac, Belliston du Vor et Percy-Ventre, mais qui épargna Ocloff, Del'Giangorgulo, les princes et leurs suites.

– Quant à vous, monsieur le baron, il faut m'en conter plus.

– Vous en conter plus, Votre Majesté ?

– Pourquoi tant de monde pour *une* affaire d'honneur... Et puis je ne vois plus ce sacripant de Donzach, n'était-ce pas lui qui se battait ?

Le raffiné baron dit d'une voix bien timbrée :

– Votre page est blessé, Votre Majesté, il a été transporté à Trianon où M. Lassone doit être en train de le recoudre.

Louis, qui ne savait jamais où mettre ses mains, les laissa pendantes au bout de ses bras ballants.

– Monsieur le baron, sans jactance, êtes-vous l'organisateur de cette bataille rangée dans mes jardins ?

– Certes non, Votre Majesté ! Je n'ai fait que prêter mon expérience à ces jeunes gens comme directeur de combat. Et puis il ne s'agit point d'une bataille rangée, mais plutôt de quatre duels successifs. C'est ainsi qu'un de mes novices s'est retrouvé contraint de défendre quatre fois son honneur le même jour.

Il désigna Coudray-Mesnil qui grognait tristement chaque fois que la pince de Del'Giangorgulo s'enfonçait dans sa plaie.

– Celui-ci a participé à la dernière reprise, Votre Majesté, et le page de votre Chambre à la première. C'est lui qui a choisi cet endroit. J'ai tenté de l'en dissuader, mais il n'a rien voulu entendre. Il tenait à se battre aux Trois Fontaines et nulle part ailleurs.

Le duc de Ruynes et ses gardes commencèrent par regrouper Charlemagne, Tilly et les témoins près de la fontaine. Émoustillé par la présence de la comtesse, le duc prit une posture martiale convenant à son bel uniforme bleu et rouge galonné d'argent.

– Messieurs, de par le roi, je suis chargé de m'assurer de vos personnes, veuillez donc vous considérer en état d'arrestation.

– Ah oui, et pourquoi ?

– Souffrez d'apprendre que le duel est interdit en ce pays-ci, monsieur.

Le duc de Ruynes s'adressa à Tilly qu'il connaissait de vue.

– Monsieur de Tilly, je vous vois bien entamé, allez donc vous asseoir, pour l'amour de Dieu.

Il s'intéressa ensuite à l'écritoire de l'écuyer cavalcadeur Percy-Ventre et trouva les quatre procès-verbaux de combat.

– Jésus-Christ les pieds au mur ! Il y a donc eu quatre duels ici !

Le capitaine des gardes considéra ses prisonniers un à un et revint sur Charlemagne.

– Vous êtes le sieur Tricotin de Racleterre dont il est question dans ces procès-verbaux, n'est-ce pas ?

Comme il percevait l'inquiétude chez Valentin et chez les écuyers témoins, Charlemagne perçut la nuance admirative dans le « n'est-ce pas » de l'officier royal.

– Z'est moi.

– Ces quatre duels ont-ils eu lieu ?

– Et ze les ai gagnés tous les quatre.

Il sourit modestement en montrant le pistolet déchargé qu'il tenait toujours. Le duc lui conseilla de le remettre aux gardes qui venaient de saisir les pistolets de rechange.

– Zelles-là zont toutes miennes, lança Charlemagne à celui qui tenait les trois épées de prise ainsi que celle prêtée par le baron Ocloff.

– Je ne vois que deux blessés, où sont les autres ?

– Le premier a été évacué.

Il montra la direction du château de Trianon.

– Et l'autre, z'il court encore comme tout à l'heure, il doit être dézà à Paris.

Le duc de Ruynes ignorait si le roi voulait qu'il y eût une instruction (il faudrait alors prévenir monsieur le lieutenant général de police Le Noir), ou s'il voulait que les prisonniers fussent embastillés illico (il faudrait alors autant de lettres de cachet qu'il y avait de prisonniers).

Restait le problème du public. Selon les ordonnances stigmatisant le duel, les spectateurs devaient être traités en coupables, fort bien, mais lorsqu'il s'agissait de la famille royale, mieux valait se montrer circonspect et ne rien brusquer.

Des abois annoncèrent l'arrivée du marquis de Sourches, le grand prévôt du château. Le vieux courtisan était vêtu, poudré, perruqué comme au temps de Papa-Roi et il était suivi d'une douzaine de ses gardes avec leurs chiens, des barbets mordeurs qui s'étranglaient en tirant sur leur trait, l'œil un peu fou. Les courtisans comme les Suisses s'écartèrent pour les laisser passer.

– Me voici, Votre Majesté ! couina le vieux marquis d'une voix tragique qui suscita des rires méchants du côté des princes du sang.

Ceux-ci commençaient à trouver le temps long, surtout Monsieur qui avait des difficultés à rester debout, mais pas un n'aurait osé s'en aller, ou même s'asseoir, sans une invitation royale.

— Je me demande ce que nous vaut cette physionomie de diable qui se serait coincé la queue dans la porte, murmura Louis Philippe Joseph à l'intention de ses cousins.

Monsieur renchérit en examinant Louis conversant avec le baron Ocloff près de la fontaine.

— Nous sommes pourtant à l'heure du Grand Lever ?

Artois bâilla à s'en décrocher la mâchoire.

— Vous verrez qu'il n'osera pas nous embastiller. Je parie... disons dix mille... qu'il va nous exiler une semaine... pas plus.

Du désabusement perçait dans ses derniers mots. Trois ans plus tôt, pour une querelle lors d'un bal masqué, Artois s'était affronté à l'épée avec son ami le duc de Bourbon et l'avait légèrement blessé au bras. Louis les avait condamnés à huit jours d'exil, lui en son domaine de Choisy, Bourbon en son château de Chantilly. Artois n'avait pas fait mystère qu'il aurait préféré être embastillé, question d'allure.

Louis Philippe Joseph déclina le pari de son incorrigible cousin. Pourtant, il n'était pas opposé à un bref séjour à la Bastille qui aurait soigné son image de bon prince auprès du bon peuple.

— M. de Richelieu m'a assuré que la table du gouverneur y était excellente.

Provence tenta de soulager ses jambes en s'appuyant sur sa canne. Il regarda avec regret ses domestiques remettre les reliquats du pique-nique dans la malle en osier.

— Oh, elle le peut ! Et si je garde bonne mémoire du *Compte Rendu au Roy*, cette prison lui coûte plus de cent quarante mille livres par an.

Ils virent le capitaine des gardes approcher le roi en se déhanchant.

— Regardez ce grand niais de Ruynes qui lui montre les procès-verbaux. Ah, Jésus-Christ à cheval ! Tout ceci devient grotesque ! soupira Monsieur, en sacrifiant lui aussi à la mode des « Jésus-Christ quelque chose » qui faisait fureur en ce pays-ci, détrônant la mode des « caraboum ! » lancée par La Fayette à son retour des Amériques.

257

Contrairement à ses voisins, Charlemagne n'eut pas d'appréhension lorsque le roi s'approcha en se dandinant. Valentin, Belliston du Vor et Percy-Ventre y allèrent de leur révérence en s'inclinant souplement du dos et des genoux. Tilly fit ce qu'il put et Charlemagne les imita avec une gaucherie sans fard que seule la franchise sauva du ridicule.

Louis ébaucha un mince sourire.

— Vous semblez plus à votre aise une épée à la main, monsieur le belliqueux.

— Z'était ma première révérenze... euh, Votre Mazesté...

Charlemagne remarqua la voix nasillarde, les grands yeux bleus doux et myopes, les miettes de biscuit et les taches de miel sur le gilet gris, le nez fort et busqué, la grande bouche aux lèvres charnues. Quel dommage qu'il ne portât pas sa couronne... et puis il n'avait même pas d'épée.

— Quels sont les motifs de votre querelle ?

Louis nota le maintien négligé, la voix forte et les manières si peu apprêtées.

— Donzach a buté zur mon portemanteau et m'en a demandé réparation, Votre Mazesté. Z'est tout.

— C'est tout.

Charlemagne haussa les épaules.

— Eh oui.

— Et pour les autres ?

— Oh, les autres, ils ne voulaient pas être de rezte et puis ils croyaient que ze zerait fazile.

— Êtes-vous gentilhomme, monsieur ?

— Oh non, Votre Mazesté, mais ze zuis un Tricotin de Racleterre.

Ce « mais » fit rire Louis et tous ceux qui l'entendirent.

— Eh bien, monsieur Tricotin de Racleterre, il me reste maintenant à vous punir.

Louis donna ses ordres en commençant par Ocloff, évitant par timidité de croiser son regard.

— Monsieur le baron, vous vous rendrez en votre hôtel et vous y attendrez votre lettre d'exil.

Les traits du vieil homme se rembrunirent. Le sens originel du mot « ennui » était « exil », et il n'avait aucun désir de passer l'hiver dans son château breton, froid et humide comme l'exigeait la tradition.

Pourtant il fit une courte révérence et dit d'une voix tout aussi courte :

— Je remercie Votre Majesté pour son excès d'indulgence.

Louis lui tourna le dos pour s'adresser au duc de Ruynes :

— En ce qui concerne notre mauvais sujet de Racleterre, embastillez-le, et flanquez les autres à Vincennes.

Charlemagne fut le seul à ne pas comprendre qu'il venait de bénéficier d'une grande faveur.

S'adressant à l'antique marquis de Sourches, Louis eut un geste discret en direction des princes.

— Quant à eux, allez donc leur faire savoir que je suis bien fâché et qu'ils peuvent rentrer chez eux et y attendre leur lettre d'exil.

Ainsi, ils manqueraient plusieurs belles fêtes et représentations, dont le grand bal paré qui allait célébrer la fin des relevailles de la reine.

Le marquis se permit une petite toux signifiant qu'il avait une question.

— Dois-je inclure madame la comtesse ?

Louis rougit des deux joues. Les liens étroits qui unissaient cette coquine à la reine l'exemptaient de toute punition.

— Non, bien sûr.

Il fit demi-tour et quitta les Trois Fontaines, draguant dans son sillage les Suisses et leurs hallebardes, les gardes et leurs barbets, et la totalité des courtisans qui accouraient tel du fer cherchant à s'imprégner de l'aimant.

Chapitre 30

Si le diable mourait, je n'hériterais même pas de ses cornes.

Graffiti, première chambre de la tour du Coin

C'est la Bastille, ce me semble ;
C'est elle-même, par ma foy !
Ventre bleu, voilà bien de quoy
Faire que tout le monde tremble.

Air connu

Le carrosse royal, sorti des Grandes Écuries à deux heures, arriva aux Champs-Élysées trois heures plus tard. Renfrogné, écœuré, Charlemagne était seul dans le véhicule avec le capitaine des gardes. Les rideaux étaient baissés et le duc avait interdit de les tirer.

– Je ne veux point vous interdire de voir, monsieur, il faut seulement que personne ne vous voie, car tel est le règlement pour les embastillés.

– Le roi vous a dit combien de temps il me voulait enfermé ?

– Je l'ignore.

Les bruits de la circulation, les cris des gagne-petit, le ralentissement des chevaux signalèrent l'entrée dans Paris.

– Achetez mes lardoirs et mes cuillères à pot !

– Qui en veut de ma chicorée frisée ?

– A la froide, à la chaude, qui veut boire, macaniche ?

– Gare, gare, je passe !

Il fallut encore près d'une heure pour atteindre la rue Saint-Antoine. Quand le carrosse s'arrêta, Charlemagne entendit le cocher échanger quelques mots, puis une grille s'ouvrit et une voix de vieux lança :

– Une entrée, on laisse passer !

Une cloche sonna dix coups de suite. L'attelage se remit en marche et cahota sur des pavés, puis sur le bois d'un pont-levis, puis sur des pavés à nouveau, puis encore sur le bois d'un pont-levis. Il fit halte sous un porche et Charlemagne reconnut les crissements d'une herse qui se lève, celle du château des Armogaste faisant le même bruit. Il y eut des bruits de voix puis le carrosse roula derechef sur des pavés pour s'immobiliser. Le duc de Ruynes descendit le premier, les bras encombrés par les quatre épées et les deux pistolets confisqués au prisonnier.

La grande cour de la Bastille était sombre et tellement encaissée que, pour apercevoir le ciel, Charlemagne dut lever la tête. Jamais il n'avait vu des tours et des murailles aussi rébarbatives, aussi robustes. Un bâtiment de trois étages divisait la cour et sur sa gauche s'élevait une petite chapelle au toit curieusement surmonté d'un pigeonnier roucouleur. Des silhouettes armées de fusils baïonnettés se détachaient entre les merlons du chemin de ronde : plusieurs pièces de huit étaient pointées sur le faubourg.

Charlemagne cracha sur le pavé et déclara d'un ton faussement solennel :

– Za va être dur pour z'évader !

Le duc de Ruynes désapprouva.

– Modérez-vous, monsieur, et surtout évitez, ici, de prononcer certains mots.

Jean Jasmin, le chef des porte-clefs – on l'appelait « monsieur le capitaine des portes » –, salua le duc d'une révérence rouillée. Il ne le connaissait pas, mais les armoiries sur les portières, la livrée royale du cocher et surtout l'uniforme des prestigieux gardes du corps suffi-saient pour déclencher son plat respect.

– Tenez, mon bonhomme, débarrassez-moi donc de tout ce fer, dit le duc en lui confiant les épées et les pistolets.

– Pour sûr, monsieur, pour sûr.

Jean Jasmin désigna le rez-de-chaussée de l'état-major aux fenêtres éclairées. Une grosse horloge flanquée de deux barbus lourdement enchaînés décorait le frontispice. Les aiguilles piquaient 5 h 45 de relevée.

– Par ici, messieurs.

Ils entrèrent dans une salle au plafond bas éclairée par un lustre à suspension à six bougies. Un feu qui sentait bon crépitait dans la cheminée. Charlemagne reconnut l'odeur du chêne. Un plan encadré de la forteresse était suspendu au mur entre deux portraits d'anciens gouverneurs ; à droite de la cheminée, une armoire ouverte montrait des rangées de gros registres numérotés par année et, près de la porte menant aux étages, divers objets étaient exposés dans un meuble vitré. Debout devant une longue table placée au centre de la salle, trois hommes en uniforme d'officiers du roi attendaient.

Le marquis Bernard de Launey, gouverneur de la Bastille, était flanqué de son second, le lieutenant de roi Aristide de Saint-Sauveur et du major Léonce Losme-Salbray, l'officier comptable et chef des archives.

Le capitaine des portes déposa les armes sur la table tandis que le gouverneur saluait avec déférence celui qui côtoyait le souverain tous les jours.

— Mes très humbles respects, monsieur le duc.

De Ruynes dit de sa voix si artificiellement lasse :

— Voici un mauvais sujet qui ce matin a cru bon de tirer son épée à quatre reprises dans les jardins du château. Sa Majesté vous le confie jusqu'à nouvel ordre.

Tout en parlant, il sortit de sa poche intérieure deux lettres froissées par le voyage et les remit au gouverneur. Celui-ci les décacheta et les lut en hochant la tête à plusieurs reprises.

De par le Roy

Mons. de Launey je vous fais cette lettre pour vous dire de recevoir en mon château de *la Bastille* le nommé *Charlemagne Tricotin de Racleterre* et de l'y détenir en bonne et sûre garde jusqu'à nouvel ordre de ma part, car tel est mon bon plaisir.
Sur ce je prie Dieu qu'il vous ait *Mons. de Launey* en sa Sainte Garde.
Écrit à *Versailles le 1er décembre 1781,*

LOUIS

Mons. de Launey, mon désir est que vous procuriez au sieur Tricotin de Racleterre toutes les douceurs et toute la liberté intérieure de la Bastille qui ne seront point contraires à la sécurité de la détention.

LOUIS

— Fort bien, fort bien, je vois ici que M. Tricotin de Racleterre est fort bien recommandé de Sa Majesté.

Il remit les deux lettres au major qui s'attabla et ouvrit le livre d'écrou. Sa plume d'oie crissa sur le papier. Charlemagne prit un air dégoûté.

– Auriez-vous l'amabilité de faire jour au contenu de vos poches, lui demanda le gouverneur sur un ton engageant.

Il obéit, inquiet à l'idée d'être fouillé au corps et que l'on découvrît sa flétrissure.

> Ce jourd'huy *Premier de Décembre 1781*,
> le sieur *Charlemagne Tricotin de Racleterre*,
> est entré à la Bastille par ordre du Roy.
> Conduit par : *Monsieur le duc de Ruynes, capitaine à la Garde du corps.*
> Le sieur : *Charlemagne Tricotin de Racleterre* avait sur lui :
> en argent : *130 livres 8 deniers*
> en bijoux : *une petite horloge portative*
> en armes : *4 belles épées dans leur étui, un ceinturon de cuir, deux beaux pistolets dans leur fonte*
> en divers : *un guide des jardins de Versailles, un briquet à amadou, une pierre ponce, six cailloux*
> que nous avons mis sous enveloppe scellée du cachet du château, lequel paquet a été étiqueté autour du cachet.
> Le sieur *Charlemagne Tricotin de Racleterre* n'ayant d'autres effets sur lui a signé la présente entrée.
>
> *Le sieur Tricotin de Racleterre*
> *Monsieur de Launey*
> *Monsieur le lieutenant de Saint-Sauveur*
> *Monsieur le major Losme-Salbray*

A peine venait-il de signer le procès-verbal d'entrée que le duc de Ruynes prenait congé du prisonnier et de ses geôliers.

– Au plaisir de vous revoir dans de meilleures circonstances, monsieur de Racleterre.

Charlemagne haussa les épaules en regardant ses bottes poussiéreuses. Jasmin ouvrit la porte, le duc sortit. Charlemagne montra les lettres sur la table.

– Le roi dit combien de temps ze vais devoir rester izi ?

– Le règlement m'interdit de vous répondre sur ce point-là.

Pour de Launey, les affres de l'incertitude faisaient partie de la punition, aussi la durée de l'internement n'était jamais mentionnée sur les lettres de cachet. Elle dépendait exclusivement du *bon plaisir* du roi : ainsi, un embastillé n'était libéré qu'en échange d'une lettre de rémission signée Louis, jamais à moins.

– Dans quelle chambre allons-nous loger notre nouveau pensionnaire ? demanda-t-il au lieutenant de Saint-Sauveur qui ne quittait pas le prisonnier des yeux depuis son arrivée.

Il était lui aussi impressionné par la recommandation du roi, mais il entendait mal tant d'égards envers un vulgaire joueur d'épée, de toute évidence.

– La deuxième de la Comté conviendra, monsieur le gouverneur.

Dans le jargon de la Bastille, Saint-Sauveur désignait la deuxième chambre de la tour de la Comté (qui en comptait quatre).

– Et pour la bouche, monsieur le gouverneur, ce sera quel service ? intervint d'une voix concernée le capitaine des portes.

Les embastillés pouvaient se nourrir de trois façons : l'« ordinaire » qui offrait deux repas quotidien, la « table du gouverneur » qui en offrait trois – un déjeuner à 7 heures du matin, un dîner à 11 heures, un souper à 6 heures du soir – et les « suppléments » qui proposaient tout ce qui ne figurait pas au menu du jour et qui pouvait s'acheter au-dehors. Il allait de soi que si les suppléments étaient aux frais des prisonniers, l'ordinaire et la table du gouverneur étaient payés par le roi.

– Pour monsieur de Racleterre, ce sera ma table, évidemment, répondit de Launey avec un geste vers la lettre de Recommandation.

– Pour sûr, monsieur le gouverneur, pour sûr.

Charlemagne suivit Jasmin dans la cour, bien aise de ne pas avoir été fouillé par corps. Le carrosse du roi avait disparu et la grande herse était à nouveau baissée. Des odeurs venant d'une cuisine en activité piquèrent son appétit. Malgré l'épaisseur des murailles, il entendait le bourdonnement diffus du quartier Saint-Antoine, débordant d'activité en cette fin de journée.

Il suivit le geôlier jusqu'à la tour de la Comté qui s'élevait à soixante-dix pieds au-dessus du sol. Leurs pas résonnèrent dans la cour. Un bas-officier sortit du poste de garde pour les regarder passer : il était vieux sous sa perruque et semblait mal supporter l'humidité ambiante.

La porte de la tour était fermée par trois énormes serrures. Jean Jasmin l'ouvrit en utilisant trois clefs de son clavier. Ils entrèrent et le geôlier décrocha une lanterne qu'il alluma à la veilleuse. La grille de fer barrant l'entrée de l'escalier à vis exigea une quatrième clef. Chaque étage de la tour – elle en comptait cinq – comprenait une seule grande chambre. Celle du deuxième étage était fermée par une porte de trois pouces d'épaisseur armée de trois serrures et de deux verrous.

Jasmin poussa le battant qui s'ouvrit en grinçant. Charlemagne pénétra dans une vaste pièce de forme octogonale qui sentait le moisi et la crotte de rat. Le plafond était haut et une seule fenêtre en embrasure trouait un mur d'une épaisseur ahurissante. Une cheminée à hotte, deux pavés en guise de chenets, un lit de bois couvert d'un matelas ressemblant plus à une paillasse, une petite chaise qui perdait sa paille et une table bancale avec dessus un pot à eau, ébréché comme il se devait, constituaient le mobilier de la deuxième de la Comté. Tout était recouvert d'une épaisse couche de poussière. Les murs peints à la chaux portaient la trace de nombreux graffitis. D'antiques toiles d'araignée grises tombaient du plafond et le sol était sillonné par les innombrables allées et venues de rats. Des gros rats prospères à en juger d'après la taille de leurs crottes.

– Z'est pas gai z'izi.

– Ce n'est pas fait pour ça, monsieur.

Jasmin allait sortir lorsqu'il se ravisa pour prévenir.

– Dans peu de temps, un porte-clefs vous livrera une chandelle, une couverture ainsi que votre souper, monsieur.

Il poussa l'huis derrière lui, plongeant la chambre dans une parfaite obscurité. Charlemagne resta figé sur place tandis que les serrures et les verrous se refermaient avec moult claquements et grincements. Il avança jusqu'au lit à petits pas prudents. Il s'allongea sur la paillasse moisie qui puait fort.

– Ah la la, quelle malédiction ! Me revoilà en prison !

Dehors, une cloche sur les remparts sonna cinq fois de suite.

Il ferma les yeux et s'endormit d'un coup... Et quand il s'éveilla, il faisait jour. La chandelle, le plateau du souper, la couverture brune pliée sur le dossier de la chaise, le pot de chambre posé devant la cheminée prouvaient la venue du porte-clefs durant son sommeil. Soulevant les assiettes recouvrant les plats il vit une soupe de pois verts garnie de laitue, de la purée de fèves blanches au beurre, un plat de morue, une langue de mouton en ragoût, deux pommes reinettes, un morceau de pain blanc d'une livre aux trois quarts grignoté par les rats et un flacon de vin qui à l'odeur devait venir de Bourgogne. Il terminait la seconde pomme et allait jeter le trognon dans la cheminée quand le capitaine des portes Jasmin et le porte-clefs Laurent Fanfard entrèrent après un fracas de claquements de serrure et de grincements de verrou. Une très roborative odeur de pain frais et de chocolat chaud envahit la cellule.

Charlemagne se retira près de la fenêtre, croisa les bras et regarda les geôliers s'activer en silence. Pendant que Jasmin retirait le plateau du souper, Fanfard posa à sa place celui du déjeuner. En plus du chocolat, il y avait du pain blanc, de la charcuterie et une jarre de confiture de fraises des bois. Décidément, à quelques détails près, le roi traitait au mieux ses invités.

– Prenez votre petit déjeuner, monsieur, et ensuite nous vous changerons de chambre. La première du Trésor conviendra bien mieux à votre mobilier.

– Mon mobilier ?

La garnison avait été réveillée un peu après la minuit par l'arrivée d'un carrosse chargé d'une armoire à deux portes, d'une commode à six tiroirs et d'un grand lit Chippendale muni de ses trois matelas usagés. Tout cela venait de Bagatelle et était destiné au sieur Tricotin de Racleterre avec les compliments de monseigneur Charles Philippe, comte d'Artois.

Le capitaine des portes Jasmin avait prévenu son chef direct, le lieutenant de Saint-Sauveur, qui logeait au-dessus de la salle du conseil. L'officier s'était levé en maugréant, contrarié d'être ainsi expulsé du premier sommeil, réputé le meilleur.

Nommé par le roi, second du gouverneur, soldé huit mille livres l'an et content de lui presque chaque jour du calendrier, Saint-Sauveur était responsable de la sécurité et de la discipline. Sa charge consistait à garantir la loi du Silence et le Secret absolu, deux exigences spécifiques de la Bastille. Il veillait d'abord à empêcher les prisonniers de communiquer entre eux, de communiquer avec l'extérieur, de communiquer avec les porte-clefs ou avec les invalides de la garnison. Son unique ambition était de devenir gouverneur. La place étant solidement prise, Saint-Sauveur s'ingéniait à être d'une grande efficacité, dans l'espoir que cela attirerait l'attention sur l'actuelle médiocrité de son supérieur.

– Il aurait été plus convénient de vous présenter dans la matinée.

Le domestique en livrée bleue à parements amarante du comte d'Artois avait répliqué avec hauteur :

– Conscient de l'inconfort de votre hébergement, Monseigneur a exigé la plus grande diligence.

Saint-Sauveur inspecta chaque meuble, fouilla chaque tiroir, tâta les matelas, sans toutefois les sonder, avant d'autoriser leur entrepôt provisoire au rez-de-chaussée de la Comté. Il retournait se coucher lorsqu'un deuxième carrosse, venant du Luxembourg, arriva, lourdement chargé d'un canapé à joue fatigué, de quatre chaises en suite tapissées de velours d'Utrecht bleu râpé par endroits, d'une table estampillée qui datait de feu Louis XV et d'un fauteuil à décor de rocaille pour le sieur Tricotin de Racleterre, avec les félicitations de monseigneur Louis Stanislas Xavier, comte de Provence. Saint-Sauveur passa son inspection, impressionné malgré lui par leur prestigieuse origine. Les meubles furent déposés avec les autres dans la Comté puis chacun retourna se coucher.

A trois heures et quelques, un carrosse aux armes des Orléans se présenta à la porte de la rue Saint-Antoine. Il transportait un vieux bureau à cylindre marqueté, deux tapisseries murales à motifs antiques et deux tapis d'Ispahan. Le tout était destiné au sieur Tricotin de Racleterre, avec la gratitude de monseigneur Louis Philippe Joseph.

Le carrosse vidé s'en retournait lorsque la cloche de la rue Saint-Antoine annonça la venue d'un nouveau véhicule. Celui-ci transportait une table de toilette en acajou, une cuvette et son broc en porcelaine de Saxe, une fontaine en cuivre jaune cabossé, un miroir au cadre en bois doré et une chaise percée tapissée de velours brodé de crépines aux armes des Polignac.

– A remettre au sieur Tricotin de Racleterre avec les compliments admiratifs de madame la comtesse, récita d'une voix pleine de morgue le domestique en livrée brune et verte des Polignac.

Les mains sur les hanches, planté au centre de la grande cour, le lieutenant de roi se perdait en conjectures : c'était comme si les plus hauts personnages de la Cour avaient tenu à exprimer leur solidarité en meublant le prisonnier. Il inspecta néanmoins chaque pièce avant de les autoriser. Il recherchait dans ces fouilles d'éventuels messages ou la présence d'objets pouvant servir à quelque entreprise d'évasion. Incapable de se rendormir, sa nuit gâchée, Saint-Sauveur en avait profité pour se livrer à des inspections-surprises dans les tours de la Berthaudière, de la Bazinière, du Coin et de la Liberté, ce qui l'avait occupé jusqu'au lever du jour et l'arrivée du gouverneur. Ce dernier résidait avec sa famille dans un hôtel particulier construit à l'extérieur de la Bastille, face au pont-levis de l'entrée principale.

Saint-Sauveur vint à la rencontre de De Launey dans la grande cour et l'invita à visiter le rez-de-chaussée de la Comté. La découverte de tout ce riche mobilier et surtout du nom des donateurs étonna durablement ce dernier.

– Veuillez déménager tout cela dans la première du Trésor, et, lorsque ce sera fait, transférez-y notre nouveau pensionnaire.

La première du Trésor était l'une des rares chambres à posséder deux fenêtres au lieu de la mince meurtrière habituelle.

– Ne pensez-vous pas que cela fait beaucoup de très hauts et de très puissants protecteurs pour un seul détenu ?

– On n'a jamais assez de protecteurs lorsqu'on se retrouve embastillé.

Comme tout un chacun, de Launey lisait les *Nouvelles à la main* et n'ignorait donc rien de l'inimitié qui régnait entre les membres de la famille royale. Dans son rapport hebdomadaire au roi, il allait devoir mentionner la venue de ce mobilier, ainsi que les noms des donateurs et il odorait là une manœuvre de ces derniers, destinée à marquer leur désapprobation à leur royal parent.

Les meubles, lourds et encombrants, passaient mal dans l'étroit escalier de pierre, surtout l'armoire qu'il fallut démonter au milieu de la cour et remonter au quatrième niveau.

La demie de huit sonnait à l'horloge de l'état-major quand une berline noire aux portières décorées d'une couronne de baron se présenta au poste de garde de la rue Saint-Antoine. Victoire Hendecourt de Montainville, le chevalier Jason Secretan de Saint-Vit, M. Gontran Valfleury de Bleuzac, M. Édouard Hucquedieu et l'abbé Mon Saigneur Guilheme Haubert du Tranchet venaient remettre à leur camarade ses affaires personnelles, son *Dictionnaire universel*, son écritoire ainsi que les vingt-huit volumes de l'*Encyclopédie*.

Le sac et le portemanteau furent inspectés avec minutie et le lieutenant de roi examina chacun des volumes de l'*Encyclopédie*, vérifiant qu'il s'agissait bien de l'édition châtiée de 71 et non de celle de 59, mise à l'index, saisie dans sa totalité, et qui était embastillée dans le dépôt des livres censurés situé entre la tour du Trésor et la tour de la Comté.

– Nous sollicitons la permission de visiter notre camarade.

Les visites à la Bastille n'étaient pas un droit mais une faveur qu'il fallait quémander à l'avance auprès de monsieur le lieutenant général de police. Malgré la mimique désapprobatrice de Saint-Sauveur, le gouverneur accepta de tourner le règlement. En fait, il était subjugué par les cuisses de Victoire et par sa culotte de peau bleu céleste qui dessinait impudiquement les plis et replis de son mont de Vénus.

Fils unique de l'ancien gouverneur Jourdan de Launey, le marquis Bernard de Launey était né à la Bastille, dans la chambre du premier étage de l'état-major, présentement occupée par son second. Le petit Bernard avait grandi entre les huit tours de la forteresse tel un poisson dans son bocal, sans jamais en sortir. Trois mois après sa naissance, un rat gris l'avait attaqué dans son berceau et avait eu le temps de lui croquer un morceau de joue avant d'être chassé. Il en avait conservé une cicatrice sur la pommette. Il avait neuf ans et deux jours lorsque son père dérapa sur le chemin de ronde et se brisa l'os du front contre le rebord de la rampe de pierre. Trop jouvenceau pour prétendre à la survivance de la charge, il dut quitter la Bastille avec sa famille et faire place à un nouveau gouverneur.

Le jeune marquis Bernard de Launey avait investi très tôt dans une carrière militaire en s'achetant, à seize ans, une charge de cornette chez les mousquetaires noirs, puis, à vingt ans, une charge de lieutenant aux gardes-françaises, et enfin, à trente ans, une charge de capitaine. Six ans plus tard, il sollicitait auprès de M. de Maurepas l'autorisation de racheter l'ancienne charge de son père. Le gouverneur en place, M. de Jumilhac, avait accepté de démissionner en échange de cent mille écus et de la main de Mlle de Launey pour son fils Ursulin, un jeune homme qui avait largement abusé de la permission d'être laid. Certes, le prix était épicé, mais la charge de gouverneur de la Bastille était des plus lucratives et le père de Bernard avait fait fortune durant ses vingt-deux années de service. Il comptait le surpasser. Il lui suffisait pour cela d'améliorer les méthodes rodées préalablement par ses quarante et un prédécesseurs.

Le budget de la Bastille figurait à un article spécial sur le budget des châteaux royaux et non sur celui des prisons. L'entretien de la forteresse, le salaire du personnel, la pension des prisonniers, bon an mal an, coûtaient cent quarante mille livres. Le roi payait tout. En plus du gouverneur, le personnel de la forteresse comprenait un lieutenant de roi, un major, un chirurgien-barbier, un chapelain, cinq porte-clefs, quatre commis, un cuisinier, quatre marmitons et une compagnie franche de soixante gardes recrutés parmi les bas-officiers de l'hôtel des Invalides. Le contrôleur des Finances allouait au gouverneur dix livres par jour et par prisonnier, soit douze fois plus que pour un détenu de Bicêtre ou de Charenton. Son bénéfice était ce qui restait après les dépenses de nourriture, d'habillement, de blanchissage, de chauffage et d'éclairage. Moins Bernard de Launey dépensait, plus il gagnait.

Une autre source de profit, non négligeable, lui venait de la location des trente-huit échoppes adossées au mur de la contrescarpe : il avait augmenté les loyers de quinze pour cent au lendemain de son investiture. Le pigeonnier au-dessus de la chapelle lui rapportait trois cents livres et l'année précédente, pour cent cinquante livres, il avait adjugé à un faneur le droit de couper l'herbe des fossés. Il songeait désormais à transformer les jardins du bastion en potager afin d'écouler la production au marché Saint-Jean. Depuis le temps qu'on y enterrait les juifs, les protestants et les suicidés, cette terre, non bénite, était des plus fertiles.

Assis dans son beau fauteuil placé au centre de sa nouvelle « chambre », Charlemagne observait le porte-clefs Lucien Roubignol qui avait des difficultés à fixer au mur l'une des deux tapisseries. Le motif représentait Hercule combattant l'Hydre de Lerne dans les marécages du Péloponnèse. La bête avait sept têtes armées de crocs, un corps trapu couvert d'écailles d'où jaillissaient huit pattes griffues. Charlemagne se demandait comment une pareille bestiole avait pu survivre au Déluge alors qu'elle ne figurait nulle part sur la liste des passagers de l'Arche. L'autre tapisserie montrait le titan Prométhée dérobant le feu dans les forges d'Héphaïstos, le dieu boiteux, pour l'apporter aux hommes.

Le lieutenant de roi Saint-Sauveur entra pour annoncer que des visiteurs l'attendaient dans la salle du conseil.

– Le règlement interdit tout contact autre que verbal, aussi, monsieur, je vous prie de ne point vous approcher et cela sous aucun prétexte... aucun... sinon, j'annule.

La berline du baron était garée dans la grande cour. Armand, le cocher, un ancien Ocloff-Cuirassiers, fumait la pipe sur la banquette du conducteur en regardant autour de lui avec curiosité. Comme ses passagers, c'était la première fois qu'il lui était donné d'entrer dans la si fameuse prison. Il s'anima à la vue de Charlemagne sortant de la tour.

– Merci tout plein, monsieur ! lui lança-t-il d'une voix enjouée.

J'avais parié sur vous et j'ai gagné quatre fois, alors encore merci tout plein !

– Pressons, dit Saint-Sauveur en montrant la porte de la salle du conseil.

Charlemagne marqua de la surprise en découvrant ses visiteurs. Les confirmés du Point d'Honneur n'avaient pas pour habitude de frayer avec les novices... De plus, cette diablesse en culotte de mâle ne lui avait jamais adressé la parole.

– Z'est bien aimable à vous d'être venu auzi nombreux.

Son sourire s'élargit à la vue de ses vêtements étalés sur la table, à côté de son sac et de son portemanteau. Il y avait même son *Dictionnaire universel*. Puis il vit les vingt-huit volumes de l'*Encyclopédie*.

– Eh, caramba !

– Monsieur le baron vous les confie avec l'espoir qu'ils vous aideront à tromper l'ennui, expliqua Jason de Saint-Vit en inclinant la tête.

Charlemagne allait pour contourner la table quand le gouverneur s'interposa.

– N'allez pas plus loin, monsieur, la distance avec vos visiteurs doit rester de huit pieds.

Victoire profita de cet instant pour lancer sur la table une grosse bourse, comme on jette une cuisse de poulet à un chien.

– Voici mille cinq cents livres de la part de monsieur le baron... Avec ses compliments admiratifs pour votre quadruple prestation d'hier.

Le lieutenant de roi vida la bourse sur la table, compta chaque pièce, rédigea un reçu et le remit à Victoire en évitant de croiser son regard. Il connaissait sa réputation pour avoir lu son nom à plusieurs reprises dans les *Nouvelles à la main*, à la rubrique des duels mondains.

– Zavez-vous ze que zont devenus Valentin et Del'Ziangorgulo ?

Ce fut l'abbé du Tranchet qui lui répondit :

– Le baron dit qu'ils sont enfermés à Vincennes ainsi que les autres témoins. Il nous a dit aussi qu'une fois libéré notre cher *maestro* florentin serait renvoyé à jamais dans sa patrie. Au fait, Coudray-Mesnil a expiré dans ses bras pendant qu'il s'efforçait de retirer la balle que vous lui avez logée dans le dos. Quant à ce petit jean-foutre de Donzach, M. Lassone lui a remis les tripes à l'intérieur et a recousu le tout, mais il n'est pas certain qu'il survive...

Charlemagne sentit la perfidie derrière les propos de Tranchet. Il croisa les bras et choisit un ton déterminé qu'il saupoudra d'une pointe de menace.

– Il a rezu ma balle dans le dos parze qu'il ne z'est pas retourné au zignal. Il est tombé et z'ai gagné, z'est tout.

– Et pourquoi ne s'est-il point retourné ?

Charlemagne haussa les épaules avec une mimique d'incertitude.

– Peut-être parze que le roi est arrivé zuste à ze moment-là et qu'il a été très zurpris de le voir.

– Le baron nous a dit que vous aviez fait rire le roi, demanda le chevalier Jason.

Nouveau haussement d'épaules de l'intéressé et mimique désabusée.

– Il m'a quand même zeté izi.

Se désintéressant de la situation, Édouard Hucquedieu et Valfleury de Bleuzac s'approchèrent de la vitrine où était exhibée une collection d'objets de toutes sortes fabriqués par les embastillés à travers les siècles. La pièce la plus ancienne était une assiette en étain datée de 1461 et sur laquelle le prisonnier avait gravé avec un clou son nom et ses qualités : *Antoine de Chabannes, Ancien page de La Hire, Compagnon de Jeanne, Grand Capitaine des Écorcheurs.* Il avait ensuite gravé le nom de ses cent trente complices et ajouté celui des soixante-trois bourgs et villages qu'ils avaient mis à sac.

– Voilà qui est plus étrange encore, dit Bleuzac en pointant son index vers six tablettes d'environ six pouces carrés et deux lignes d'épaisseur.

Ces tablettes avaient été fabriquées avec de la mie de pain pétrie de salive et elles étaient recouvertes d'une écriture brunâtre signalant que l'auteur avait utilisé son sang en guise d'encre. Valfleury de Bleuzac ne sachant pas lire, ce fut Hucquedieu qui déchiffra à voix haute le texte en pattes de mouche.

En mon cachot ignoble de la Tour du Coin, ce 7 avril de l'an de grâce 1757.
Moi, Henry Masers de Latude, dont l'âme active et impétueuse a toujours éprouvé le besoin de concevoir et d'agir, j'ai mis à profit ces onze années d'emprisonnement pour concevoir un projet qui, tout en rendant un grand service à ma patrie, me rendra ma liberté en récompense.
J'ai été frappé depuis longtemps de voir que parmi nos troupes on n'arme les bas-officiers que de hallebardes, qui rendent inutile pen-

dant la plus grande partie du combat le courage de ceux qui les portent. Les inconvénients de cet usage sont nombreux. Dans une bataille, on ne se sert pas toujours de l'arme blanche, ou on ne s'en sert que très tard ; alors jusque-là, que peuvent donc faire tous ces bas-officiers avec juste leur hallebarde ? Et pourtant, ils composent plus d'un vingtième de l'armée et ils en sont l'élite.

Sans aucun doute un sergent, dont le grade annonce la bravoure et les services, manie mieux le fusil, et avec plus d'avantages pour nous et de pertes pour l'ennemi, qu'une simple recrue, ou un soldat peu exercé que l'aspect effrayant du carnage trouble et intimide et fait rater sa cible.

Comment est-il possible qu'on ne pense pas à corriger un pareil abus ? Je me propose, en échange de mon élargissement immédiat, d'indiquer par quel système cela peut se faire et aussi de livrer TOUS les détails qui démontreront TOUTES les facilités de mon système.

Au lieu d'une plume, le prisonnier avait utilisé l'arête triangulaire qu'on trouve sous le ventre des carpes. L'une d'elles était exposée sur la dernière tablette.

– A ton avis, combien de sang a-t-il utilisé pour rédiger tout ça ?

– A mon avis, une pinte, mesure de Paris... moins s'il l'a délayé avec de l'eau... Le plus étrange reste que le bonhomme dit vrai. Cela fait près de vingt ans maintenant que tous les bas-officiers ont reçu un fusil, déclara Hucquedieu qui se flattait de posséder des lumières sur la chose militaire.

– Il m'est difficile de croire que ce fol puisse y être pour quelque chose.

Leurs commentaires échangés à mi-voix attirèrent Victoire qui alla les retrouver. Elle s'intéressa à un masque de velours et de cuir muni d'une mentonnière articulée par des ressorts en acier permettant de manger en conservant le masque sur le visage.

– Dites-moi, mon cher gouverneur, ce qu'est au juste cette curiosité ?

– Le roi nous interdit de divulguer des informations concernant les prisonniers, madame, et vous m'en voyez désolé.

De Launey roucoulait en faisant des ronds de jambe. Victoire, à son habitude, était belle à faire perdre la tête à un philosophe, alors un gouverneur, fût-il de la Bastille !

L'abbé du Tranchet et Jason Secretan de Saint-Vit s'approchèrent à leur tour pour voir de quoi il retournait. Saint-Sauveur eut un regard plein de commisération pour le prisonnier qui se retrouvait ainsi abandonné. Charlemagne fourra en vrac ses vêtements dans son sac avec des gestes dévoilant sa colère rentrée.

— Non, vous ne pouvez pas prendre cela, décréta Saint-Sauveur au moment où il rangeait son écritoire dans le portemanteau.

— Pourquoi ?

— Le règlement, monsieur, le règlement.

— Pourtant ze dois écrire pour prévenir les miens de ze qui m'arrive.

— Pour ce faire, il vous faut solliciter une demande d'« Autorisation à correspondre » auprès de monsieur le lieutenant général de police Le Noir.

Sans un mot pour ses visiteurs qui continuaient de babiller avec le gouverneur devant la vitrine, Charlemagne ramassa ses bagages, coinça son *Dictionnaire universel* sous le bras et s'en retourna dans sa chambre.

Troisième partie

Chapitre 31

Là où chat n'a, rat règne.

Tour du Trésor, 1782.

A la nuit entamée, Macarel et sa bande de *rattus rattus* quittèrent le coffrage et se glissèrent dans la faille du plancher qui donnait accès à la calotte du cinquième niveau, inoccupée par les bipèdes depuis plusieurs générations. Avec l'aisance d'une vieille mouche, le gros rat noir grimpa le long du mur de la calotte et se rétablit sur l'embrasure de l'unique meurtrière. Six barreaux en X barraient le passage, entre lesquels c'était un jeu de ratounet de se glisser. Deux voies s'ouvraient alors : celle du haut, menant à la plate-forme de la tour ; celle du bas, descendant à pic vers la meurtrière du quatrième niveau où vivait leur nourricier.

Après avoir vérifié que tous le suivaient, Macarel prit la voie du haut. Bien qu'à pic, l'escalade était facilitée par les nombreuses anfractuosités du grès, par les colonies de lichen qui donnaient de bonnes prises et par les nombreux trous de boulin. Macarel arriva sur le rebord du créneau, longea le canon de bronze, sauta sur l'affût de chêne et se laissa tomber sur la plate-forme, imités par Le-Plus-Beau, Melchior, Balthazarde, sa sœur Couineuse, Gaspard et Artaban.

En formation à la queue leu leu, les sept rats se faufilèrent entre les barreaux de la grille et s'engagèrent dans l'escalier à vis. Macarel s'arrêta à chaque palier pour pousser plusieurs couinements de ralliement à l'intention des autres familles vivant dans le coffrage des doubles plafonds. Lorsqu'ils arrivèrent au rez-de-chaussée, douze nouveaux rats s'étaient joints à l'expédition, dont Mathusalem, un très vieux rat de trois ans et demi réputé dans toute la tour pour sa grande expérience et sa longue queue squameuse.

Après avoir sacrifié au rituel de bienvenue qui consistait à se renifler et à se frotter les uns contre les autres, les nouveaux arrivants se placèrent à la suite de Macarel et Mathusalem. Derrière l'ultime marche de l'escalier, dans un recoin perpétuellement plongé dans l'obscurité et qui n'avait jamais été découvert en quatre siècles, se trouvait le Trou, un surprenant chef-d'œuvre d'art murin s'il en existait.

Sur une longueur de quinze pieds et une largeur de trois pouces, la pierre et le mortier avaient été percés – plus exactement rongés – à coups d'incisives durant une période étalée sur six générations ratières (dix-huit ans). Une telle persévérance dans l'effort aurait laissé bouche bée plus d'un sapeur du génie, plus d'un mineur de fond et même plus d'une taupe. Macarel s'engouffra dans le Trou et déboucha quelques instants plus tard dans la grande cour. Remuant constamment les oreilles pour localiser le plus léger bruissement, frémissant des vibrisses pour identifier la moindre particule odorante, le gros rat noir longea la muraille qui reliait la tour du Trésor à celle de la Chapelle et trottina avec audace vers le bâtiment de l'état-major où se trouvaient les cuisines, en plein territoire ennemi.

Après la mauvaise bataille de Poitiers, durant laquelle l'un peu simplet roi Jean le Bon avait été fait prisonnier par l'Anglais, le prévôt des marchands, Étienne Marcel, avait organisé la défense de Paris en faisant construire un rempart destiné à mettre la cité à l'abri des attaques anglaises. Là où venait mourir la route de Vincennes fut percée une grande porte baptisée « porte Saint-Antoine », d'après le quartier du même nom. On l'équipa d'un pont dormant, d'une forte herse et d'un pont-levis, et on la flanqua d'une paire de hautes tours rondes de soixante-treize pieds de haut, la tour du Trésor et celle de la Chapelle.

C'est ainsi que la totalité des rats noirs de l'actuelle tour du Trésor étaient issus d'une même lignée et que leurs origines remontaient au premier couple de *rattus rattus* venu s'y installer en juin 1357, alors que celle-ci était encore en construction. Ce couple, un frère et sa sœur chassés par la surpopulation de leur nid familial de la remise de chevaux de louage de la rue des Tournelles, avait investi la cave de la tour du Trésor et s'était empressé d'y bâtir un nid pour y copuler à tout-va. Vingt et un jours plus tard étaient apparus neuf ratons rouges, glabres et aveugles qui étaient devenus en quatre mois des rats noirs, velus, myopes mais déjà capables de se reproduire. Un tel accroissement démographique, ajouté à la découverte des doubles plafonds, décida de l'occupation des cinq niveaux supérieurs. Des trous se percèrent, des failles s'agrandirent, des nids se nichèrent, et tous les trois mois des nouvelles portées tombèrent au monde et prospérèrent entre les poutres et les madriers des coffrages.

D'un naturel expansionniste, ces rats voulurent bientôt s'installer dans la tour de la Chapelle voisine, mais ils trouvèrent la place déjà occupée par une famille – originaire de la cour de la Juiverie proche – qui se défendit avec ardeur jusqu'à les forcer à battre en retraite.

L'été suivant, face à l'entrée de la tour du Trésor, le prévôt des marchands fut occis d'un coup de hache sur le crâne alors qu'il allait livrer la porte Saint-Antoine aux Anglais. Laissé sur place toute la nuit, son corps fut une aubaine pour les rats qui s'en régalèrent d'abondance, Étienne Marcel étant un bourgeois bien grassouillet.

Quatre générations ratières plus tard (douze années), Charles V le Sage, une nature inquiète, ordonna que l'on renforce toutes les défenses de Paris, et particulièrement celles de la porte Saint-Antoine. Six tours furent alors ajoutées aux deux déjà existantes et on les réunit entre elles par une épaisse muraille crénelée. L'ensemble forma un quadrilatère irrégulier que l'on entoura d'un large fossé aux talus fortifiés par une contrescarpe en pierre de taille.

Cette nouvelle place forte fut baptisée « Bastille de Saint-Antoine de Paris » et une porte Saint-Antoine toute neuve fut construite à côté. A mesure que ces nouvelles tours et ces nouvelles murailles s'élevaient, les rats du Trésor exploraient et colonisaient ces territoires qui fleuraient bon le mortier frais. Ils ne purent cependant contenir l'arrivée d'autres familles surnuméraires, originaires de la rue des Terres-Fortes, et qui se disséminèrent dans tout ce qui était inoccupé.

Commencés en avril 1370, les travaux s'achevèrent en octobre 1382. Les rats eurent alors la désobligeante surprise de voir leur tour occupée par un capitaine et vingt gardes qui s'installèrent au niveau deux et quatre, réservant le troisième à l'usage du roi afin qu'il y serre ses trophées et ses plus belles possessions. De ce temps, la tour prit le nom de Trésor.

Des bouches à feu apparurent sur les huit plates-formes. Des couleuvrines, des barils de poudre, des chaînes servant à barrer les rues en temps de troubles, des hallebardes et des piques par centaines furent entreposés dans des salles creusées dans l'épaisseur des murailles et ce fut ainsi que les rats découvrirent le goût fameux de la graisse d'armes qui protégeait les lames de fer.

On creusa un puits à margelle devant une tour et on équipa une cuisine au rez-de-chaussée. Le maître coq construisit dans la cour un poulailler et une petite porcherie en planches qui devinrent une manne alimentaire pour les rats, ceux-ci étant toujours attentifs aux transformations de leur territoire.

Dès 1400, on prit l'habitude d'enfermer les « nuisibles au roi » ; le premier fut un ermite de saint Augustin, Bernard Comté, qui avait juré de guérir l'Insensé Charles VI de sa folie et qui ne réussit qu'à lui soutirer une fortune. Démasqué, on l'enferma dans l'une des tours – qui prit son nom –, on le géhenna, on le jugea, on le condamna et on le décapita, car ainsi va la vie. De cette habitude d'accueillir des prisonniers découla la nécessité de créer un office de porte-clefs.

En 1418, les Bourguignons et les Anglais prirent Paris. Le prévôt et le jeune dauphin Charles, pas encore VII, n'eurent que le temps de se réfugier dans la Bastille puis de s'enfuir pour Bourges. Lord Bedford, le représentant du roi d'Angleterre, occupa alors l'hôtel des Tournelles, tandis qu'une forte protection de cinquante soldats s'installait dans la Bastille voisine. Débuta une période d'occupation durant laquelle les rats découvrirent le goût du cuir venant du Yorkshire et celui du poisson fumé venant de la Tamise.

En 1436, Charles, devenu VII, envoya son connétable Arthus de Bretagne reconquérir Paris et sa Bastille *(Qui prend la Bastille, prend Paris)*. Les rats contribuèrent directement à la victoire royale en dévorant les vivres de la garnison, acculant les Anglais à une rapide reddition.

Le fils de Charles VII, l'Atrabilaire et Très Méfiante Universelle Aragne, Louis le Onzième, innova en matière de sécurité carcérale avec la prison dans la prison. Pour ce faire, il passa commande à un ferronnier – un Teuton bien sûr – de trois énormes cages de fer qu'il fit placer dans la tour du sud, appelée par dérision tour de la Liberté. Chaque cage terriblement cuirassée pesait quatre mille livres (deux tonnes) et demanda un renforcement impératif du double plancher.

Durant les travaux, tous les nids de rats mis au jour dans les coffrages furent aussitôt détruits.

Ce même Louis XI, par une ordonnance de 1471, accorda aux corporations l'autorisation d'installer leurs échoppes sur les terrains extérieurs aux remparts, créant une ébauche de faubourg vers où les rats de la Bastille purent déverser leur chronique excédent démographique.

Quelque quatre-vingts ans plus tard, Henri II, le Bien Morose, ajoutait à la forteresse une redoute en pointe de flèche qu'il fit entièrement murer afin de la protéger de ce faubourg qui se développait à la vitesse du pissenlit sauvage.

Ce fut en mars 1594 que Brissac le Traître, le gouverneur de Paris, vendit la Bastille et tous ses *rattus rattus* au très compréhensif Henri de Navarre. Ce dernier lui compta la somme d'un million six cent quatre-vingt-quinze mille quatre cents livres et lui remit en supplément un bâton de maréchal de France.

Comme ses prédécesseurs, Henri IV, la Poule au Pot, utilisa la tour du Trésor comme coffre-fort royal. Il quintupla alors la garnison et exigea que trois clefs différentes – détenues par trois officiers – fussent nécessaires pour y pénétrer. Les rats ne purent que se réjouirent de cet accroissement de subsistance dans leur territoire.

Le duc de Sully, surintendant des Finances et nouveau capitaine de la Bastille, entreposa dans la chambre du quatrième niveau tout l'or épargné par son roi dans le but de financer une guerre contre la très honnie Espagne : il y eut jusqu'à cinquante millions de pistoles enfermées dans des coffres si lourds qu'il fallait se mettre à quatre pour les soulever.

Sous la régence d'Anne d'Autriche et du cardinal Mazarin, la Bastille prit de l'importance en devenant un gouvernement. Par ce fait, l'habituel capitaine acquit le titre de gouverneur et fut assisté d'un lieutenant de roi, d'un major, de cinq porte-clefs et de soixante gardes.

Après les nuisibles et les comploteurs, on y enferma les militaires indisciplinés, les duellistes impénitents, les jansénistes persécutés, les escrocs de haute volée, les prisonniers de bonne famille, les blasphémateurs récidivistes et même quelques insensés.

Pendant ce temps, des générations de gros rats noirs se succédaient dans les cachots, les calottes, les caves et les greniers, qu'ils lardaient de trous, de passages et de souterrains.

En novembre 1698, un marmiton qui tirait du vin dans la cave de la tour du Puits aperçut un vieux rat mal en point qui se traînait sur le sol en essayant de se cacher. Le gamin s'en approcha et lui donna un coup de sabot. L'animal poussa un couinement de détresse qui fit aussitôt accourir tous ceux de ses congénères qui l'entendirent. Le marmiton survécut, mais l'on dénombra soixante-dix-sept morsures sur son corps, et lorsqu'il reprit ses esprits ce fut pour dénoncer « un millier au moins de très gros rats noirs » qui l'avaient attaqué en poussant des couinements de guerre aussi perçants que des épingles.

Un tel attentat émut la garnison et le gouverneur n'hésita pas à déclarer la guerre à la gent murine de la Bastille. On fit d'abord la chasse aux trous, aux fissures, aux crevasses et on les colmata. Des appâts empoisonnés, des pièges à ressort et des nasses à bascule furent disposés partout, tandis que le maître coq se procurait trois chats adultes et les lâchait, à jeun, dans la forteresse. Les résultats furent mitigés, sinon décevants : deux chats moururent d'avoir avalé des têtes de poisson à l'arsenic destinées à l'ennemi, et le troisième disparut on ne sut jamais dire où. Quant aux pièges, ils n'emprison-nèrent chaque mois qu'une petite quantité de jeunes rats, une dizaine au mieux et toujours les plus couillons.

La prospère et paisible existence des rats noirs de la Bastille aurait pu se perpétuer indéfiniment si, en 1750, des hordes ratiboiseuses de rats gris, *rattus norvegicus*, n'avaient envahi l'Europe avec des inten-tions exterminatrices envers tout ce qui n'était pas de leur race.

Contrairement aux rats noirs – originaires des Indes et qui étaient arrivés par petits groupes dans les basques des croisés de l'an mille –, les rats gris – natifs des bords de la Caspienne – avaient déferlé par centaines de milliers. Même si les conditions de cette invasion demeurent obscures, on sait cependant que les premiers couinements du Départ furent lancés au printemps 1719 par un roi-de-rats de sept individus, déterminés à aller jusqu'au bout de leurs extraordinaires rêves de conquête.

Partis des contreforts du mont Atachkia, les rats gris déferlèrent sur Bakou et ses entrepôts à grains, créant une panique inégalée à ce jour dans la population qui prit la fuite. Puis les Gris pillèrent Tiflis avec autant d'efficacité que Tamerlan trois siècles plus tôt, les viols en moins. A l'automne, ils atteignirent le port de Batoum, sur la mer Noire, et là, après avoir génocidé l'entière colonie de rats noirs qui s'y trouvait, le roi-de-rats présidant aux destinées de l'entière nation décida d'y passer l'hiver et d'y refaire ses troupes.

La présence de ce roi-de-rats à cinq cents lieues de son nid d'origine pourrait paraître fabuleuse si elle n'était attestée par le témoignage *de visu* du capitaine de frégate José Gaspardo de Rastapoli, en escale à Batoum cet hiver, et qui en a fait un croquis explicite. Ce roi-de-rats d'un âge incertain se présentait comme sept *rattus norvegicus* disposés en étoile autour d'un gros nœud fait de leurs sept queues entortillées telle une chevelure de Méduse.

Le secret total régnait sur les circonstances de sa formation. On savait seulement que, un jour donné, sept rats de clans différents avaient décidé de se réunir par la queue et pour la vie. Dans l'incapacité de se déplacer, ces sept individus dépendaient entièrement de leurs sujets qui les nourrissaient et veillaient avec zèle sur leur sécurité. Là encore, le secret le plus obscur planait sur la façon dont ce conseil transmettait ses ordres. Pour entendre ce mystère, il fallait considérer l'ensemble de ces rats comme un seul individu dont les cellules, contrairement aux nôtres, ne seraient plus agglomérées mais dissociées, extériorisées, tout en demeurant soumises à la même loi centrale que représentaient les sept individus. Le génie de ces derniers était d'avoir compris le principe de l'invincibilité du nombre et de l'avoir mis en pratique.

Le jour du départ du mont Atachkia, le roi-de-rats s'était placé sur une litière faite de morceaux de jute collés et empilés les uns sur les autres. Des milliers de sujets s'étaient alors relayés, poussant, tirant, soulevant, couinant, peinant, souffrant des mois durant, faisant parfois jusqu'à trois lieues par jour en terrain plat.

Les Gris avaient profité de leur séjour hivernal dans Batoum pour augmenter leur population de plus de cent mille ratons. Au printemps 1720, l'invasion reprit, cap plein ouest. Le Don traversé à la nage, les envahisseurs ravagèrent la région qui s'étendait jusqu'au Dniepr et passèrent l'hiver dans Kiev.

A nouveau, la présence du roi-de-rats dans la mère de toutes les villes de Russie fut confirmée par le récit de l'abbé Nestor Bobinsky du couvent de la Lavra, le couvent le plus vénéré de Russie. Grâce à son témoignage, nous savons que les sept rats du roi-de-rats, âgés de presque quatre ans, avaient élu domicile dans une grotte creusée à la main par un ermite opiniâtre du IXe siècle.

Aux beaux jours revenus, les Gris reprirent leur route, forts de leurs expériences, plus déterminés que jamais. Ils dévastèrent le sud du royaume de Pologne, puis la Moldavie, puis la Valachie et la Transylvanie, dévorant tout sur leur passage, semant une franche terreur, vidant les villages de leurs habitants, anéantissant les récoltes, déclenchant des famines dans les campagnes ravagées.

Les premiers *norvegicus* à se présenter aux frontières de la France en 1750 étaient de la dixième génération depuis le Départ. Ils se répandirent dans le royaume en livrant une guerre impitoyable à tous les Noirs.

D'un point de vue militaire, le Gris était supérieur au Noir. Il était un peu plus gros, un peu plus fort, un peu plus féroce, il était aussi un peu plus fertile et pouvait se reproduire dès l'âge de trois mois, le Noir devant attendre un mois de plus. Le seul avantage dont disposait le Noir était sa capacité à se dispenser d'eau, un élément vital pour le Gris.

Quand la Bastille fut investie par les Gris en août 1752, ils se heurtèrent à une solide résistance qu'ils ne purent jamais réduire. Aussi se contentèrent-ils d'occuper les fossés et les culs-de-basse-fosse, tandis que les Noirs restèrent maîtres des tours, des calottes et des hauteurs en général.

Ainsi non seulement les *rattus rattus* résistèrent aux *rattus norvegicus*, mais il leur arrivait de lancer, pour le plaisir, des expéditions meurtrières en territoire ennemi. Cet état guerroyant perdurait à la Bastille depuis trente ans.

Ils étaient quatre Gris à patrouiller aux abords des cuisines. Quatre frères mâles de la même portée, issus du clan de la cave-cachot de la tour du Puits. Oreilles dressées, vibrisses en alerte, ils trottinaient en laissant leur queue épaisse traîner sur les pavés. Leur vision des détails étant médiocre, ils compensaient par une subtilité d'odorat qui fonctionnait mieux qu'une seconde vue. A la seule odeur, ils savaient reconnaître le sexe, l'âge, l'identité, la condition reproductrice d'un autre rat. Aussi, quand Mathusalem apparut à l'autre bout de la cour et qu'ils captèrent son sentiment, ils surent aussitôt qu'il s'agissait d'un vieux Noir âgé d'au moins trois ans, en bonne santé mais qui boitait et peut-être était aveugle.

Les quatre Gris s'immobilisèrent, la bouche salivant, le cœur s'accélérant à l'idée de manger un intrus. Le vieux rat, inconscient de leur présence, continuait d'avancer vers eux en boquillant comme s'il était blessé à l'arrière-train. Les Gris attaquèrent lorsqu'il fut assez près pour qu'ils distinguent ses grandes oreilles roses balafrées et son vieux pelage. Soudain, avec une étonnante vélocité, Mathusalem fit demi-tour et détala vers le puits sur sa droite, comme pour chercher refuge derrière.

Les quatre Gris se précipitèrent. Ils étaient sur le point de rattraper leur proie lorsque Macarel et sa bande en embuscade derrière le puits leur sautèrent dessus, sans leur laisser l'occasion de pousser un couinement d'appel. Avant de mourir, les quatre Gris purent vérifier que Mathusalem ne boitait pas, qu'il n'était pas aveugle et que ses incisives étaient des plus effilées.

Chapitre 32

Heureux celui qui n'attend rien parce qu'il n'aura rien d'autre.

Tour du Trésor, château royal de la Bastille, 1ᵉʳ décembre 1782.

Sept heures : déjeuner.

Monsieur le capitaine des portes Jean Jasmin engagea le panneton dans la première serrure et actionna trois fois le mécanisme, *tchlak clac clac*. Il prit une nouvelle clef et l'engagea dans la deuxième serrure, *tchlak clac clac*. Il prit une troisième clef et, *tchlak clac clac*, ouvrit la troisième serrure. Il tira ensuite le gros verrou du bas, puis le gros verrou du haut et poussa enfin la porte ferrée qui pivota silencieusement sur ses gonds bien graissés. Le porte-clefs Roubignol suivait derrière, les bras chargés de bûches.

Jasmin déposa sur la table un déjeuner catégorie « table du gouverneur » qui consistait en un pot de chocolat fumant, un pain blanc d'une livre coupé en tranches, une assiette de confiture de figues et une assiette de cochonnailles. Il battit son briquet et alluma les bougies. La chambre quitta l'obscurité et Charlemagne, qui faisait semblant de dormir, fit semblant de s'éveiller. Repoussant ses couvertures, il chaussa ses chaussons et passa la robe de chambre fourrée de peau de lapin que lui avait offert aux premiers frimas le magasin de l'habillement, un organisme intérieur soucieux du confort vestimentaire des prisonniers du roi.

Dehors, la cloche du chemin de ronde délivra ses cinq coups habituels. Les invalides de faction aux remparts signalaient ainsi, de quart d'heure en quart d'heure, au gouverneur et au lieutenant de roi qu'ils ne dormaient pas et que tout allait bien.

Pendant que le porte-clefs nettoyait les cendres dans la cheminée, Jasmin commença son inspection hebdomadaire. Avec sa plus grosse clef, il tapa sur les barreaux des deux fenêtres, *tinc tinc tinc*, se fiant à son oreille pour déceler ceux qui auraient été limés (il aurait alors entendu *tunk tunk tunk*). Il fit un rapide tour de chambre en promenant sa lanterne le long du mur mais sans regarder derrière les tapisseries. Tout en mastiquant une bouchée de jambon à l'os, Charlemagne le vit se courber pour entrer dans la cheminée et contrôler *(tinc tinc tinc)* les gros barreaux qui fermaient le conduit.

De son côté, Roubignol vérifia le niveau d'eau dans la fontaine, s'étonnant de la trouver déjà vide. Qu'est-ce qu'un prisonnier qui ne se lavait jamais pouvait faire de vingt pintes d'eau quotidiennes ?

— Y en a plus, j'vas en chercher, grommela-t-il à l'intention de son chef qui s'intéressait au secrétaire et à la lettre posée dessus.

La mine accablée, Roubignol sortit en traînant ses sabots. Toutes ces allées et venues entre les cuisines et les tours l'épuisaient. Il allait devoir descendre trois étages, ouvrir et fermer trois grilles et deux portes, il allait devoir tirer un seau d'eau au puits dans la cour, revenir à la tour, regrimper les trois étages, rouvrir et refermer les deux portes et les trois grilles. Ah la la, quel métier !

Jasmin approcha sa lanterne et lut la lettre en remuant les lèvres, tandis que Charlemagne continuait à croustiller sans se formaliser. Il avait l'autorisation d'écrire de monsieur le lieutenant général de police Le Noir, mais, en échange de papier et d'encre à volonté, il devait soumettre chacun de ses écrits au lieutenant de roi de Saint-Sauveur. Pour sa correspondance avec l'extérieur, il était limité à une lettre par trimestre, adressée à sa famille uniquement. La lettre que lisait le chef des porte-clefs était sa quatrième, bien qu'il n'ait toujours pas reçu de réponse aux trois autres.

Charlemagne recouvrait de confiture de figues une tartine de pain lorsqu'un gros rat noir aux oreilles roses tomba d'une poutre du plafond sur son épaule et planta ses griffes dans le molletonnage de la robe de chambre pour ne pas glisser.

— Ah, Macarel ! Tu zais bien que ze n'aime pas za !

Macarel se dressa sur ses pattes arrière et agita ses longues vibrisses en direction des tartines. C'était vraiment un très gros rat, long de dix pouces et qui pesait sa demi-livre. Né en juin, adulte depuis septembre, il était déjà père d'une portée de neuf qui s'épanouissait quelque part dans le coffrage du double plafond.

Charlemagne lui offrit un morceau de pain qu'il grignota sans en perdre une miette. Comme à un signal donné, six autres rats se laissèrent tomber du plafond sur le lit, sautèrent sur le tapis et grimpèrent après sa robe de chambre pour venir s'attrouper autour du plateau. Charlemagne fit descendre Macarel le long de la manche pour qu'il rejoigne ses frères et sœurs, puis il partagea une tartine en sept parts et les leur distribua. Il vit alors qu'Artaban était blessé au museau et que plusieurs touffes de poils manquaient sur son flanc. Il l'avait baptisé Artaban en référence au quatrième roi mage qui avait perdu l'étoile en chemin et qui n'avait jamais trouvé Bethléem. Artaban était le moins doué des sept et le plus maladroit. Sans Charlemagne, la sélection naturelle l'aurait éliminé depuis belle lurette.

Jasmin prit un air dégoûté à la vue de toute cette rataille. Adécertes, le règlement tolérait la présence d'animaux de compagnie, mais pouvait-on accoler ce qualificatif à de pareilles créatures ?

Sur les onze prisonniers présentement hébergés, six avaient la permission d'entretenir des petits commensaux. La première de la Berthaudière possédait un petit chien poilu, la troisième de la Bazinière avait un écureuil roux comme un Anglais trouvé dans les jardins du Bastion, la première de la Liberté entretenait dans une cage un merle siffleur qui sifflait *J'ai du bon tabac* à la perfection, et la troisième du Coin avait eu un chat jusqu'à ce qu'il disparaisse l'été précédent. La quatrième du Puits avait gardé une grande chienne jusqu'au jour où l'on s'était rendu compte qu'il en usait comme d'une femme. Seule la première du Trésor élevait des rats, bien que la Bastille en fût infestée du plus haut de ses calottes au plus profond de ses cachots.

Pour des raisons encore ignorées, Dieu avait voulu que cette insupportable engeance reçoive le privilège de pouvoir se multiplier à l'infini. Leurs nids pullulaient dans les fossés, dans les soupentes, dans tous les plafonds et dans tous les planchers. D'après Émilien Dagorne, le maître coq qui avait reçu du gouverneur la charge de leur éradication, deux races bien distinctes se partageaient la forteresse. La race des Noirs occupait les hauts et celle des Gris occupait les bas. Le cuisinier assurait qu'ils se faisaient périodiquement la guerre au niveau des rez-de-chaussée et qu'ils savaient faire preuve d'une réelle sauvagerie dans leur comportement. « J'avais des chats, des gros même, eh bien ils me les ont tous occis. Ces maudites bêtes attaquent à plusieurs centaines à la fois. Oh, je sais qu'il faut l'avoir œillé soi-même pour y croire, mais c'est pourtant bien ainsi ici, sans jactance. » Il luttait désormais en disposant çà et là des têtes de poisson truffées de mort-aux-rats, en armant des nasses appâtées aux succulents lardons. Les résultats étaient médiocres.

La cloche du poste de garde retentit, signalant à tous qu'un quart d'heure venait de s'écouler.

Charlemagne brisa une autre tartine en sept et fit une nouvelle distribution. Remarquant l'attention du chef des porte-clefs, il lui présenta ses petits compagnons.

– Zelui-là, z'est Macarel, un vrai maraudeur, zelui-là z'est Le-Plus-Beau évidemment, et zelui-là z'est Melchior... Là-bas, z'est Balthazarde et là-devant z'est za zœur la Couineuse, et là z'est Artaban, un vrai couillon, et là z'est Gazpard.

Jasmin reposa la lettre sur le bureau. Il trouvait malséant de distribuer les prénoms de si bons chrétiens à d'aussi repoussantes bestioles et il se promit d'en parler avec monsieur le lieutenant de Saint-Sauveur, et aussi avec monsieur le chapelain François d'Ergossien-Dupré. Le capitaine des portes n'avait aucune sympathie pour le prisonnier de la première du Trésor et le rapport journalier qu'il devait au lieutenant de Saint-Sauveur reflétait cette antipathie. « Il faut s'en défier, monsieur, c'est une jeune tête ingouvernable qui trouve son séjour bien trop long et s'échauffe la bile avec ça... »

Des bruits de sabots dans l'escalier firent s'enfuir les rats sous le lit, sous l'armoire, sous la commode, sous le canapé. Lucien Roubignol entra, essoufflé, un seau d'eau de dix pintes dans chaque main. Il remplit la fontaine puis il vérifia le contenu de la chaise percée. C'était un beau vase de porcelaine bleue originaire de Chine, fendu sur tout un côté et dont il manquait l'anse : il était plein.

Roubignol soupira. Cela faisait deux ans qu'il était porte-clefs, et, doux Jésus, il lui arrivait certains jours de regretter son choix. Un choix imposé par sa bonne tante Marguerite, l'ancienne maman-tétons de Mlle de Launey, qui l'avait recommandé auprès de monsieur le gouverneur lorsque celui-ci avait eu besoin d'un geôlier. Sa tante s'était bien gardée de lui expliquer que le métier consistait avant tout à être le domestique des prisonniers. Seule la paye était bonne : cinquante sols par jour, logé, nourri ; en contrepartie, il avait juré sur la Bible de conserver le secret absolu sur tout ce qu'il verrait ou entendrait *intra muros*.

– Prévenez monzieur le lieutenant de roi que ma lettre est prête, dit Charlemagne aux porte-clefs qui s'en allaient.

Sans répondre, ceux-ci sortirent et refermèrent la porte, *tchlak clac clac.*

Les rats réapparurent, Macarel le plus hardi en premier, Artaban en dernier.

Son déjeuner terminé, Charlemagne quitta sa robe de chambre, souffla les bougies et se recoucha avec un vrai soupir de satisfaction. Il avait creusé toute la soirée et toute la nuit et il était épuisé : il était aussi content d'avoir enfin atteint le blocage qui remplissait l'intérieur des murailles et dont il avait appris l'existence dans le chapitre « Maçon et construction » du neuvième volume de l'*Encyclopédie.*

D'après les observations effectuées durant ses promenades, il avait estimé à douze pieds la largeur de son mur (3 mètres 84) : le parement interne de moellons mesurait quatre pieds, le blocage quatre pieds et le parement externe quatre pieds itou. Percer une issue au travers d'une telle épaisseur était digne de la Grande Fatigue bagnarde ou encore des douze travaux d'Hercule.

Charlemagne avait patienté trois interminables mois avant d'admettre qu'il ne serait pas libéré aussi vite qu'on le lui avait laissé entendre : le pire était que personne ne répondait à ses questions et encore moins à ses lettres. Aussi, dans la soirée de la Saint-Gontran (28 mars), il avait décidé de s'en aller.

Pour avoir remarqué sur le chemin de ronde une sortie de cheminée voisine de la sienne, il en avait déduit l'existence d'une pièce reliant la tour du Trésor à la tour de la Comté. Lors de sa promenade quotidienne dans les jardins du Bastion, il avait pu voir sur la façade deux fenêtres à auvent, espacées l'une de l'autre, et qui confirmaient la présence d'une grande salle dans la muraille. L'étape suivante avait été de choisir le bon endroit où commencer son trou. Après s'être orienté dos à la porte, il s'était décidé pour le coin droit de la cheminée. Les énormes moellons posés en quinconce mesuraient deux pieds six pouces de long (80 centimètres), un pied huit pouces de large (53 centimètres), un pied de haut (32 centimètres), pour environ cent livres de poids (60 kilogrammes). Ouh la la la la ! Seul avantage, le mortier qui liait les moellons semblait avoir été considérablement altéré par les siècles, en revanche, le grès demeurait aussi coriace qu'à sa sortie de carrière.

Au début, Charlemagne avait gratté l'amalgame de chaux, de sable et d'eau avec l'ardillon de sa ceinture, mais vite il avait dû se servir d'outils plus performants. Après avoir dévissé la serrure du secrétaire, il avait ôté les deux longs pênes métalliques qui servaient à verrouiller le cylindre et il les avait ensuite repassés sur une dalle pour obtenir du taillant.

Œuvrant de huit heures du soir à six heures du matin, soufflant de l'eau pour attendrir le mortier, il avait réussi à desceller son premier moellon durant la nuit de la Sainte-Blandine (2 juin), soit soixante-dix-sept nuits après le premier coup d'ardillon. Ce succès démontra avec éclat qu'il était possible de passer au travers de cette muraille. Très stimulé, il s'était acharné de la Sainte-Clotilde (3 juin) à la Transfiguration (6 août), soit soixante-quatre nuits, avant de venir à bout du deuxième moellon. A partir de là, il dut creuser allongé, les bras tendus, quasiment étouffé par la poussière, répétant les mêmes gestes des milliers de fois, rythmant ses coups en chantonnant des rengaines qui remontaient de sa haute enfance, cette époque sanctifiée où il n'avait jamais été seul, ni jamais malheureux.

> Rat rat rat à la queue trop longue
> Chat chat chat te la coupe rat
> Rat rat rat aux oreilles trop longues
> Chat chat chat te les raccourci rat
> Rat rat rat aux dents trop longues
> Chat chat chat te les brise rat
> Rat rat rat aux moustaches trop longues
> Chat chat chat te les tranche rat.

Pour connaître l'heure, il se fiait à la cloche du chemin de ronde sonnant tous les quarts d'heure. Ce qu'il appréhendait par-dessus tout était une inspection nocturne du détestable lieutenant de Saint-Sauveur, coutumier de ce genre de surprise.

L'une des corvées les plus contraignantes étant de retirer les moellons chaque soir pour les replacer chaque matin avant l'arrivée des porte-clefs, Charlemagne les avait réduits de moitié, éclat après éclat, utilisant comme burin l'un des goujons de l'armoire et comme massette l'un des pavés du foyer.

Il avait descellé trois dalles près de l'entrée, défoncé le revêtement et mis au jour le double plancher et son coffrage pour y cacher les débris. Ce faisant, il avait découvert plusieurs nids de rats entre les solives séculaires et les vieilles toiles d'araignée : certains étaient abandonnés, d'autres étaient toujours occupés par des femelles agressives qui protégeaient des portées de ratons couineurs et gigoteurs, roses et aveugles comme des petites saucisses.

Une fois les moellons remis en place, Charlemagne reconstituait le mortier dans les interstices avec de la mie de pain mêlée à de la cendre. C'était du joli travail, et, à ce jour, on ne s'était rendu compte de pouic.

Chapitre 33

L'état de réflexion est un état contre nature et
l'homme qui médite est un animal dépravé.

Jean-Jacques Rousseau

Onze heures : dîner.

Le premier *tchlak clac clac* fit sursauter Charlemagne qui se leva
d'un bond et enfila sa robe de chambre : il ne voulait surtout pas être
vu endormi si tard.

Lucien Roubignol entra avec un dîner catégorie « table du gouverneur » : potage de poule, tranche de bœuf frite, cuisse de chapon
bouillie ruisselante de graisse, plat de cœurs d'artichaut frits en mari-
nade, plat d'épinards ; il y avait aussi une livre de pain blanc, quatre
oranges du Portugal, une bouteille de bourgogne et un pot de café
moka. Le porte-clefs débarrassa la table des restes du déjeuner et
déposa le plateau du dîner. Il fit la moue en découvrant Mathusalem,
sur la commode en train de se nettoyer les yeux et les narines avec
ses pattes enduites de salive.

– C'est encore froid, rouspéta Charlemagne en trempant son doigt
dans le potage.

Roubignol prit un air fataliste. Chaque jour, c'était le même
refrain. Qu'y pouvait-il si les plats étaient déjà tièdes lorsqu'il en
prenait livraison aux cuisines ? L'air froid dans la grande cour et dans
la cage d'escalier faisait le reste. Il bâtit un feu dans la cheminée et
posa le pot de moka entre les trois pavés qui servaient de foyer. Il
remarqua les crottes et les nombreuses empreintes de rats dans la
poussière, et comme d'habitude il ne sut qu'en penser. Le rat n'était-
il pas le meilleur ennemi des hommes, n'était-il pas synonyme
de peste, d'impureté, de démon poilu ? Aussi loin que Roubignol

fouillait dans sa mémoire, il n'avait jamais entendu un mot en leur faveur ; en revanche, il savait que si durée de possession donnait droit, ces rats étaient les habitants légaux de la Bastille, à coup sûr. Le plus surprenant était de constater qu'il était possible de les apprivoiser, et même de les dresser. Il avait vu de ses yeux le prisonnier leur enseigner à rapporter les objets qu'il leur lançait à l'autre bout de la chambre.

Sans que personne n'ait soupçonné son approche, le lieutenant de Saint-Sauveur entra dans la chambre.

— Hé ! vous êtes en avanze, ze commenze à peine, lui dit Charlemagne en montrant ses plats intacts.

Il était autorisé à se promener une heure chaque jour, après le repas, et il était accompagné du lieutenant de roi, ou du chef des porte-clefs, ou, le plus souvent, d'un bas-officier de la garnison.

Sans répondre, Saint-Sauveur prit la lettre sur le secrétaire et la lut :

Bien serré dans ma prison, ce 30 novembre.
Demain fera un an que je suis enfermé et pourtant on m'avait assuré que ce serait pour un mois seulement.
J'ignore combien de temps encore le Roi veut me garder ici. Peut-être qu'il m'a oublié, comme tous ces Grands qui m'ont si bien embabouiné avec leur mobilier et leurs promesses d'intervenir.
En vrai de vrai, le pire du pire c'est encore d'avoir découvert que mes lettres n'ont jamais été expédiées et que c'est pour ça bien sûr que vous ne m'avez jamais répondu.
C'est tout pour cette fois et adieu jusqu'au revoir.

Le lieutenant de roi agita la lettre en direction de son auteur.

— De quelle découverte s'agit-il, monsieur ?

— Z'est écrit, non ?

— Comment avez-vous fait cette découverte ?

Charlemagne soupira si fort que des vagues se formèrent sur sa soupe.

— Z'est tout ze que z'ai trouvé comme traquenard pour zavoir zi vous expédiez mes lettres. Z'ai penzé que vous zeriez azez nigaud pour tomber dedans. Z'est fait et z'est bien fait.

Pris au débotté, Saint-Sauveur resta coi en regardant le prisonnier qui s'était remis à bâfrer. Il se sentit humilié et déçu d'être tombé dans un piège aussi enfantin. Il fouilla le secrétaire et regroupa tout ce qui était papier et ustensiles à écriture.

— Je confisque tout, monsieur. Désormais, il vous est interdit d'écrire. Vous pourrez ainsi méditer sur les avantages et les désavantages de votre attitude.

— Vous n'avez pas le droit !

Charlemagne s'était dressé sur son siège et menaçait le lieutenant avec sa cuillère.

— Ze n'ai rien fait de mal, moi ! Z'est vous le triste malfaisant qui n'avez pas envoyé mes lettres et ze vais me plaindre bien haut chez monzieur le gouverneur, voilà ze que ze vais faire... Et z'irai auzi auprès de monzieur le lieutenant zénéral... de qui ze tiens l'autorisation d'écrire, ze vous le remets en caboche.

Guère impressionné, Saint-Sauveur se dirigea vers la commode quand – « Oh, mon Dieu ! » – il vit un horrible gros vieux rat aux oreilles balafrées d'encoches et au poil noir pelé par l'âge sur le dos et les flancs. D'un coup de canne sur le marbre, il mit Mathusalem en fuite, puis il fouilla dans les tiroirs sans rien trouver d'autre que des vêtements rangés en foutoir. Passant près de la cheminée, il donna un autre coup de canne sur le pot de café qui se renversa.

— Oh, quel dommage ! murmura-t-il en sortant de la chambre.

— Y en a plus, dit Roubignol en récupérant le pot tombé dans le feu.

— Alors, allez m'en prendre un autre.

— J'y vas, monsieur... Mais la cuisine va vous le compter en supplément.

Il allait sortir quand Charlemagne le rappela.

— Attendez, venez d'abord couper ma viande.

Le règlement interdisant la possession d'un couteau, ou même d'une fourchette, c'étaient les porte-clefs qui coupaient la viande à leurs prisonniers.

Une demi-heure plus tard, Roubignol revint avec un nouveau pot de moka. Il était suivi du brigadier invalide Mathieu Latrombe. Latrombe était un Ruthénois enrôlé de force le jour de ses vingt ans dans le régiment Royal-Guyenne. Il avait été grièvement blessé aux poumons par un lancier prussien durant la défaite de Todtenhausen en 1759. Ses douze années suivantes s'étaient passées dans l'hôtel royal des Invalides à redouter les quintes de toux. Afin de tromper l'ennui d'une existence qui avait perdu toutes ses épices, il s'était porté volontaire pour la garde à la Bastille. A part la mauvaise humidité régnante, il ne regrettait pas son engagement. Logé dans la caserne de la cour du Passage, à l'extérieur des murs, on lui avait donné un uniforme des gardes-françaises, un fusil modèle 77, un briquet et une baïonnette. Il était nourri trois fois par jour et le gouverneur lui versait dix sols quotidiens.

— Saint-Sauveur me paraît bien remonté contre toi, mon gars.

— Z'est moi qui zuis remonté contre lui. Il a pris tout mon papier et toutes mes plumes, et en plus, ze zais maintenant pour de bon qu'il n'a zamais envoyé mes lettres !

Charlemagne montra au garde le canapé devant la cheminée et l'invita à y prendre place.

— Buvez donc un café avec moi, za me fait plaisir d'être avec un pays.

Latrombe rapprocha le siège du feu et se laissa tomber dessus avec un soupir de satisfaction. Ses poumons fragiles l'obligeaient à porter sous son uniforme trois chemises et une large ceinture de flanelle qui lui donnaient cet air engoncé.

Roubignol réunissait les plats et les assiettes sur le plateau en appréhendant le retour subit du lieutenant de roi. Il refusa d'un geste le café que Charlemagne lui offrait : le règlement était formel, il était *strictement* interdit de recevoir *quoi que ce soit* d'un prisonnier. L'invalide prenait le risque de se faire licencier sur-le-champ si le lieutenant venait à le surprendre.

Le café bu, Charlemagne revêtit l'habit brun à revers verts qu'il portait lors de son arrivée, il chaussa ses bottes à treize plis, se coiffa de son tricorne noir et suivit le porte-clefs sur le palier. Puis il poussa plusieurs couinements qui firent surgir huit gros rats noirs, dont un très ancien.

— Venez, mes amis, venez vous promener avec nous.

Latrombe s'engagea dans l'escalier.

— Aïe, aïe, boudiou ! Pourvu que le cuisinier ne nous voie pas, il en aurait la colique sifflante le malheureux... lui qui se donne tant de mal pour les ratiboiser.

— Il n'y arrivera zamais. Ils zont bien trop malins, zurtout les miens.

Le garde déverrouilla la grille qui barrait l'accès à la plate-forme et s'effaça pour laisser passer le prisonnier et ses rats. Se retrouver à l'air libre avec les nuages pour seul plafond et une vue dominante sur le bastion, les fossés et tout le quartier Saint-Antoine apaisa Charlemagne. Il respira l'air froid à pleins poumons, heureux de sentir le vent dans ses cheveux sales et sur ses joues pâles. Il n'y avait jamais de vent dans sa cellule, même pas un courant d'air, et cela lui manquait. Il aperçut le gouverneur qui se promenait dans les jardins du Bastion, accompagné de deux paysans en sabots, le chapeau à la main.

Les rats trottinèrent vers le canon de bronze et Charlemagne vit qu'une tête de poule avait été déposée en évidence sur l'affût. Mathusalem et Macarel s'en approchèrent et tournèrent autour de l'appât en le reniflant : les autres restèrent en retrait et les regardèrent faire.

– Ze ne zais pas comment ils font, mais la plupart du temps ils peuvent deviner z'il y a du poison ou pas.

Latrombe fut surpris de voir le vieux rat tourner le dos à la tête de poule et déposer dessus quelques crottes bien senties.

– Voilà, z'est comme za qu'il avertit tous les autres qu'elle est mauvaise.

– Boudiou, boudiou, c'est bien la première fois que je vois un rat caguer, s'ébaudit l'invalide sur un ton criant de vérité.

Sur les onze prisonniers présentement embastillés, quatre avaient droit à la promenade simple, qui consistait à tourner en rectangle dans la grande cour durant une heure chaque après-midi. Trois recommandés bénéficiaient de la promenade extraordinaire qui commençait sur les plates-formes, s'étendait jusqu'aux jardins du Bastion et durait une heure et demie.

La promenade de Charlemagne consistait à parcourir en entier le chemin de ronde qui desservait les huit tours, à descendre dans la grande cour par l'escalier de la Comté et à gagner les jardins du Bastion en suivant le second chemin de ronde qui longeait la contrescarpe du fossé. Un règlement contraignant régissait ce privilège : il était interdit de courir, il était interdit de toucher ou de ramasser quoi que ce soit, il était interdit de parler, il était interdit d'entrer en contact par gestes avec un habitant du quartier, il était interdit de stationner plus de dix minutes au même endroit, etc.

Voyant les rats se faufiler dans la direction opposée, Charlemagne couina à plusieurs reprises. Les bestioles firent aussitôt demi-tour et Charlemagne les en remercia avec plusieurs bouts de pain qu'il tira de sa poche. Latrombe mit le fusil à l'épaule et suivit son prisonnier en restant à cinq pas derrière. Une autre tête, de coq, attendait au pied du canon de la tour du Coin (dénommée ainsi d'après sa situation, au coin de la porte Saint-Antoine). Les rats agirent de la même façon, seulement cette fois ce fut Macarel qui crotta.

Arrivé sur la plate-forme de la tour du Puits, face à la jonction du boulevard Saint-Antoine et de la rue du même nom, Charlemagne prit un gros risque en disant tout d'un coup :

— Les miens ne savent touzours pas que ze zuis embaztillé depuis un an maintenant... et ze ne connais que vous, izi, pour me faire l'amabilité de les prévenir.

Il parlait en tournant le dos au garde, faisant mine d'admirer le va-et-vient de la circulation sur le boulevard. Il avait une vue d'oiseau sur l'octroi de la porte Saint-Antoine et sur le haut mur de la contrescarpe entourant la Bastille qu'il aurait à franchir la nuit où il s'évaderait. Des groupes de quatre invalides patrouillaient nuit et jour les chemins de ronde.

— Ils habitent à Racleterre-en-Rouergue et ils z'appellent Tricotin, comme moi... Z'est fazile à ze rappeler pour quelqu'un de Rodez, non ?

— Mon gars, quand j'ai pris mon service il y a de c'la dix ans, le capitaine des portes c'était le vieux Bellot qu'était porte-clefs depuis trente et un ans et qui devait prendre sa retraite incessamment sous peu. Et v'là-t'il pas qu'un jour il accepte de délivrer la lettre d'un prisonnier dans Paris ! Ça s'est aussitôt su, et Bellot, ils l'ont encachoté un mois dans la calotte de la Berthaudière et ensuite, quand ils l'en ont sorti, il avait perdu son poste et son droit à la retraite. C'est beaucoup, hein, juste pour une lettre ?

— Mais zi vous l'écrivez au-dehors de la Bastille et que vous l'envoyez, perzonne ne peut le zavoir.

Ils en restèrent là et Charlemagne reprit sa promenade.

Dans la cour du Puits, un garçonnet tirait de l'eau avec effort tandis que des poules picoraient les pavés. Des pigeons du gouverneur étaient perchés en rang sur le toit du bâtiment de l'état-major, chassés par les poules chaque fois qu'ils prétendaient se poser sur leur territoire.

Charlemagne marcha jusqu'à la tour de la Liberté et resta un moment à observer les gens qui circulaient. En se penchant, il pouvait voir le premier poste de garde et la cour du Passage avec le long bâtiment servant d'arsenal et de caserne à la garnison. Il aurait pu lester une lettre avec un caillou et la lancer facilement dans la rue, mais si la personne qui la ramassait allait la remettre aux gardes, les représailles seraient immédiates ; peut-être même le changerait-on de tour, ce qui serait une terrible catastrophe.

Ne voulant pas se laisser refroidir par la bise qui balayait les remparts, Latrombe faisait les cent pas en attendant que son prisonnier reprenne sa promenade. Son service se terminait en fin de relevée et il comptait passer sa soirée au Palais-Royal, chez la Bousquette, une sentinelle de l'amour tout fait native de Villefranche-de-Rouergue et avec qui il avait ses habitudes. Il aimait, entre autres, qu'elle le mène à l'acmé en lui parlant patois, après ils mangeaient des tripoux en buvant du vin de Routaboul, ou de Marcillac, selon les arrivages.

Charlemagne dépassa la tour de la Berthaudière, qui devait son nom au maçon Berthaud mort en tombant d'un échafaudage lors de la construction, et s'arrêta près du conduit de cheminée d'où montait une musique triste comme un marcassin égaré de sa compagnie. C'était l'ex-vice-consul Valéry Dargent qui aimait jouer du violon après dîner. Picard né à Amiens, il était arrivé à Paris deux ans plus tôt et avait utilisé son don de dessinateur pour fabriquer une action de l'emprunt Necker. Il en avait commandé ensuite cinq mille à un imprimeur à qui il avait montré pour le convaincre un bon à tirer signé de monsieur le directeur général des Finances Necker.

Comme tout bon escroc, Dargent aimait le jeu, les actrices et la vie de patachon : trois activités dispendieuses qui l'avaient amené à commander cinq mille nouvelles actions. L'année 1780 fut pour l'indélicat une année de rêve : un hôtel particulier rue Saint-Honoré, une maison de vingt domestiques, une écurie à trois carrosses et seize chevaux, et, plus ruineux encore, la célèbre Colombe du Théâtre-Italien pour unique maîtresse. Lorsque l'argent vint à manquer, Dargent commanda dix mille actions Necker et les écoula imprudemment en un temps record, provoquant un début de panique qui secoua la place boursière tel un prunier en été. Quelques jours plus tard, dénoncé par son cocher, les exempts du lieutenant général Le Noir l'arrêtèrent dans son hôtel, l'embastillèrent et le questionnèrent. Après un procès expéditif, il fut condamné par le Parlement à être pendu tel un vulgaire domestique briconneur de mouchoir. Au mois d'avril, sa famille de bourgeois picards s'était présentée à Versailles en vêtements de deuil pour implorer sa grâce. Louis, dans sa belle clémence, avait commué la peine de mort en détention perpétuelle et, depuis, Dargent attendait son transfert pour la prison de Saint-Yon où son entretien coûterait bien moins cher au roi.

Un invalide montait la garde tour de la Bazinière, adossé contre l'un des merlons. Il se redressa en voyant huit gros rats noirs approcher.

— Laisse, ils sont avec nous, le rassura Latrombe, fataliste.

La Bazinière était dotée de deux canons, l'un pointé sur la cour du Passage, l'autre sur la cour du Gouverneur. Charlemagne en avait compté quinze en tout et il avait remarqué qu'ils étaient braqués sur la ville et semblaient la menacer plus que la défendre. Comme il y avait encore des têtes de poule empoisonnées sur les affûts, il les ramassa et les jeta dans les fossés.

Il marcha jusqu'à la tour de la Comté où il avait passé sa première nuit. Latrombe déverrouilla la grille et, comme il était interdit aux gardes de présenter leur dos à un prisonnier, il fit signe à Charlemagne de passer le premier.

Le lieutenant de roi de Saint-Sauveur les attendait dans la cour en faisant les cent pas.

— Monsieur, désormais les promenades dans les jardins du Bastion sont supprimées.

— Pourquoi ?

— Ordre de monsieur le gouverneur… Veuillez reconduire notre pensionnaire dans sa chambre.

— Ah, monsieur le lieutenant de roi, ze ne vous aime pas et un zour ze me venzerai.

Saint-Sauveur parut presque amusé.

— C'est bien naturel, monsieur, à votre place j'en ferais autant.

Chapitre 34

Même un chat aveugle peut parfois trébucher
sur un rat mort.

Nostradamus

Six heures de relevée : souper.

Ce fut de nouveau dans l'*Encyclopédie* – au chapitre consacré au travail du bois – que Charlemagne découvrit l'existence des tenons et des mortaises, lui rendant possible la fabrication d'une échelle démontable.

Tchlak clac clac, la porte s'ouvrit et Roubignol entra, portant à deux mains le souper catégorie « table du gouverneur » : potage aux petits oignons, œufs pochés au lard, rognons de coq au fenouil, filets de poularde sauce à l'extrême, carpe (sans tête) cuite au bleu avec sa laitance couchée de chaque côté sur un lit de persil constellé de branches de carotte, le tout malheureusement bien froid. Une miche d'une livre de pain blanc, deux fromages, trois oranges et un flacon de vin d'Orléans complétaient le repas.

Le prisonnier s'attabla et dit :

– Ze veux plus de bois pour demain.

L'allocation en hiver était de trois bûches pour les pensionnaires ordinaires et de six pour les recommandés, avec la possibilité pour ces derniers d'obtenir, en payant, tous les suppléments désirés.

– Ça sera un sol par bûche, monsieur.

– Z'en veux trois. Ze veux auzi parler avec monzieur le gouverneur.

– Pour ça, c'est à monsieur le lieutenant de roi qu'il faut le demander.

– Zurtout pas ! Z'est de lui que ze veux me plaindre !

– Je n'y peux rien. Il vous faut passer par monsieur le lieutenant de roi, c'est le règlement.

Le porte-clefs sortit son couteau et découpa les filets de poularde ; il partagea ensuite les rognons en deux. Avant de partir, il présenta la facture du pot de moka, qui s'élevait à une livre six sols.

– Ze n'ai plus rien pour écrire, il m'a tout pris ! s'écria Charlemagne en montrant ses mains vides.

Le porte-clefs s'étonna qu'il y ait autant de cals sur les mains de quelqu'un qui n'avait d'autre activité que celle de tourner les pages de ses énormes livres. Il rempocha la facture et promit de revenir plus tard avec le nécessaire pour la signer.

Charlemagne termina de souper sans se presser. Désormais, à part une inspection surprise, personne ne viendrait avant le déjeuner de sept heures le lendemain matin. Il se protégea de toute visite intempestive en bloquant la porte avec une bûche, puis il récupéra ses outils cachés dans le double plancher et gratta le faux mortier de mie de pain et de cendres.

Les deux moellons délogés, le trou apparut, haut de deux pieds, profond de trois. Il approcha son bougeoir pour mieux contempler son œuvre. Il était fier de se découvrir capable d'une telle ténacité (« Heureusement que je m'ai ! ») et il lui arrivait même de penser que, s'il réussissait dans son entreprise, rien après ne pourrait lui résister, ou alors pas grand-chose. Les heures qui suivirent furent consacrées à creuser cinq trous dans le quatrième moellon. Il les boucherait avec du bois qu'il mouillerait, en séchant ce bois gonflerait et ferait éclater le grès. C'était bien sûr au chapitre des « Tailleurs de pierre » du cinquième volume de l'*Encyclopédie* que Charlemagne avait pris connaissance de cette technique. Pour faire ces trous (qui devaient être profonds de quatre pouces minimum), il utilisait l'un des goujons qui reliait les éléments de l'armoire entre eux, une longue vis métallique filetée aux deux extrémités qui entamait bien la pierre.

Vers la minuit, il arrêta et décida de s'attaquer au blocage, un rustique mélange de cailloux et de mortier qui remplissait le centre des murs. Le trou étant trop exigu pour qu'il puisse s'éclairer, il se mit à creuser dans l'obscurité. Dès les premiers coups donnés, il sut, au bruit, qu'il y avait quelque chose d'anormal. Il alla prendre sa chandelle et put voir ainsi que le blocage n'était qu'une fine couche de mortier qui dissimulait un mur de briques. Il cogna sur l'une d'elles et cela rendit un son creux. Voilà qui demandait réflexion. Il rampa hors du trou et se mit à arpenter sa cellule en essayant d'organiser ses idées. L'article de l'*Encyclopédie* sur la construction d'une muraille ne mentionnait nulle part la présence de briques d'argile dans un blocage. S'était-il trompé sur l'épaisseur du mur ? Était-il possible que la salle qu'il cherchait à atteindre soit déjà derrière ces briques ? Tout en épluchant une orange, il continua ses va-et-vient cogitateurs. Au-dehors, la cloche du chemin de ronde retentit, suivie du carillon de l'horloge de l'état-major qui sonna les douze coups de minuit.

Retournant dans le trou, il dégagea la couche de mortier et descella une brique du bas, dévoilant une cavité obscure d'où s'échappa une odeur de renfermé. Il enleva les autres briques et se trouva bientôt devant un gros coffre clouté et bardé de fer. Il eut beau essayer et essayer encore jusqu'à frôler la hernie, ses efforts pour l'extraire de sa niche échouèrent. Le coffre était si bien encastré qu'il n'offrait aucune prise et il était trop lourd pour être remué ne serait-ce que d'une ligne. Ce coffre était fait d'un assemblage de planches de chêne qui avaient été recouvertes de cuir fort et renforcées par de larges sangles de fer. Une importante serrure en forme de lys annonçait un mécanisme des plus robustes.

Charlemagne ressortit du trou pour mieux réfléchir et manger une autre orange. Loin au-dessus de sa tête, la cloche du chemin de ronde rappela qu'un quart d'heure venait de passer et ne reviendrait plus jamais.

Puisque le poids était la raison de l'inamovibilité du coffre, la solution était de l'alléger en le délestant, mais pour ce faire il fallait l'ouvrir. Or, même s'il venait à bout de la serrure, ce dont il doutait, il ne pourrait pas soulever le couvercle sans extraire au préalable le coffre de son alvéole de briques.

Revenu dans le trou, il mit à nu la paroi du coffre en découpant le placage de cuir, puis, méthodiquement, il perça la première planche de chêne en plusieurs endroits avec la pointe du goujon et avec le tranchant du pêne.

Trois heures plus tard, Charlemagne parvint à arracher un morceau de planche et découvrit des empilements de rouleaux enveloppés dans du papier bleu. Il prit le premier rouleau venu et déchira son emballage, faisant apparaître cinquante pièces identiques, toutes datées de 1660, toutes en or, toutes frappées à l'avers du profil d'un calotté barbichu et moustachu à l'œil en amande, au revers de huit J coiffés chacun d'une couronne. Jamais il n'avait vu une pièce aussi grande et aussi lourde.

Il évacua les briques dans le double plancher, replaça les moellons et s'activa à éliminer toutes traces de ses activités. Après tout, se disait-il comme dans un rêve, quoi de plus naturel que de découvrir un trésor au milieu d'une tour dite du Trésor ?

Sept heures approchaient lorsqu'il retira la bûche bloquant la porte et se coucha. Il était temps, car, quelques instants plus tard, résonnaient les premiers *tchlak clac clac* de la matinée.

Jasmin, porteur du déjeuner, et Roubignol, croulant sous le poids des bûches, entrèrent dans la chambre. Charlemagne fit semblant de s'éveiller.

Plus tard, le lieutenant de roi vint lui confirmer que la promenade dans les jardins du Bastion était définitivement supprimée.

– Monsieur le gouverneur a affermé ses jardins à des maraîchers de Montreuil.

Mais lorsque Charlemagne lui réclama un entretien avec le gouverneur, Saint-Sauveur sortit sans se retourner.

Le prisonnier profita alors de sa promenade sur les plates-formes pour se placer entre les tours de la Comté et de la Bazinière et s'écrier face à l'hôtel du gouverneur :

– ZE VEUX PARLER AVEC MONZIEUR LE GOUVERNEUR !

Avant que son garde n'intervienne, il se retourna et hurla, en direction de la grande cour et du bâtiment de l'état-major :

– LE PRISONNIER TRICOTIN VEUT PARLER AVEC MONZIEUR LE GOUVERNEUR !

Sa voix pouvait atteindre des aigus capables de faire vibrer le papier huilé des fenêtres, comme de traverser n'importe quel tympan dans un rayon de trois cents pieds, plus s'il y avait un bon vent. Le chien du commis de l'octroi de la porte Saint-Antoine aboya furieusement (il avait eu peur), tandis que des invalides du poste de garde sortirent dans la cour et levèrent la tête vers les tours.

– C'en est assez ! Vous avez enfreint le règlement et y vous faut rentrer dans votre chambre, grogna l'invalide en agitant sa baïonnette vers la tour du Trésor.

– Vous croyez qu'il m'a entendu ?

– J'espère que non, mordiou, sinon c'est moi qu'il va agoniser !

Revenu dans sa cellule, Charlemagne s'attabla devant le secrétaire pour méditer le reste de l'après-midi à la conception d'une échelle et au choix des outils qu'il allait devoir utiliser pour creuser des mortaises, tailler des tenons, confectionner des échelons et percer des trous dans du chêne particulièrement coriace. Les bûches fournies par ses geôliers mesurant la plupart du temps entre dix-huit et vingt pouces, il calcula péniblement que pour fabriquer une échelle de trente pieds de haut il lui faudrait trente-six bûches, à raison de dix-huit par montant, plus seize autres pour les échelons. Quand il comprit que cela ferait une échelle d'un poids et d'un volume surhumain à transporter, il opta pour la construction d'un échelier, sorte d'échelle à un seul montant et à échelons.

Le gouverneur ne se montra pas, seul le lieutenant de roi vint lui déclarer que son attitude sur les tours avait fait tomber une partie de ses privilèges de recommandé et qu'il était privé de promenade pour un mois. Quand Charlemagne voulut mentionner ses trois lettres non expédiées et son papier confisqué, Saint-Sauveur partit sans répondre, le laissant dans une colère qui lui souleva les côtes et battit à grands coups de marteau dans ses tempes.

Le souper avalé, Charlemagne entreprit d'agrandir la brèche dans le coffre. Il retira cinquante rouleaux et les dissimula avec les autres dans le double plancher, constatant ce faisant que la place commençait à manquer dans la cachette et qu'il allait devoir l'agrandir. Il dut enlever cent nouveaux rouleaux avant de pouvoir tirer le coffre hors du trou. Il arracha alors les charnières et put soulever le couvercle, mettant au jour un mécanisme de serrure si compliqué que même Lulu du Rossignol aurait cané devant.

C'est en vidant le coffre de ses derniers rouleaux qu'il vit la languette de cuir. En tirant dessus il souleva le fond et fit apparaître trois coffrets marqués aux armes cardinales. Deux coffrets en ébène marquetés d'ivoire contenaient des liasses de lettres, des papiers divers, un registre paroissial ainsi que plusieurs parchemins d'où pendaient des queues de soie soutenant des sceaux royaux de cire craquelée. Le troisième coffret, en cèdre du Liban, renfermait un présentoir de velours violet où reposait un étrange bijou, grand, carré, composé de douze pierres précieuses rectangulaires sur lesquelles étaient gravées des inscriptions dans un alphabet biscornu : deux chaînettes en or sur les côtés supérieurs et deux rubans de soie bleue sur les côtés inférieurs laissaient penser qu'il s'agissait d'une parure se portant sur la poitrine.

Charlemagne souleva le présentoir et eut la surprise d'en découvrir un second dessous, de velours pourpre, sur lequel était écrit IRIN AMAS. Chaque lettre était tracée avec des pierres gemmes. Il en compta cent vingt, toutes de couleurs différentes. La plus petite avait la taille d'un noyau de pêche, la plus grosse d'un œuf de faisan.

Cette invraisemblable succession de découvertes plongea leur inventeur dans une torpeur méditative que seule la cloche du chemin de ronde parvint à secouer. Il remit le coffre dans la niche, replaça les moellons, rangea ses outils dans le double plancher et n'oublia pas d'enlever la bûche bloquant la porte.

Avec peine, recommençant plusieurs fois pour être vraiment certain, il calcula que deux cents rouleaux multipliés par cinquante faisaient dix mille pièces. Chaque pièce pesant une once environ, le total dépassait les six cents livres, le poids de trois gros sangliers ! Son enthousiasme en prit un coup. Jamais il ne pourrait tout emporter. Même Prométhée ne le pourrait, encore moins Hercule.

Chapitre 35

Si on ne peut commander aux vents
On peut toujours orienter les voiles.

Capitaine John Rackham le Rouge

Le 31 mars 1783, Charlemagne fêta dignement ses vingt ans en doublant la ration alimentaire de ses rats.

Entre-temps, il avait doublé la capacité de sa cachette dans le double plancher, il avait entièrement démantelé le coffre, il avait affûté une lame de ressort de la serrure et l'avait utilisée pour dégrossir les bûches et tailler les échelons et les tenons de son échelier.

Le quatrième moellon du parement interne avait fini par éclater sous la pression du bois mouillé et tous les débris avaient été cachés dans le coffrage. Les briques du fond de la niche avaient été démolies et il s'était attaqué aux moellons du parement externe. Désormais, son trou mesurait huit pieds de long sur deux pieds de haut et lorsqu'il y travaillait il disparaissait entièrement dedans.

Il s'était intéressé au contenu des coffrets mais il n'avait pas compris grand-chose à ce fatras de parchemins et de vieux papiers. Il y avait une dizaine de lettres signées « Votre Bouquinquan qui vous aime tant... » et un registre paroissial du hameau de Joyenval dans lequel on avait encerclé d'un trait noir l'entrée suivante :

Ce matin 29 septembre de l'an 1638 un biau gaillard à deux dents est né ché les Tripette, vachers au lieu-dit de la Vacheresse.

Étaient joints au registre sept feuillets écrits en une langue qui lui sembla de l'espagnol, ou de l'italien. Chaque feuillet était marqué d'un sceau à fleurs de lys et le septième portait les signatures jointes d'Ana Maria Mauricia et de Giulio Mazarini.

Après avoir consulté son indispensable *Encyclopédie*, Charlemagne avait lu dans l'article sur la généalogie des trois races que la plupart des dates sur les documents correspondaient au règne de Louis XIII, mais aussi à la régence d'Anne d'Autriche qui, comme son nom l'indiquait, était espagnole.

Tout ce qu'il déduisit de l'inspection du troisième coffret fut que le grand bijou de poitrine avait été porté. Il ignorait toujours la signification d'« Irin Amas » mais il soupçonnait du latin. Il avait miré en les plaçant devant la flamme de la chandelle plusieurs pierres précieuses et il les avait trouvées toutes belles, chacune à leur manière. La plus grosse, rouge comme du sang frais, avait la forme d'un cœur et un nombre incroyable de facettes qui miroitaient toutes en même temps à la plus petite lueur.

A la Saint-Paterne (15 avril), Charlemagne avait réduit les deux moellons du parement interne, son échelier comptait onze éléments complets et sa corde était terminée. En ce qui concernait cette dernière, il avait patiemment tiré les fils à deux de ses chemises, à deux paires de bas et à la doublure de sa redingote anglaise ; il en avait fait quatre grosses pelotes de quatre-vingts pieds qu'il n'avait plus qu'à tresser.

Pendant la pleine lune de la Saint-Pascal-Casoar (17 mai), Charlemagne délogea les troisième et quatrième moellons du parement externe. Il vit alors apparaître un bout de grande salle, un coin d'armoire et plusieurs étagères surchargées de cartons. L'odeur de renfermé et l'épaisseur de la poussière sur le sol indiquaient que l'endroit était peu fréquenté.

Bougie à la main, soucieux de ne pas laisser tomber de goutte de cire sur le dallage, Charlemagne pénétra dans ce qui était le dépôt des archives de la Bastille. La salle n'ayant pas été conçue pour devenir cellule, il n'y avait ni barreaux aux fenêtres, ni grille dans le conduit de la cheminée. Il vit de suite qu'il serait facile d'attacher sa corde aux charnières des volets.

Huit armoires normandes contenaient les dossiers des cinq mille et quelques pensionnaires incarcérés dans la forteresse depuis sa construction au XIVe siècle. Il y avait les papiers des lieutenants généraux de police, les procès-verbaux de leurs commissaires et de leurs exempts, les rapports de leurs mouches et de leurs espions ainsi que toutes les archives des grands procès criminels provenant de la chambre de l'Arsenal, du Châtelet et du Parlement. Les pièces à conviction des délits de librairie étaient rangées dans des cartons sur des étagères au centre de la salle. Charlemagne trouva dedans une centaine d'exemplaires de l'*Histoire de dom Bougre ou le Portier des Chartreux*, un roman pornographique illustré qui avait mené l'auteur, l'imprimeur et le commanditaire à la Bastille pour un séjour de dix-huit années.

Sur la couverture, un moine en robe de bure retroussée jusqu'au nombril exhibait son organe de la reproduction à un ange du Paradis qui le lui tracassait à deux mains. Ce qu'il découvrit sur les autres illustrations lui ouvrit l'esprit à jamais sur les tribulations des choses de la chair. Les cartons suivants contenaient des libelles assassins, des brochures venimeuses, des pamphlets bien ignobles, des essais malfaisants, tous attaquant les personnes du roi et de la reine.

Charlemagne s'en alla après avoir effacé les traces de son passage et il termina sa nuit à tailler dans une bûche un nouvel échelon.

Chapitre 36

Il ne peut pas sortir de la farine d'un sac de
charbon.

Racleterre, 12 mai 1783, jour de la Saint-Achille.

Le maître maréchal Caribert Tricotin déboursa cinq sols au commis
de la poste aux chevaux pour recevoir en échange une brève adressée
à la *Famille Tricotin de Racleterre*.

> *M. Charlemagne Tricotin de Racleterre à loneur de vous fair savoir
> qu'il est en bastillé depuy le premié jour du mois de décenbre de
> l'an 1781 et qu'il trouve le temps bien longuet.*

Il n'y avait point de signature, l'écriture était féminine, la lettre
venait de Villefranche-de-Rouergue où les Tricotin ne connaissaient
personne. Caribert fut contrarié. Décidément, le nom de Charlemagne était devenu synonyme de mauvaise surprise. Qu'avait-il pu
faire cette fois-ci ?

L'aîné Clodomir faisait la traite, et son retour des Isles était
annoncé pour le début de l'été. Depuis un an déjà, Clotilde était élève
à l'école de dessin de Rodez, et Dagobert étudiait le droit à l'université de Montpellier. Quant à Pépin, il faisait la tournée des campagnes avec la forge ambulante et ne serait pas de retour avant la
Saint-Yves, une semaine plus tard.

Caribert montra la lettre à son père Louis-Charlemagne qui
réchauffait ses rhumatismes au soleil en fumant la pipe.

– Macarel de macarel, et voilà pourquoi il n'écrivait plus l'animal ! Qu'est-ce qu'il a encore fait ?

Ils se rendirent spontanément à l'étude Pagès-Fortin. Monsieur Alexandre était dans son cabinet du premier étage, besicles sur le nez, il lisait les *Nouvelles à la main* reçues au courrier du matin.

La lecture de la brève des Tricotin lui tira un long soupir.

– Ah, on peut dire que ce garçon est doué pour se donner de l'embarras... Voyez-vous, mes amis, il faut une lettre de cachet signée du roi pour faire son entrée à la Bastille, et l'infâme particularité de ces lettres est que la durée de la détention n'est jamais mentionnée.

– Qu'est-ce qu'on peut faire, alors ?

Tout en fouillant dans une pile de revues, l'avocat proposa :

– Il faut vous rendre à Versailles et implorer sa grâce au roi. Il n'y a pas d'autre moyen quand on a affaire à un cas royal.

– C'est que ça va encore nous coûter des mille et des cent, dit Caribert avec sa tête des mauvais jours, front plissé, lèvres tombantes, regard morne.

Trouvant ce qu'il cherchait, un exemplaire du *Journal de Paris* de mars 1781, Pagès-Fortin leur lut le récit de cette famille picarde qui s'était présentée devant le roi en habit de grand deuil pour obtenir la grâce de leur parent, condamné à la pendaison pour avoir contrefait des actions Necker par milliers.

– On répète à l'envi que le jeune Louis a bon fonds et qu'il est sensible à l'injustice... Tout dépendra évidemment de la gravité du crime de notre enquiquineur. Au fait, avez-vous une idée de ce qu'il a pu fabriquer cette fois ?

La lettre anonyme de Villefranche plongea Pépin dans un état voisin du court-bouillon.

– Il est enfermé depuis tout ce temps et on l'apprend seulement maintenant ! Mais c'est bien ignoble, ah oui alors, bien ignoble !

Il fit deux copies de la brève et les expédia à Dagobert à Montpellier et à Clotilde à Rodez, ajoutant au texte :

Sitôt Clodomir revenu, nous filons à Paris sortir Charlemagne de sa prison.

Il écrivit de même à Clodomir, adressant la lettre aux bons soins de monsieur l'armateur Abraham Marangus, à Bordeaux, afin qu'il la lui remette à sa descente de bateau.

Trouver deux cents livres pour payer les quatre billets de diligence fut autrement plus compliqué. L'oncle Caribert ne fournit que des provisions de bouche pour tenir jusqu'à Rodez, tandis que les Camboulives, dépités de voir Clotilde quitter l'école de dessin et Dagobert l'université refusèrent toute contribution. Comme on était certain par avance du refus de grand-père Floutard, il ne fut pas sollicité. Seul grand-père Louis-Charlemagne offrit trente-cinq livres, sans préciser qu'il avait mal vendu sa montre pour les obtenir.

Ce fut Clodomir, encore tout auréolé du succès de sa première campagne négrière, qui osa emprunter à nouveau trois cents livres au fripier-bijoutier-marchand de bric-à-brac-prêteur sur gages Gad Marangus de Racleterre.

Au matin de la Saint-Abel (4 août), les Tricotin quittèrent la place Royale. Ils arrivèrent dix-sept jours et cinquante-deux postes plus tard place Maubert. Ils dormirent dans un hôtel de la rue du Hurepoix recommandé par Pagès-Fortin : *Au Lit on Dort*. L'enseigne parlante montrait un lion couronné couché dans un lit à baldaquin, sous un gros édredon azur semé de fleurs de lys. L'établissement faisait face à l'île de la Cité, au Palais de Justice, et la chambre avait un petit balcon qui donnait sur les quais et la rivière aux eaux sales.

Le lendemain, jour de la Sainte-Rose, les Tricotin se rendirent rue Saint-Honoré et entrèrent dans la cour de l'hôtel du Point d'Honneur où les intercepta un vétéran à la jambe de bois.

– Nous venons visiter monsieur le baron Fortuné Ocloff du Cap, dit Clodomir avec assurance.

Il portait un frac aubergine bien mûre et un chapeau assorti à la Pennsylvanie qu'il s'était acheté *Au Grand Chic versaillais* de Fort-de-France, quelques jours avant son départ.

– Qui le demande ?

– Nous sommes des Tricotin et nous venons pour implorer le roi d'accorder sa grâce à notre frère embastillé.

Dagobert crut utile d'ajouter :

– Nous voulons rencontrer monsieur le baron pour qu'il nous conseille sur Versailles et sur la Cour, dont nous ignorons tout.

– Monsieur le colonel courre le cerf dans la forêt de Choisy et y sera pas revenu avant la sombre... Dites donc, y vous en aura fallu du temps, ça fait plus d'un an et demi maintenant qu'il est enfermé votre frérot.

Clodomir répliqua d'un ton agacé :

– Gardez vos lardons pour vous, monsieur. Nous sommes avertis depuis deux mois seulement.

– Sa dernière lettre a été expédiée d'ici même et date de novembre 81, expliqua Dagobert plus aimablement.

– Et puis on sait toujours pas pourquoi il est emprisonné, ajouta Pépin.

Ce fut par la bouche du portier Montargens qu'ils apprirent l'existence des quatre duels dans les jardins du château de Versailles, l'intervention du roi à l'heure du Grand Lever, la mise en exil des trois princes du sang et l'énorme scandale qui en avait résulté.

– Jusqu'à monsieur le colonel qu'a dû finir l'hiver dans son fief du Cap.

Clotilde intervint pour la première fois :

– Vous dites que notre Charlemagne a parlé avec le roi ?

– J'y étais point, moi, mais c'est ce qu'on dit ceux qui z'y étaient, même que le roi est entré en discours avec lui et y en a même qu'on dit qu'il l'avait fait rire, mais ça, j'ai du mal à le croire...

Montargens eut un geste en direction de la rue Saint-Antoine.

– C'est pour ça donc qu'il a été embastillé et pas embicêtré.

Après avoir demandé leur chemin, les Tricotin arrivèrent dans le quartier Saint-Antoine que dominait le monumental château royal.

Pépin fut écœuré jusqu'aux orteils. Dans la perspective où leur démarche auprès du roi échouerait, il avait imaginé un plan pour faire évader Charlemagne. Mais confronté à la hauteur des murailles, à la largeur des fossés, à leur profondeur, aux nombreux gardes qui déambulaient sur les tours et les chemins de ronde, le projet semblait puéril et tout à fait irréalisable : seul un siège en règle aurait pu venir à bout d'une pareille forteresse.

Ils longèrent les nombreuses boutiques adossées à la muraille et passèrent sous la grande porte Saint-Antoine aux sculptures couvertes de fientes de pigeon. Le trafic des véhicules en tout genre et des piétons de toutes sortes était important en ce début de relevée. Ils découvrirent sur leur dextre le bastion entièrement emmuré et ne virent du jardin du gouverneur que la cime des arbres fruitiers.

Ils conclurent leur première journée parisienne par une visite du Palais-Royal. Au café de Foy, après une heure d'attente pour obtenir une table, ils dégustèrent un sorbet à dix sols en regardant les nombreux petits maîtres qui déambulaient en faisant cliqueter leurs breloques. Leur unique occupation semblait être de débiter ou d'écouter des ragots en se donnant un air désinvolte, une épaule plus haute que l'autre.

– Si notre Charlemagne s'évade un jour, c'est ici qu'il doit venir, déclara Dagobert, content de pouvoir étaler ses connaissances. La police n'est pas autorisée à se rabouler dans une propriété princière... et c'est valable pour le palais du Luxembourg de Monsieur comme pour l'enceinte du Temple qui appartient au comte d'Artois.

– Eh ! mais alors on est entourés de filous et de tire-laine ici ! s'exclama joyeusement Pépin.

– Oh oui, sans aucun doute, il doit y en avoir, et puis il doit aussi y avoir une quantité de mouches à la solde du lieutenant général de police.

Malgré le prix de quarante sols (ils auraient pu s'acheter vingt pains au four seigneurial de Racleterre), ils commandèrent quatre nouveaux sorbets. Dagobert, qui tenait les comptes de la fratrie, avertit gravement que ce serait la dernière dépense du genre : frais de retour inclus, ils ne disposaient plus que de cent trente livres pour accomplir leur mission salvatrice.

Le lendemain, jour de la Saint-Barthélemy, les Tricotin rencontraient dans son salon-bibliothèque l'impressionnant baron-colonel Fortuné Ocloff du Cap. Celui-ci, en habit du matin, arpentait le parquet en louchant vers une Clotilde bien séduisante dans son caraco à la française bleu et jaune auquel était rattaché un juste à la Figaro à manches longues acheté à Rodez, la veille du départ.

Le vieux baron était d'autant mieux disposé à leur égard qu'il s'en voulait un peu d'avoir oublié son ancien novice.

– N'étant point en odeur de Cour, ce serait vous desservir que de vous y accompagner... Mais sachez toutefois que vous arrivez au bon moment, car demain nous sommes la Saint-Louis.

On entendait non loin des bruits d'épées mêlés à une musique enjouée qui donnait envie de danser. Pépin se mit à taper du pied sur les lattes.

– On nous a assuré que l'entrée du château et des jardins était libre et qu'il suffisait de se poster sur le coup de midi dans la Grande

314

Galerie pour voir le roi se rendre à la messe, dit Clodomir qui tenait ses informations de Pagès-Fortin.

— On vous a correctement informés... Mais on a omis de vous avertir que vous ne seriez point les seuls à guetter ainsi, surtout un jour comme celui de la Saint-Louis...

Ocloff les jaugea du regard avant d'ajouter :

— Vêtissez-vous en grand deuil tous les quatre, placez-vous au premier rang à l'entrée du salon de la Guerre, et faites ce qu'il faut pour attirer l'œil de Sa Majesté... Mais pour être bien placés, vous devrez prendre position très tôt demain matin et ne plus en démordre jusqu'au passage du roi et de sa famille.

Chapitre 37

Le Paradis est là où l'on peut ce que l'on veut.

Dante

L'Enfer, c'est l'attente sans espoir.

Méphisto l'Ignifuge

Jour de la Saint-Louis, château royal de la Bastille.

Au réveil de sa six cent trente-deuxième journée d'enfermement, Charlemagne se déclara fin prêt pour s'en aller. Son échelier était complet, sa corde était tressée, son plan était impeccable. Ce soir, je m'en vais, se répétait-il, provoquant chaque fois un délicieux pincement au cœur.

Il déjeuna et offrit la totalité de son pain à ses rats, se sentant coupable à l'idée de les abandonner sans pouvoir les prévenir de son départ.

Marcel Bol, le barbier-chirurgien qui rasait les prisonniers deux fois par semaine, vint raser sa jeune barbe à toute vitesse et partit aussitôt après ; il supportait mal de travailler sous les regards brillants de ces répugnants gros rats noirs qui grouillaient dans tous les coins de la chambre.

Charlemagne dîna d'une soupe d'asperge, d'un émincé de mouton, de trois petits pigeons aux truffes, d'une casserole au riz, d'un fromage coulant, de trois oranges et d'un panier de cerises grosses comme des plombs de huit.

Son pot de moka bu, il fit sa promenade sur la plate-forme, surveillé par un Latrombe qui transpirait dans son uniforme de grosse toile de Lodève. Le soleil était haut dans le ciel et surchauffait les pierres du chemin de ronde. Faisant semblant d'admirer les jardins du Bastion, transformés partie en verger, partie en potager, Charlemagne repérait une dernière fois le chemin qu'il allait devoir suivre pour gagner les fossés, franchir la contrescarpe et passer de l'autre côté, sur le toit d'une boutique, pour gagner la rue. Le plus délicat allait être d'éviter les patrouilles qui faisaient leur ronde de quart d'heure en quart d'heure. Aussi, avait-il choisi cette nuit parce qu'il la savait sans lune.

La cloche du poste de la rue Saint-Antoine sonna cinq coups brefs et deux longs.

– C'est un coursier à cheval qui arrive, décoda Latrombe.

Charlemagne se pencha et vit un cavalier en livrée royale traverser la grande cour et démonter devant le perron de l'état-major. Il ne songea à aucun moment que cette arrivée pouvait le concerner. Faisant demi-tour, il alla s'intéresser aux paysans qui fauchaient l'herbe dans le grand fossé. La forte odeur de sève fraîche qui montait jusqu'aux tours lui tira une grimace dégoûtée. Il n'avait jamais aimé ces relents douceâtres d'agonie exhalés par toutes ces malheureuses plantes à la vie subitement tranchée. Autre conséquence, la moisson mettait à nu des centaines de trous creusés par les rats, ce qui donnait un aperçu édifiant sur la surpopulation murine de l'endroit.

Moi, ce soir, je m'en vais, se dit-il en retournant dans sa chambre.

A genoux sur le tapis dans la position du mahométan en prière, Charlemagne traquait sans pitié les puces dans le pelage de Macarel lorsque des bruits de pas résonnèrent dans l'escalier.

Tchlak clac clac, la porte s'ouvrit et le capitaine des portes Jean Jasmin entra.

– Votre présence est souhaitée par monsieur le gouverneur en sa salle du conseil.

Il remua son clavier de clefs, tel un enfant de chœur sa clochette durant l'élévation.

Charlemagne baissa la tête pour cacher son trouble. Tout ce qui était inhabituel un jour comme celui-là était forcément inquiétant. Coiffant son tricorne, il prit un air soucieux et suivit le geôlier jusque dans la salle du conseil où l'attendaient le gouverneur de Launey, le lieutenant de roi de Saint-Sauveur et le major Losme-Salbray. Ils se tenaient debout devant la longue table sur laquelle étaient alignés quatre épées, des pistolets dans leur fonte, un guide des jardins de Versailles, une pierre ponce usagée et six cailloux de rivière.

– Cher monsieur, j'ai plaisir à vous annoncer que votre lettre de grâce vient de nous parvenir... Conséquemment et à partir de tout de suite, vous êtes libre.

Charlemagne croisa les bras sur sa poitrine pour se donner une contenance, puis il les décroisa pour gagner du temps. Son rythme cardiaque s'accéléra.

– Qui a envoyé zette lettre ?

– Mais le roi, monsieur, seul le roi...

Charlemagne tendit sa main.

– Ze peux la voir ?

Le gouverneur échangea un regard circonspect avec ses officiers. Que signifiait donc cette attitude soupçonneuse ? Après un temps d'hésitation, il la lui présenta.

> Monsieur le Gouverneur *de Launey* je vous fais cette lettre pour vous dire que mon intention est qu'aussitôt qu'elle vous aura été remise vous ayez à faire mettre ledit sieur *Charlemagne Tricotin de Racle-terre* en pleine et entière liberté de mon château de la Bastille.
> Et la présente n'étant pour autre fin, je prie Dieu qu'il vous ait, Monsieur le Gouverneur, en sa sainte garde.
> Écrit à Versailles
> En ce jour de la Saint-Louis, 25 août 1783.
>
> *LOUIS*

Déçu, Charlemagne rendit la lettre sans un mot. Rien n'y expliquait pourquoi le roi l'avait oublié aussi longtemps, ni pourquoi il avait précisément choisi le jour de son évasion pour se manifester. Ne pouvant croire à une coïncidence, il appréhendait un piège bien tordu.

Le major sortit d'une cassette vingt et une livres et neuf sols et les lui remit avec une longue facture récapitulative de tous les suppléments commandés durant ses six cent trente-deux jours d'incarcération. Les chandelles de dix heures en cire d'abeille, le café de Moka et les feuilles de papier grand format et grain résistant étaient ses plus grosses dépenses, avec le lard pour ses rats et, ces derniers temps, tous ces suppléments en bûches de chêne.

– Maintenant, monsieur, je vous prie de parapher cette décharge ainsi que cette promesse.

Le major lui remit deux imprimés aux armes royales.

> Moi, *Charlemagne Tricotin de Racleterre*, étant remis en liberté, je promets, conformément aux ordres du Roi, de ne parler à qui que ce soit, d'aucune manière que ce puisse être, des prisonniers ni autre chose concernant le château de la Bastille qui auraient pu parvenir à ma connaissance.
> Je reconnais, de plus, que l'on m'a rendu tout ce que j'ai apporté ou fait apporter audit château pendant le temps de ma détention.
> En foi de quoi je signe le présent, pour servir et valoir ce que de raison.
> Fait au château de la Bastille, ce *25 août 1783*, à *15 heures*.

> Moi, *Charlemagne Tricotin de Racleterre* m'engage devant Dieu et mon Roi, à ne plus jamais retomber dans les errements sanguinaires qui m'ont conduit en premier lieu en ce château de la Bastille.

Charlemagne posa les imprimés sur la table.

— Ze zignerai zeulement quand vous m'aurez retourné ze qui est mien.

Le major responsable des dépôts eut un haut-le-corps indigné.

— Que nenni, monsieur, il ne vous manque rien puisque tout vient de vous être restitué.

— Ze veux les trois brèves que z'ai écrites pour les miens et qui n'ont zamais été expédiées.

L'attitude bienveillante du gouverneur disparut d'un coup, et Saint-Sauveur toussa sèchement en mettant sa main devant sa bouche.

— Si vos lettres ont fait l'objet d'une censure, c'est parce qu'elles contenaient des propos prohibés par notre règlement. Elles sont désormais dans votre dossier et elles ne peuvent en aucune façon vous être restituées.

Fallait-il avoir l'âme aussi noire que du jus de chique pour énoncer de pareilles faussetés sans mourir étouffé aussitôt après.

Avec un air buté, Charlemagne empocha le reliquat d'argent, les six cailloux, le guide de Versailles et la pierre ponce, puis il regroupa les épées et les pistolets et s'en alla sans un mot. Il traversa la cour d'un si bon pas que Jean Jasmin dut courir pour le rattraper. Revenu dans la cellule, Jasmin déposa les deux imprimés sur le bureau.

— Monsieur le gouverneur assure que vos exigences sont inacceptables. Aussi, il vous enjoint de signer ces documents, de faire vos bagages et de libérer les lieux sans plus de façons... Lorsque vous serez prêt, le règlement nous autorise à vous faire appeler un fiacre... Quant à votre mobilier, vous disposez d'une semaine pour le récupérer, passé ce délai, il devient propriété de monsieur le gouverneur.

Le cœur battant à l'idée de ce qu'il allait faire, Charlemagne déposa les épées et les pistolets sur le lit, puis il se tourna vers le porte-clefs et lui dit d'une voix tendue :

– Tant que ze n'aurai pas mes brèves, ze ne partirai pas, z'est tout ! (Il s'offrit le plaisir de lui montrer la porte.) Et maintenant allez-vous-en, ouzte, ouzte, dehors !

Tout en marmonnant entre ses dents, Jean Jasmin obéit et sortit, mais, pour la première fois en six cent trente-deux jours, il ne referma pas la porte à clef derrière lui.

Charlemagne commença à faire les cent pas pour essayer de calmer son esprit bouillonnant. En réalité, il se contrefichait de récupérer ses lettres, il voulait seulement gagner du temps et trouver un moyen d'emporter son fabuleux trésor si fabuleusement lourd. Mais il avait beau se touiller les méninges dans tous les sens, il butait toujours contre l'évidence suivante : qu'il sorte librement en fiacre, ou qu'il s'évade en passant par son trou, il lui était physiquement impossible d'emporter six cents livres d'or à lui seul.

L'heure était passée depuis longtemps et personne n'était venu apporter le souper. Incrédules, les rats furetaient fébrilement dans la chambre à la recherche de leur manne habituelle, tandis que Charlemagne, l'air calme de celui qui a pris sa décision, condamnait la porte de sa cellule en enfonçant des coins de bois dessous. Comme cela ne suffisait pas, il poussa l'armoire Chippendale contre le battant et la lesta avec les vingt-huit volumes de l'*Encyclopédie*. Pour faire bon poids, il ajouta le canapé et le fauteuil.

Ainsi barricadé, il ouvrit le double plancher et sortit de leur cachette vingt rouleaux de pièces d'or qu'il distribua dans les quatre poches de son justaucorps. Il prit trente nouveaux rouleaux et les répartit dans les poches latérales du portemanteau, ensuite il sortit du coffrage son rouleau de corde et les trente-quatre éléments de l'échelier, puis il rangea dans le bagage ses bottes à treize plis, une paire de bas, son tricorne, son ceinturon, l'épée du baron-colonel Ocloff et les trois coffrets. Charlemagne referma le dallage du double plancher en songeant avec aigreur aux cent cinquante rouleaux qu'il y abandonnait. Il aurait pu s'offrir un régiment de dragons et tous ses chevaux avec autant d'or, ou encore un hôtel particulier rue Saint-Honoré, avec sa mesnie, ses écuries et son chenil, pour ne prendre que ces deux exemples au hasard.

Pour éviter que l'absence d'instruments d'évasion n'incite le gouverneur à les faire rechercher et à découvrir le double plancher et son précieux contenu, il laissa en évidence, alignés sur le tapis, les montants métalliques du lit, la lame de ressort du coffre, les goujons de l'armoire et les deux pênes du secrétaire.

Quand onze heures sonnèrent à l'horloge de l'état-major, Charlemagne descella les moellons, ouvrit le trou et rampa jusqu'à la salle des archives en poussant devant lui portemanteau, corde et échelier. Il décrocha l'un des volets, arrima la corde au gros axe de la charnière, noua l'autre extrémité aux sangles du portemanteau, souleva celui-ci sur le rebord et le fit glisser lentement dehors en raidissant tous ses muscles pour ne pas être aspiré par le poids. Mais soudain la descente s'interrompit, et Charlemagne se sentit blêmir jusqu'aux genoux. La corde était trop courte et le bagage était en suspens le long de la muraille. Il voulut se pencher et il ne vit que de l'obscurité.

Aidé de son épée – vingt et un mois de fourreau ne l'avait en rien émoussée –, il découpa sa couverture en lanières de six pieds de long et les tressa aussi vite que possible en tenant des propos désobligeants sur les plans impeccables qui ne se déroulaient jamais comme prévu. Il était surtout vexé de s'être trompé dans ses évaluations. Il remonta le portemanteau en frôlant la hernie à plusieurs reprises, mais, une fois la rallonge ajoutée, le sac atteignit le sol sans plus d'encombres.

Son tour venu, Charlemagne enfila son justaucorps, vérifia une dernière fois la solidité de la charnière, s'accroupit le dos à la nuit sur le rebord de la fenêtre, et là, le cœur caracolant, il s'arc-bouta et se laissa descendre le long des moellons encore chauds de soleil, gêné dans chacun de ses mouvements par ses poches trop pleines qui le tiraient dangereusement vers le bas. L'air tiède n'était rafraîchi par aucune brise et des grenouilles chantaient du côté de l'Arsenal, tandis que des chouettes, reconnaissables aux bruissements particuliers de leur vol, chassaient les rongeurs dans les anciennes douves. Il sut qu'il arrivait lorsqu'il sentit l'herbe chatouiller ses pieds nus.

Profond de vingt-quatre pieds (huit mètres), large de soixante-dix-huit (ving-six mètres), le fossé au bord duquel il se tenait encerclait la forteresse avant d'être encerclé pareillement par la contrescarpe, sur laquelle avait été construite une galerie de planches en guise de chemin de ronde : il fallait environ un quart d'heure aux patrouilles pour en faire le tour complet.

La nuit sans lune était si opaque qu'il dut assembler à tâtons les trente-quatre éléments de l'échelier. Ceci fait, il coiffa son tricorne et enfila ses bas ; il allait chausser ses bottes lorsque le falot d'une patrouille le plaqua au sol. Le pas des invalides résonna sur les planches quand ils passèrent à sa hauteur. Il les vit disparaître au coin de la tour de la Comté et quelques minutes plus tard la cloche du poste sonnait le quart d'une heure.

Échelier dans une main, portemanteau dans l'autre, Charlemagne se mit en marche vers la contrescarpe. Pour ne pas s'égarer, il compta ses pas et longea prudemment la muraille jusqu'à la tour de la Chapelle, puis jusqu'à la tour du Coin. Là, il s'accroupit et reprit son souffle, le front moite, certain que son bras droit s'était tellement étiré sous le poids du portemanteau qu'il pouvait désormais se gratter les talons sans avoir à plier les genoux. Jamais auparavant il n'avait porté un tel fardeau, sauf peut-être une vieille laie de cent livres servie dans la combe du Boucaud et qu'il s'était coltinée cinq heures durant jusqu'à sa grotte, histoire d'impressionner ses loups.

Quatre-vingts pas seulement le séparaient de la contrescarpe, pourtant il dut s'arrêter à mi-chemin, le front ruisselant, la respiration haletante, les jambes flageolantes, les muscles des épaules noués par des crampes imprévues.

Le retour de la patrouille le fit s'allonger à nouveau dans l'herbe, et lorsque les gardes eurent disparu derrière la tour de la Comté, Charlemagne reprit sa progression.

Arrivé sous le chemin de ronde en bois, il se heurta à un nouvel imprévu bien écœurant. En appuyant son échelier contre le plancher qui courait à huit pieds de haut le long de la contrescarpe, il constata que son échelle primitive ne supporterait jamais son poids joint aux cent cinquante livres pesées par les deux mille cinq cents louis d'or fin. Il allait donc devoir monter sur le chemin de ronde et ensuite y hisser son bagage. Fort bien, mais pour hisser il fallait une corde et il n'en avait plus. Excédé au point d'en avoir les larmes aux yeux, Charlemagne se débarrassa de son pesant justaucorps, prit son épée dans le portemanteau, la dégaina et rebroussa chemin avec une sensation de grande légèreté.

Rejoignant la corde qui pendait le long de la muraille, il la tendit en tirant dessus et la trancha d'un coup d'épée aussi haut que possible, récupérant une longueur d'environ deux toises. Revenu au pied de la tour du Coin, il calcula mal sa trajectoire : il retrouva le chemin de ronde et la contrescarpe mais plus son échelier, son portemanteau et son justaucorps.

Le falot de la patrouille qui approchait l'aida à se repérer et à comprendre qu'il avait dérivé sur la gauche. S'évader une nuit sans lune n'avait pas que des avantages. Il s'allongea et cessa de bouger jusqu'au passage des quatre invalides.

L'un d'eux racontait d'une voix chevrotante :

– Alors y m'a dit que ce qu'y m'avait dit l'autre matin que je lui avais dit... alors que j'ai rien dit, moi... Eh bien, y m'a dit de plus le dire, sinon il ira le dire au foutu Saint-Sauveur... Et sur ce, v'là-t'il pas l'autre hébété qui m'dit...

Lorsque la cloche du poste de garde sonna son quart d'heure, il se releva et se mit à la recherche de ses affaires. Il les retrouva dix pas plus loin sur la dextre. Son justaucorps passé, il noua la corde aux sangles du portemanteau, appuya l'échelier contre la poutre transversale, mordit l'extrémité de la corde et escalada les échelons qui tinrent bon. Sitôt rétabli sur le plancher du chemin de ronde, il hissa le portemanteau, récupéra l'échelier et l'appuya contre la muraille. Reprenant la corde entre ses dents, il grimpa au sommet, souleva avec moult grimaces le portemanteau et le fit passer trois pieds plus bas sur le toit en pente d'une boutique de fleurs. Il s'empressa alors de remonter l'échelier et de le déposer près du portemanteau.

Il s'assit sur les ardoises et reprit son souffle en observant les alentours. Une cheminée et une fenêtre mansardée se détachaient du toit sur un fond de rue Saint-Antoine qu'éclairaient quelques réverbères anémiques.

A croupetons, Charlemagne avança sur les ardoises et arriva jusqu'à la mansarde où il se trouva tout à coup nez à nez avec une matrone en bonnet et camisole de nuit. Elle tenait un bougeoir qui éclairait son visage joufflu au milieu duquel un nez biscornu suggérait un pied de marmite. C'était la première femme que Charlemagne voyait en six cent trente-deux jours.

Chapitre 38

De l'inégalité des talents résulte celle des fortunes.

John Law, 1716

— Zurtout ne criez pas, ze ne zuis pas un bricon.

Comme la femme reculait sans mot dire, il prit cela pour une invitation et il entra dans la soupente qui sentait les pieds sales et la bougie froide. Il vit une mauvaise couche recouverte d'un linceul luisant de crasse, un tabouret à trois pieds, un pot de chambre, une paire de sabots, un fil tendu sur lequel pendaient des hardes, un crucifix au mur et, dans un coin du plancher, une trappe ouverte sur un escalier sans rampe.

— Ze viens de m'évader et ze veux zuste m'en aller, z'est tout.

— Oh oui alors, allez-vous-en.

Sa voix menue était en désaccord avec son physique flasque et maousse.

— Vous êtes zeule dans la maison ?

Elle hésita avant de secouer la tête positivement.

Elle s'appelait Toinette Gast et elle était bretonne. C'était la petite sœur de la femme d'Arsène Troinon, le propriétaire de la boutique, un marchand-producteur de fleurs qui approvisionnait chaque jour cinquante vendeuses ambulantes. Les Troinon étaient partis dans leur campagne de Montreuil se réapprovisionner en lys, leur réserve s'étant toute écoulée le jour de la Saint-Louis. Toinette leur servait de domestique en échange d'un galetas et d'un couvert médiocre.

— Avant de partir, ze dois retourner zur le toit, mais comme ze n'ai pas confiance, ze vais vous ligoter et ze vous libérerai quand ze reviendrai… Et zi vous ne me laizez pas faire, ze vous estourbis.

324

Il n'avait aucun désir de lui faire du mal, mais il n'hésiterait pas si elle lui en donnait prétexte.

– Allonzez-vous et bouzez plus.

Il arracha le fil sur lequel pendaient ses vêtements et lui lia les poignets et les chevilles. Ramassant un bas qui traînait sur le plancher il le lui força dans la bouche : pour avoir été bâillonné dans le temps, il savait qu'un simple bandeau sur les lèvres ne suffisait pas.

Sur le toit, il récupéra le portemanteau et brisa malencontreusement plusieurs ardoises en le traînant. Revenu dans la soupente, il prit le bougeoir de Toinette et s'engagea dans la trappe. Il arriva dans un étroit corridor qui partageait l'étage entre une petite chambre à coucher et une petite cuisine-salle à manger. Un autre escalier le conduisit dans la boutique du rez-de-chaussée qui sentait le laurier, la rose, l'iris, le bleuet, la marguerite. La porte d'entrée était fermée mais la clef était suspendue à un clou fiché dans le chambranle. Entrouvrant l'un des volets, il vit un bout de rue vide et un lampadaire qui éclairait faiblement les façades d'un lunetier-opticien et d'un boulanger.

Dans son plan impeccable, une fois hors de la Bastille, il avait prévu de se rendre à l'hôtel du Point d'Honneur et de s'y réfugier avec son or. Mais il réalisait maintenant qu'il était trop chargé pour marcher jusqu'à la rue Saint-Honoré... Et puis les probabilités de faire des mauvaises rencontres ou de croiser le guet étaient bien trop grandes pour qu'il se risque dans les rues à une heure aussi tardive.

Il remonta dans la soupente et débâillonna Toinette.

– Z'ai besoin d'un fiacre pour m'en aller.

– Y a une remise au coin de la rue des Tournelles, mais elle ouvre point avant potron-minet, pardi.

– Et elle est où zette rue des Tournelles ?

– De suite sur votre dextre quand vous tournez le dos à la porte Saint-Antoine.

Il était à peine deux heures de la nuit et il manquait trois heures avant qu'apparaissent les premières lueurs de l'aube. Il allait devoir attendre

– Oh, me bâillonnez plus, par pitié, j'crierai point, j'le jure sur la tête des apôtres.

Il fut tenté de la croire mais des voix intraitables s'élevèrent dans son esprit pour lui rappeler tel et tel souvenir édifiant. Alors son visage se ferma et il replaça le bâillon. C'était comme si les tribulations à répétition qui l'avaient accablé ces derniers temps l'avaient immunisé contre les apitoiements et les bons sentiments.

Ayant été privé de souper, il eut faim et soif. Il but plusieurs verres d'eau dans la cuisine puis il dénicha dans le garde-manger du pain bis, du beurre, du fromage de chèvre, du jambon cru, du pâté de campagne, une demi-tarte aux prunes. Il mangea tout en songeant à la physionomie du gouverneur et à celle de Saint-Sauveur lorsqu'on allait leur annoncer que le pensionnaire de la première du Trésor s'était échappé.

Requinqué, Charlemagne fit un brin de toilette. Il épousseta son justaucorps et sa culotte de la terre du fossé et des brindilles, décabossa son tricorne, refit son catogan, boucla son épée aux bélières de son ceinturon et pissa bruyamment dans l'évier de pierre en songeant à ses rats qui allaient lui manquer.

Il fournit un dernier grand effort pour descendre le portemanteau par les deux escaliers et le déposer dans l'odorante boutique. Il se posta alors près de la porte d'entrée et attendit l'aurore en trépignant d'impatience, l'esprit tourmenté à l'idée que sa corde puisse être découverte et que l'alarme puisse être donnée avant qu'il n'ait quitté le quartier.

Un peu avant cinq heures, les premiers maraîchers passèrent la porte Saint-Antoine sur des montures lasses et fatiguées et s'acheminèrent à petite vitesse vers la Halle ; puis ce furent des campagnardes portant des paniers d'œufs à chaque bras, qui marchaient au milieu de la rue en caquetant.

— Pourvu qu'il fache pas auchi chaud qu'hier, ch'est che qui compte pour moué, dit une voix proche.

Charlemagne vit un trio de portefaix auvergnats qui marchaient d'un bon pas. Il sortit dans la rue et agita sa main dans leur direction.

— Oh, oh, par izi, z'ai besoin de l'un de vous.

Ils approchèrent et apprécièrent d'emblée son épée et ses bottes de gentilhomme, signes de solvabilité.

— Z'ai un lourd fardeau à porter zusqu'à la rue Zaint-Honoré, dit-il au plus trapu des trois qui semblait ne pas avoir de cou.

L'homme se nommait Pompougnat. Il était natif d'un hameau voisin du Puy de la Vache et vivait à Paris depuis six ans. Il avait débuté à la Nouvelle Halle de la Farine où il s'était fait remarquer pour sa façon de porter les sacs de cent livres sur la tête au lieu des épaule. L'année précédente, il s'était harpaillé avec un meunier influent qui l'avait chassé de la Halle, le contraignant à revenir travailler dans la rue.

– A quelle hauteur de la Chaint-Honoré ?

– Ze vais à l'hôtel du Point d'Honneur, près du Palais-Royal.

– Ah oui, alors che chera pas pluche de deux liards.

Charlemagne l'invita à entrer dans la boutique et lui désigna le portemanteau.

– Mordidiou ! Y a quoi là-dedans ! Pas des fleurs en tout cas, cha ch'est chûr ! s'exclama l'Auvergnat en le soupesant.

– Oui, z'est bien lourd, admit Charlemagne.

– Alors che chera pas pluche d'une livre, à payer de chuite.

Sans chicoter, Charlemagne lui compta sa livre. Alors Pompougnat souleva le portemanteau et le posa sur son bonnet noir : l'effort empourpra son visage et des veines apparurent sur son front. Charlemagne n'osa lui demander si c'était à force de porter des poids qu'il avait les pieds si plats et la tête si enfoncée dans les épaules.

Il faisait jour et ils approchaient du couvent des Filles de la Croix quand la cloche de la Bastille se mit à sonner le tocsin.

Malgré qu'il en eût, Pompougnat dut faire une pause devant l'église du Petit-Saint-Antoine, histoire de reprendre son souffle et de détasser ses vertèbres. La fierté de sa profession se nichait dans le poids du fardeau soulevé et dans la distance parcourue sans le reposer.

– Ah, ch'est chûr que ch'est pas d'la plume d'oie, boudiouf de mordidiou !

L'arrivée d'une compagnie de grenadiers à cheval de la Maison du roi fit sensation. En grand uniforme, montés sur des chevaux noirs, ils revenaient de Versailles et se rendaient à leur casernement. Leur guidon était déployé à l'arrière, et ceux qui avaient de bons yeux pouvaient lire leur noble credo : *Undique Terror, Undique Letum* – en tout lieu la terreur, en tout lieu la mort. Pas étonnant que le trafic s'écartât devant eux comme par enchantement.

Le portefaix dut s'arrêter une nouvelle fois au coin de la rue de la Tissanderie et de la rue des Mauvais-Garçons, le souffle court. Les échoppes et les boutiques ouvraient les unes après les autres et des baillasses apparaissaient, le balai à la main. Charlemagne commanda un gobelet de café au lait à une vendeuse qui se tenait près d'une borne de pierre. Après six cent trente-deux jours de table du gouverneur, le breuvage lui parut exécrable, bien qu'identique à celui apprécié place Maubert le matin de son arrivée.

— Eh ! z'est pas du moka, dit-il sobrement en terminant toutefois le gobelet.

Un perruquier lève-tôt apparut, fer à toupet dans une main, boîte à perruque dans l'autre, suivi par des petits décrotteurs qui attendaient l'instant où il crotterait fatalement ses bas blancs dans la noire gadoue.

Le portefaix fit une pause rue Jean-Pain-Mollet, puis encore une autre à la hauteur du cloître Sainte-Opportune.

La circulation était déjà intense rue Saint-Honoré et l'absence de trottoir contraignait les piétons à se déplacer en rasant les murs dans une constante bousculade.

— Gare, gare ! gronda Pompougnat en avançant d'un pas lourd vers la porte cochère de l'hôtel du Point d'Honneur.

Debout devant sa loge, Paul Montargens sur sa jambe de chêne s'enguirlandait avec le premier piqueux Lafutay.

— Je suis pas appointé pour ramasser le bran de tes chiens, moi.

En disant « moi », Montargens tapotait sa plaque de vétérance avec le pommeau de sa canne.

— Et la cour, c'est mon gouvernement, alors tes chiens y doivent pas embrenner mes pavés chaque fois qu'y reviennent du bois.

Le portier s'interrompit à la vue d'un portefaix titubant de fatigue qui entrait dans son territoire. Il vit aussi Charlemagne qui le suivait et son visage s'éclaira.

— Ah ! voilà enfin notre embastillé !

Pompougnat déposa le portemanteau à terre avec un soupir émouvant. Charlemagne lui offrit un écu supplémentaire pour sa peine.

— Ah, millediou, vous êtes foutrement bon, moncheigneur. Que Dieu vous béniche !

Et il s'en alla d'une démarche légère en massant sa nuque contractée.

— Z'espère qu'il y a touzours une çambre pour moi, dit Charlemagne en guise de salut.

Montargens parut surpris :

— Vous restez point chez vos frères ?

– Mes frères ?

– Y étaient ici hier matin.

– Pour faire quoi ?

– Monsieur le colonel leur a prêté sa berline et ils sont partis à Versailles demander votre grâce.

Charlemagne ouvrit la bouche pour parler mais ne produisit aucun son.

Une charrette de livraison pleine de foin entra en cahotant sur les pavés. Des petits valets d'écurie sortirent de la grande remise armés de fourches à trois dents.

– Et où zont-ils maintenant ?

– Ah ça, j'en sais pouic.

En l'absence du baron Ocloff, qui dormait encore dans ses appartements, le portier prit sur lui de loger Charlemagne dans la chambre de feu Gontran Valfleury de Bleuzac, récemment saigné à blanc par un coup de pointe dans les testiculatoires.

Le transport du portemanteau fut pour son propriétaire un véritable calvaire à multiples stations. Rien que pour gravir le grand escalier, il dut s'arrêter une dizaine de fois, soufflant comme un bœuf.

– Me tenez point rigueur si je vous assiste pas, hein, mais avec ma jambe, j'peux plus rien porter.

Une quinzaine de novices torse nu déboulèrent des combles. Tous le dévisagèrent avec curiosité. Ils étaient conduits par le prévôt Évangile Frétin qui passa devant Charlemagne en faisant mine de ne pas le reconnaître.

La chambre du malchanceux Valfleury de Bleuzac était grande, joliment meublée, bien éclairée. Une porte-fenêtre donnait sur un balcon à balustrade d'où l'on dominait le parc.

Les novices surgirent dans l'allée centrale et se dirigèrent au pas de course vers l'amphithéâtre.

– A part le prévôt Frétin, ze n'en reconnais aucun.

– C'est normal, après si longtemps, et puis l'Académie en consomme beaucoup. Ceux que vous avez connus, y sont aujourd'hui confirmés ou y sont morts.

Charlemagne déposa le portemanteau près d'une commode aux tiroirs galbés. Le portier lui remit la clef du lieu avec une dernière recommandation :

– Surtout, y faut voir monsieur le colonel à son lever... Y va plus tarder.

Montargens parti, Charlemagne s'enferma à double tour, *tchlak clac*, avec un sentiment de sécurité que seul un autre évadé aurait pu comprendre. S'il y avait eu de l'herbe dans la chambre, il se serait roulé dessus en gigotant des pieds. En plus d'avoir réussi son évasion, il s'était enrichi de deux mille cinq cents louis d'or, macarel de caramba ! Et par-dessus le marché, il venait d'apprendre que les siens étaient ici !

Il se délesta des vingt rouleaux et les rangea avec les autres dans le portemanteau. A défaut d'une meilleure cachette, il le glissa sous le lit. Après avoir essuyé ses bottes sur les rideaux, il sortit sans oublier de verrouiller, *tchlak clac*, la porte à double tour.

Dans la cour, Armand, le cocher du baron, surveillait la livraison de foin et d'avoine commandée la veille place d'Enfer. Il avait pour consigne de contrôler à la main et à l'odeur la qualité de chaque botte qui entrait dans ses écuries. Quand il vit Charlemagne apparaître sur le perron, son visage s'éclaira. Armand était l'un des rares du Point d'Honneur à avoir parié sur lui.

— Content de voir qu'ils vous ont laissé sortir, monsieur.

— Z'est vous qui avez transporté les miens hier matin ?

— Oui, oui, c'est moi. Je les ai voiturés tôt dans la matinée jusqu'à Versailles, et après qu'ils ont gagné votre grâce du bon gros Louis, ils ont voulu venir vous chercher à la Bastille.

— Et après ?

— Oh, après, les chevaux étaient fatigués et on est arrivés bien tard rue Saint-Antoine, et puis y a eu ces vieilles bourriques de gardes à l'entrée qu'ont rien voulu savoir. Ils nous ont juste dit de revenir plus tard avec une autorisation du lieutenant général de police.

— Et après ?

— Oh, après je les ai voiturés rue du Hurepoix où ils logent *Au Lit on Dort*.

Chapitre 39

La main que tu ne peux pas couper, baise-la.

Henri IV

— Aïe aïe ! Ça va huffler, s'exclama le bas-officier Riton Dulac en apercevant la corde sortant de la fenêtre des archives, telle une fine langue blanche.

Les quatre patrouilleurs s'entre-regardèrent.

— Quel guignon qu'ça tombe sur nous ! C'était notre dernier tour.

— On y est pour rien, mais n'empêche qu'on va drôlement s'faire chanter pouille !

Sans hâte, la patrouille regagna le poste de garde et Dulac se résigna à sonner l'alarme. Une évasion étant toujours considérée comme un échec personnel doublé d'une faute professionnelle majeure, le cauchemar d'un geôlier était celui d'être réveillé en sursaut par le tocsin de l'escampette.

Le gouverneur de Launey se vêtit à la hâte en se demandant qui avait bien pu oser l'infaisable. En quatre siècles, il n'y avait eu que six évasions réussies à la Bastille et la dernière datait de février 1756, sous l'administration du gouverneur de Jumilhac. Il ajustait sa perruque lorsque le sergent Dulac arriva pour lui présenter un premier rapport oral.

— Comme c'est de la fenêtre des archives qu'elle pendouille cette corde, c'est soit la première du Trésor, soit la première de la Comté, monsieur le gouverneur.

— Qui était de permanence ?

— Monsieur le lieutenant de roi de Saint-Sauveur, monsieur le gouverneur.

Le gouverneur arriva dans la grande cour au moment où son

second débouchait de la tour du Trésor, l'air d'un chat dont on aurait allumé la queue.

— Eh bien, monsieur le lieutenant, que se passe-t-il dans ma forteresse ?

— Il y a que ce fâcheux de première du Trésor s'est barricadé dans sa chambre et refuse d'ouvrir, monsieur le gouverneur.

— Je me moque de la première du Trésor ! Dites-moi plutôt qui s'est évadé pendant votre permanence ?

— Sauf votre respect, monsieur le gouverneur, mais je l'ignore encore. Nos porte-clefs vérifient chaque tour et je me rendais de ce pas aux archives œiller de plus près cette corde.

Le capitaine des portes Jean Jasmin sortit de la tour du Trésor et marcha vers le gouverneur en faisant cliqueter son clavier, signe d'agacement.

— La première du Trésor est barricadée, monsieur le gouverneur. Il ne veut même pas répondre. Ai-je l'autorisation de défoncer la porte ?

— Non, bien sûr ! Savez-vous combien cela coûterait pour la changer ? Après tout, ce pensionnaire n'en est plus un, c'est un gracié, certes un lunatique, mais la faim le fera se débarricader assez tôt.

L'horloge de l'état-major sonna la demie de six heures. Un garde accompagné d'un petit homme replet qui portait une sorte d'échelle bizarre passa le pont-levis et entra dans la cour.

— Regardez ce que ce civil nous apporte, monsieur le gouverneur.

— Mon nom est Arsène Troinon. C'est moi le marchand de fleurs de la quatrième boutique, et voilà ce que j'ai trouvé sur mon toit ce matin.

Il remit l'échelier au gouverneur qui l'examina avec incrédulité.

— Oh ! c'est pas tout, votre foutu évadé, il a brisé des ardoises sur mon toit, il a saucissonné la Toinette et après il a tout briconné dans le garde-manger, alors y faudrait voir qui va me payer tout ça... hein.

De Launey fit comme s'il n'avait pas entendu la dernière phrase.

— Fort bien, nous savons maintenant par quel chemin il est passé. Votre servante vous a-t-elle fait une description de l'individu ?

Le fleuriste eut une grimace dépréciative.

— C'est que la Toinette elle est un peu hébétée depuis sa naissance, monsieur le gouverneur, alors elle a juste dit que c'était un jouvenceau qui portait un grand sac bien lourd et qu'avait les poches bourrées à craquer... De quoi, elle en sait rien... Ah oui, tiens, elle a dit aussi qu'il portait l'épée et qu'il avait comme un gros cheveu sur la langue quand y causait.

Le gouverneur Bernard de Launey secoua sa tête de bas en haut, puis de gauche à droite pour recommencer de bas en haut et enfin de haut en bas, un tic qui ne se manifestait que pour les grandes émotions, et celle-ci était carabinée.

– C'est à n'y rien comprendre ! Pourquoi un gracié s'évaderait-il le jour même où il reçoit sa grâce ? Cela n'a pas de sens !

Le gouverneur retrouva Saint-Sauveur dans la salle des archives. Le trou dans le mur lui tira le plus gros juron qu'il connaissait.

– Foutre de foutre !

– Oui, monsieur le gouverneur, on peut dire que ce chafouin a su dissimuler son jeu...

De Launey dut se mettre à genoux pour se glisser par le trou et rejoindre la chambre dans la tour du Trésor, avec, au passage, un étonnement infini devant le travail accompli.

Il trouva le porte-clefs Lucien Roubignol en train de délester l'armoire des volumes de l'*Encyclopédie*.

– Mes respects, monsieur le gouverneur. Venez voir comme il a aussi enfoncé des cales sous la porte pour bien la bloquer. Ah, il aurait fallu la briser en entier pour rentrer !

– C'est vous Roubignol qui avez le service de cette tour, n'est-ce pas ?

– Oui, monsieur le gouverneur, et celui de la Chapelle aussi.

– C'est donc vous qui êtes venu ici au moins trois fois par jour, n'est-ce pas ?

– Oui, monsieur le gouverneur.

– Comment expliquez-vous que vous n'ayez rien remarqué pendant tous ces mois qu'il lui a fallu pour percer ce mur ?

– J'ai rien remarqué, c'est vrai, mais je suis pas le seul, répliqua Roubignol sur un ton défensif.

De Launey vit alors sur le tapis d'Ispahan les goujons, les pênes, la lame de ressort, les montants du lit. Il les ramassa avec un grand sentiment de découragement. Saint-Sauveur apparut à son tour par le trou et s'intéressa de suite aux outils que le gouverneur essayait d'identifier.

– Ça, ce sont des montants de lit, et ça ce sont des goujons d'armoire... Et ça ce sont des pênes qu'il a dû ôter au cylindre du secrétaire... Mais ça ?

Il examina sous tous les angles la lame de ressort tirée du mécanisme de la serrure du coffre.

— Je ne vois pas d'où il nous sort ça.

Un examen plus approfondi du trou permit de découvrir la niche de briques qui avait contenu le coffre.

— Que je sois transformé en petit pois si je devine ce que ces briques font ici, au milieu de ce mur.

La disparition de quatre moellons sur les huit descellés posa aussi problème et on se perdit en conjectures jusqu'à ce que Saint-Sauveur remarquât que les deux moellons fermant l'entrée du trou avaient été réduits de moitié.

— Pourquoi s'être donné autant de mal ?

— Parce qu'ils sont très lourds et qu'il devait les déplacer à chaque fois. Il a dû réduire en miettes les quatre qui nous manquent et se débarrasser des débris durant ses promenades… Mais j'admets, monsieur le gouverneur, avoir grandement sous-estimé sa capacité à nous nuire.

Bien qu'il ne s'en fût jamais servi, de Launey n'ignorait rien de la procédure à suivre en cas d'évasion. Il allait devoir prévenir d'urgence monsieur le lieutenant général de police, lui communiquer le dossier du prisonnier, distribuer son signalement à la maréchaussée, puis écrire une belle lettre d'excuses au roi, qui serait versée à son dossier et qui y ferait une belle tache.

Comme pour démontrer qu'il était capable de lire dans les pensées de son supérieur, Saint-Sauveur dit :

— L'ironie dans cette évasion, monsieur le gouverneur, vient du fait qu'elle n'a pu avoir lieu. Notre évadé ne peut en être un, puisque c'est un gracié au moment des faits. J'ajoute que même si nous parvenons à le retrouver, nous ne pourrons l'inculper que de destruction de matériel ayant appartenu au roi, rien de plus…

En fin de matinée, le gouverneur et son état-major, les quatre porte-clefs et leur capitaine, les huit bas-officiers invalides qui avaient patrouillé durant la nuit refirent pas à pas le trajet de l'évadé. Les empreintes profondes laissées par ses bottes dans le fossé confirmaient les dires de la Toinette : l'évadé était pesamment chargé.

De Launey ordonna au major de vérifier si rien ne manquait dans la salle des archives.

– C'est ici qu'il s'est servi de son échelier, décréta Saint-Sauveur en désignant le trou dans le sol au pied de la contrescarpe.

Sur le chemin de ronde, il montra l'endroit où l'évadé avait utilisé son échelier une seconde fois.

– Voici d'où il est parti pour monter de l'autre côté, et c'est sur ce toit qu'a été retrouvée l'échelle... Il s'est ensuite introduit chez le marchand de fleurs en passant par la mansarde, et voilà.

Les mains dans le dos, le front plissé, de Launey s'adressa durement aux invalides.

– Expliquez-moi comment il est possible qu'aucun de vous ne l'ait vu ni entendu ?

– Il faisait nuit noire, monsieur le gouverneur, et que même avec le falot on voyait pas à cinq pas devant.

– Et la preuve c'est que dès qu'il a fait un peu jour, la corde, on l'a vue, nous, ajouta le bas-officier Dulac sur le ton de l'évidence.

Une cloche sonna trois coups longs répétés trois fois, code signalant l'arrivée au poste Saint-Antoine de visiteurs importants. Bientôt, un invalide apparut sur le chemin de ronde et se dirigea vers eux aussi vite que ses bandages herniaires le lui permettaient.

– C'est l'évadé, monsieur le gouverneur ! J'le jure sur la tête du pied de mon lit que c'est lui... Et il est avec sa famille... Et y dit qu'il vient chercher ses lettres, ses meubles et ses rats, monsieur le gouverneur.

Chapitre 40

Je me lave une fois par an, que j'en aie besoin
ou pas.

Charlemagne en 1783

Grâce au baron Ocloff, qui leur présenta le trésorier du duc d'Orléans,
M. Seguin, un homme très au fait de la chose immobilière, les cinq
Tricotin prirent à bail une maison à porte cochère de quatre étages,
avec une cour et une écurie assez grande pour accueillir un cabriolet
de quatre. L'immeuble s'élevait rue de Grenelle-Saint-Germain, à un
jet de crachat de l'abbaye de Pentémont, à un jet de pierre du couvent
des religieuses de la Visitation. Un contrat d'un an reconductible fut
signé avec le propriétaire, le sieur Brissault, un renommé courtier
d'amour pour grands qui investissait ses bénéfices dans l'achat de
maisons de rapport.

Chaque Tricotin eut son étage et les rats furent libres de s'installer
où bon leur conviendrait. Ils choisirent tout naturellement les
combles, mais avant, ils chassèrent la famille de Noirs qui les occupait depuis la construction de la maison au siècle précédent et ils cro-
quèrent toutes les portées de ratons trop jeunes pour s'enfuir.

Clotilde souhaita occuper l'étage le plus élevé, expliquant qu'il
était le plus ensoleillé et que la lumière était importante pour quelqu'un qui briguait le Grand Prix de l'Académie royale de peinture.
Quand ses frères voulurent savoir d'où lui venait une telle ambition,
elle leur confia que l'un de ses professeurs à l'école de dessin de
Rodez lui avait trouvé suffisamment de talent pour qu'un jour elle
prétende vivre de sa peinture, à l'instar d'une Élisabeth Vigée ou
d'une Adélaïde Labille-Guiard.

— Et il m'a dit que le lauréat de ce Grand Prix était invité à Rome
pour s'y bonifier durant trois années.

Clotilde avait modifié le salon en atelier de peintresse, avec l'intention de réaliser autant de toiles qu'il faudrait pour être acceptée comme élève auprès d'un maître, premier degré à franchir avant le Grand Prix. Clotilde connut des instants inoubliables dans les boutiques du Palais-Royal à choisir les meilleures toiles de lin, les meilleurs chevalets, les meilleurs pinceaux, brosses, godets, pinceliers, palettes, les meilleures couleurs, les plus rares, les plus coûteuses, sans se dire une seule fois : « C'est trop cher, je ne le peux. »

Ses dix mois passés à l'école de Rodez lui avaient donné les notions de perspective qui lui faisaient défaut et lui avaient inculqué que la recherche de la réalité absolue devait dominer les ambitions de tout artiste digne de ce titre. « La plus excellente manière de peindre est celle qui imite le mieux et qui rend le tableau le plus vraisemblable à l'objet naturel qu'il représente », avait écrit Léonard de Vinci, et depuis, gare au contrevenant.

La première toile parisienne de Clotilde fut un portrait en pied de Charlemagne dans sa chambre de la Bastille. Elle le peignit debout, les bras croisés, le corps baignant dans un large faisceau de lumière qu'elle fit tomber d'une fenêtre à gros barreaux. Le trou dans le mur, les moellons déplacés, les outils employés pour les desceller, un coin du bureau à cylindre et du tapis d'Ispahan furent minutieusement représentés, ainsi que les sept gros rats noirs, dont Macarel dressé sur ses pattes arrière et grignotant un morceau de lard. Charlemagne les lui avait amenés dans l'atelier pour les faire poser, mais ce n'avait pas été simple car les bestioles étaient d'un naturel gigoteur.

Sous prétexte qu'il n'aimait pas monter les escaliers, Dagobert s'était installé au rez-de-chaussée. Il avait écrit une belle lettre au recteur de la faculté de Montpellier pour lui réclamer son dossier et pour lui expliquer comment une succession d'heureux hasards l'avait amené à Paris pour y compléter son enseignement.

Normalement, il fallait être âgé d'au moins seize ans et avoir accompli trois années d'études pour accéder à la licence de droit. Mais attendu qu'il y avait toujours des impatients à trouver ces délais trop longs, et attendu que ces mêmes impatients étaient pour la plupart des fils de hauts magistrats, un système aussi pratique qu'onéreux s'était installé : il permettait à tout candidat raisonnablement intelligent d'être reçu bachelier et licencié en droit en une semaine, horloge de poche en main.

Dagobert avait alors suivi mot à mot les directives d'Alexandre Pagès-Fortin. Le 31 août au petit matin, il s'était fait enregistrer pour l'examen de bachelier. Il avait présenté les sujets au professeur agrégé Ravier des Fauvettes qui lui avait vendu les arguments et les solutions à raison de quinze livres le sujet. Comme il y en avait trente, Dagobert avait déboursé quatre cent cinquante livres. Il avait tout appris par cœur et, le 4 septembre, revêtu d'un bel habit noir flambant neuf rehaussé par de belles manchettes immaculées en dentelles du Puy, il soutenait les doigts dans le nez une thèse sur le droit canon et une autre sur le droit civil. Une demi-heure plus tard, il était reçu bachelier.

Sans perdre de temps, il s'était fait enregistré, il avait reçu les sujets de la licence et s'était empressé d'aller les soumettre à la sagacité de monsieur l'agrégé Ravier des Fauvettes. S'agissant d'une licence, les trente arguments et solutions étaient plus longs, plus compliqués, plus chers. Dagobert dut débourser vingt livres par sujet, soit six cents livres.

Le 8 septembre en début de relevée, il soutenait une thèse sur le droit romain et une thèse sur le droit français. Quelques instants plus tard, il était licencié en droit et le monde de la chicane comptait un nouveau sujet.

Clodomir occupait avec satisfaction le premier étage, dit « noble », et Pépin logeait au-dessus, tandis que Charlemagne s'était installé au troisième d'où il avait une vue d'aigle sur les arbres du parc de l'abbaye de Pentémont, et pas seulement sur les arbres. Le sieur Brissault l'avait averti sur la vraie nature de l'établissement. Il s'agissait d'un couvent de luxe réservé aux grandes mondaines et aux femmes de la première distinction désireuses de faire oublier une grossesse intempestive ou une compromission dans un scandale.

Charlemagne était si heureux d'être réuni aux siens, si satisfait d'être libre, si béat d'être devenu riche, qu'il ne sentait plus rien. C'était comme si ses sentiments étaient emmaillotés dans des édredons en duvet d'oie où plus rien de pointu ne pouvait passer.

Il avait réparti son mobilier de la Bastille dans les quatre pièces de son étage : un serrurier avait posé de nouveaux pênes au bureau à cylindre et un ébéniste était venu remplacer les goujons de l'armoire et les montants du lit Chippendale. Ce même ébéniste lui avait fabriqué une bibliothèque dans laquelle il avait rangé les vingt-huit volumes de l'*Encyclopédie* ainsi que plusieurs ouvrages traitant de l'histoire de France et des généalogies royales achetés *Au Papier qui Parle*, rue Saint-Honoré.

Dans l'une des toutes nouvelles boutiques du Palais-Royal, il avait trouvé une lunette Matthew Berge of London d'une telle qualité qu'il pouvait, de son balcon, mesurer la hauteur des talons de toutes les belles femmes qui entraient et sortaient de l'abbaye de Pentémont.

Les trois cents livres empruntées par Clodomir aux Marangus de Racleterre furent remboursées, et cent livres furent offertes à la Bousquette, cette fille du Palais-Royal qui, sous la dictée du bas-officier Latrombe, avait envoyé la brève de Villefranche-de-Rouergue prévenant les Tricotin de Racleterre que leur frère était embastillé. Latrombe reçut trois cents livres pour son amabilité.

Mille livres furent expédiées à Laszlo Horvath, accompagnées d'une lettre le priant de faire son portemanteau et de venir habiter l'hôtel Tricotin, rue de Grenelle-Saint-Germain.

Le grand-père Louis-Charlemagne reçut cinq mille livres, son fils Caribert trois mille, son petit-fils Mérovée trois mille. Les Cambou-lives reçurent deux mille livres et maître Alexandre Pagès-Fortin trois mille. Les Floutard reçurent un grand silence bien mortifiant.

La suggestion de Dagobert d'envoyer dix mille livres aux Armo-gaste pour solde de tout préjudice passé fut refusée par Charlemagne.

– Ah za non, alors ! Z'aimerais plutôt qu'ils attrapent tous la pécole !

– La pécole ? *Ques aco ?*

– Z'est la peau du cul qui ze décolle.

Les Tricotin logeaient encore *Au Lit on Dort* quand Charlemagne avait dévoilé son trésor et leur avait conté l'histoire qui allait avec.

– Ahi ! Tu as trouvé tout ça *dans* le mur !

– En plein mitan.

– Mais comment tu savais que c'était là ? avait demandé Pépin, l'esprit quelque peu dévissé par autant d'or et de pierres précieuses.

– Ze n'en zavais rien, benêt, z'était là, z'est tout.

Dagobert avait alors soulevé un problème majeur.

— Ces louis ont cent vingt-trois ans d'âge et ils sont si neufs qu'on dirait qu'ils n'ont jamais servi. A mon idée, il vaut mieux enquêter sur ce qu'il en est avant de se faire embabouiner. Pareil pour les pierres et pour le pectoral.

Clodomir s'était souvenu que les Marangus de Bordeaux avaient de la famille à Paris, de la famille faisant de la banque.

— Ils sauront nous renseigner à coup sûr. Les Marangus ont bonne réputation pour des Juifs.

— Ah bon.

— En plus, je crois que ce sont des marranes, des Juifs qui se sont convertis lorsqu'ils habitaient l'Espagne.

— Ah bon.

Si Charlemagne savait peu de chose sur les Juifs, il ne se souvenait pas avoir entendu une seule bonne parole à leur égard. En revanche, il avait souvent ouï dire que c'étaient tous des fourbes assurés et qu'ils étaient tous directement impliqués dans la mort de notre Jésus. Le père Gisclard, le chapelain des Armogaste, disait d'eux que non seulement ils niaient l'Immaculée Conception mais qu'ils avaient le toupet infernal d'affirmer qu'il n'existait qu'Un Seul Vrai Dieu Unique, qu'il s'agissait précisément du leur et que celui-ci n'avait jamais eu d'enfant.

Charlemagne avait étalé le contenu des coffrets sur la table.

— Ze zuis zertain que tout za contient des grands zecrets. Z'ai un peu regardé dedans mais ze n'ai rien compris.

Il avait pris les sept feuillets d'où pendaient les rubans cachetés et les avait présentés à Dagobert.

— C'est écrit en étranzer, en ezpagnol, ze crois... ou peut-être en italien...

Le jour ensuivant, Charlemagne, Clodomir et Dagobert se rendirent rue Saint-André-des-Arts, siège de la maison *Marangus & fils*. Clodomir n'eut qu'à se recommander d'Abraham Marangus de Bordeaux pour que le marchand-banquier Moïse Marangus les reçoive sans autre formalité.

Chapitre 41

Il n'est pas aisé de trouver un endroit sur la terre qui n'ait reçu cette race.

Strabon

Le peuple le plus abominable de la terre, un peuple ignorant, barbare, qui joint depuis long-temps la plus sordide avarice à la plus détes-table superstition et la plus invincible haine pour tous les peuples qui les tolèrent et les enri-chissent... il ne faut pourtant pas les brûler.

Voltaire, *Dictionnaire philosophique*

Je te loue, ô mon Dieu !, de ce que tu m'as fait créature si admirable.

Psaume 139

Selon les services fort bien faits de monsieur le lieutenant général de police Le Noir, il existait à Paris, en 1783, cinq cent quarante-six Juifs divisés en deux communautés qui se haïssaient ancestralement : les Séfarades du Sud-Ouest, les Ashkénazes de l'Est. Les premiers, les plus anciennement installés dans la capitale, étaient des Juifs dits « Espagnols » ou « Portugais », venus de Bayonne ou de Bordeaux et convertis pour la plupart. Les deuxièmes, les plus nombreux, étaient les Juifs dits « Tudesques » venus d'Alsace et de Lorraine, très tradi-tionnels, très religieux. Il y avait aussi quelques Avignonnais et Com-tadins, aussi appelés « Juifs du pape », qui n'aimaient qu'eux-mêmes.

Pour les Espagnols, dont la prospérité s'était faite sous l'occupa-tion arabe, la formation de l'Espagne très catholique fut le début d'éprouvantes tribulations. Leur Reconquista achevée, Ferdinand d'Aragon et Isabelle de Castille signèrent en 1492 un décret donnant quatre mois aux Juifs espagnols pour s'en aller ou pour embrasser la foi catholique.

Les Marangus, marchands-droguistes fort appréciés dans le port de La Corogne depuis deux siècles, se convertirent de si mauvaise grâce qu'ils subirent, année après année, les brimades de l'Inquisition, jusqu'au jour où ils émigrèrent en France pour s'installer à Bordeaux. Le temps de quatre générations (cent vingt ans) et les marchands-droguistes *Marangus & fils* étaient devenus des armateurs bien implantés, propriétaires d'une flotte marchande de huit navires, tous conçus pour le trafic triangulaire. Entre-temps, plusieurs cadets en surnombre s'étaient établis à Saint-Domingue, à Fort-de-France, mais aussi à Toulouse, à Rodez, à Racleterre, à Paris.

Le Moïse qui recevait les frères Tricotin était l'arrière-petit-fils de David Marangus, un aventureux cadet venu ouvrir rue Saint-André-des-Arts un négoce exclusivement approvisionné en produits des Isles : café, sucre, cacao. A titre d'encouragement, ses parents de Bordeaux lui avaient fourni ses premières marchandises à crédit et à prix coûtant durant cinq années, le temps de doubler son capital et d'avoir le pied à l'étrier.

A la demande pressante de sa clientèle, le père de Moïse, Josué Marangus, avait créé une banque d'escompte qui permettait à un commerçant d'avoir immédiatement sa marchandise, de la vendre et de ne la payer que trois mois plus tard, la banque l'ayant fait par anticipation, sous déduction d'une somme pour intérêts. Dès l'âge de douze ans, Moïse avait été formé par son père Josué aux arcanes du commerce et de la banque.

– Pour être un bon marchand, mon fils, il te faut suivre au plus près les cours du marché, il te faut connaître tous les changes et savoir tenir tes livres de comptes. Tu dois être capable de rédiger des factures, de dresser des comptes de société, d'établir des contrats, des polices d'assurance et des lettres de change. Tu dois connaître les endroits où se manufacturent les objets et les pays qui produisent des marchandises à bénéfice, et tu dois aussi connaître les moyens de transport les moins onéreux, de même que les droits à payer à l'entrée et à la sortie.

« Probité » était le maître mot de son enseignement.

– La probité, Moïse, engendre la confiance, la confiance engendre la clientèle et le respect, qui engendrent à leur tour la réussite... et il n'y a pas de limite à ce que peut engendrer la réussite.

Son père illustrait ses propos par des histoires telles que celle de Liefman Calmer, ce Juif d'Amiens fournisseur des armées royales et tellement honnête qu'il en avait obtenu la si convoitée « lettre de nationalité » le faisant sujet français bénéficiant de tous les droits dont étaient privés la majorité de ses coreligionnaires : droit d'acheter, droit d'acquérir par donations et héritages des biens et des immeubles, droit de les vendre, de les léguer, droit reconnu aux héritiers de les avoir en pleine jouissance et d'en disposer à leur guise.

Pour un million cinq cent mille livres, Liefman Calmer avait acheté à un écuyer ruiné, Briet de Bernapré, son titre de baron de Picquigny, auquel était attaché le titre de vidame d'Amiens.

– Et un vidame, Moïse, c'est le représentant de l'évêque pour ses affaires temporelles, et cela l'autorise à nommer des curés dans les paroisses de sa baronnie.

L'évêque d'Amiens, monseigneur de Machault, s'était hautement indigné qu'un « heureux Hébreu » ne croyant pas en Jésus-Christ, puisse faire des curés et créer des chanoines dans sa bonne église épiscopale d'Amiens. Il avait aussitôt contesté devant les tribunaux la validité de la vente de titres de noblesse à un « sire concis » *(sic)*. Après de longs mois de délibération, le Parlement lui avait donné tort et il avait perdu son procès en plein.

A dix-sept ans, Moïse avait épousé Bénengude Lupès, âgée de quatorze ans, qui était la plus jolie des douze filles du rabbin Salomon Lupès, un Espagnol de Bordeaux porteur d'une barbe si grande qu'il pouvait la coincer dans sa ceinture chaque fois que le besoin s'en faisait sentir. Bénengude accoucha de sept enfants, quatre fils et trois filles, avant de mourir à la surprise générale d'une péritonite en quelques heures.

Moïse comptait aujourd'hui quarante-huit ans et s'il devait mettre un pince-nez pour lire, il ne perdait pas ses cheveux et avait encore presque toutes ses dents. Depuis le décès de son père, il avait laissé libre cours à ses ambitions et avait tenté de s'immiscer lui aussi dans le grand commerce maritime.

Lors d'une première tentative à Nantes, il s'était heurté de front au syndic des Portugais, majoritaires dans la ville, qui avait utilisé contre lui la *Herem Hayishouv*, une procédure interne autorisant des Juifs à dénier à d'autres Juifs le droit de s'installer sur leur territoire. En ce temps-là, chaque communauté, en accord avec les autorités royales évidemment, était constituée en syndic, véritable entité juridique autonome que dirigeaient des rabbins jouissant d'une autorité absolue sur chacun des membres.

Une deuxième tentative, à Rochefort, avait rencontré une même opposition de la part des Tudesques qui tenaient le port depuis trois générations. Cette fois, le syndic avait sournoisement attendu qu'il achète un entrepôt et qu'il commande aux charpentiers de marine une frégate marchande pour déclencher la *Herem Hayishouv*. Comme il renâclait à vider les lieux, le syndic avait fait appel à la force publique, en l'occurrence le guet royal, qui l'avait expulsé de la ville *manu militari*.

Contrairement aux Tudesques qui affectionnaient les longues barbes, les longs caftans sombres, rien dans l'extérieur de l'Espagnol Moïse Marangus ne rappelait sa nature hébraïque. Coiffé d'une perruque à bourse classique, il portait un frac brun à revers aubergine, des bas blancs rentrant dans des souliers à boucle argentée.

Son premier-né, Mardochée, trente et un ans aux vendanges, entra sans frapper dans le bureau pour annoncer avec un point d'interrogation dans la voix qu'un trio de jeunes provinciaux, se réclamant d'Abraham de Bordeaux, souhaitait un entretien.

Il faisait chaud ce matin d'août et toutes les fenêtres étaient ouvertes, mais au lieu d'une brise salvatrice c'était le vacarme habituel de la rue qui envahissait la pièce, forçant Moïse à hausser la voix :

– De quoi ont-ils l'air ?

– Il y en a un vêtu comme un robin et les deux autres portent l'épée. Ils se ressemblent vraiment beaucoup.

Quelques instants plus tard, trois jeunes gens entraient dans le bureau. Moïse les invita à s'asseoir. Les présentations et politesses d'usage échangées, celui prénommé Clodomir déclara :

– Notre grand-père Floutard est partenaire avec M. Abraham dans *La Belle Entreprise*, et je viens moi-même de participer à sa dernière campagne.

Moïse Marangus approuva d'un hochement de tête. Son entrepôt quai des Grands-Augustins venait d'être livré d'une partie du café, du cacao, du sucre et du rhum ramenés des Isles par *La Belle Entreprise*.

– Nous avons besoin de conseils et c'est à vous que nous venons en demander, intervint celui qui était vêtu d'un habit noir, propre mais élimé au col et aux manchettes.

Son voisin, qui portait une grande épée d'assassin, sortit de sa poche une pièce qu'il posa sur le bureau en disant, d'une voix si forte qu'elle couvrit un instant tous les bruits de la rue :

— Nous voulons vendre ze louis, mais comme il est tout vieux nous voulons zavoir combien il vaut pour ne pas être roulé.

Comme d'habitude, l'apparition de l'or modifia l'atmosphère du bureau. Moïse fut captivé par la taille et le poids de la pièce. Il chaussa ses besicles et se trouva tout à coup confronté à la plus énigmatique pièce d'or qu'il lui ait été donné d'examiner en trente ans de banque.

— Voilà qui est des plus singuliers. On dirait le profil du cardinal Mazarin.

Il lut à voix haute les inscriptions gravées sur l'avers et en fit la traduction.

— *JLS Ier D-G... FR-ET-NAV-REX... 1660...* Jules Ier, par la Grâce de Dieu, roi de France et de Navarre...

Il tourna la pièce et découvrit avec un intérêt grandissant les huit J surmontés de huit couronnes royales autour desquelles était gravée la légende habituelle des monnaies royales.

— *CHRS-REGN-VINC-IMP...* Le Christ règne, vainc, commande... Oui, messieurs, c'est une bien curieuse pièce de monnaie que vous avez là, je n'en avais encore jamais vu de semblable.

— Qu'a-t-elle de si curieux ?

— Autant que je sache, le cardinal de Mazarin n'a jamais été roi de France.

Moïse pesa la pièce sur une balance de bijoutier et s'exclama admirativement :

— Voyez par vous-mêmes, une once et deux gros !

Le marchand-banquier agita une sonnette. Son fils Mardochée apparut. Il lui tendit la pièce de monnaie.

— Montre-la à Pinto et reviens avec ce qu'il t'aura dit.

Mardochée cligna des yeux, signifiant qu'il avait compris, et s'en alla.

— M. Pinto Dacosta est notre remueur en chef, il sait beaucoup de choses au sujet des monnaies. En attendant le retour de mon enfant, vous accepterez peut-être une tasse de café ?

— Oh oui alors, un bol même ! s'exclama Charlemagne en quittant son siège pour aller regarder par la fenêtre le spectacle de la rue.

Ce fut alors qu'il remarqua le frontispice d'une bâtisse toute neuve coincée entre un magasin de vinaigres et un immeuble à porte cochère sur lequel figuraient des inscriptions tarabiscotées qui ressemblaient à cet alphabet gravé sur les gemmes du pectoral. Une ravigotante odeur de café le ramena sur son siège.

— Ze n'est pas du moka, mais il est bon quand même, dit-il après la première gorgée.

Il vit sans comprendre ses frères lui faire les gros yeux, tandis que le marchand-banquier prenait un air amusé.

Le temps pour une mouche de faire trois cents fois le tour complet du plafond et le fils Marangus était de retour. Il avait écrit sur une feuille la réponse du changeur.

— Tout ce que Pinto a pu dire, c'est que cette monnaie ressemble à un octuple louis émis par Louis XIII et qui valait à l'époque quatre-vingts livres. Sinon, c'est la première fois qu'il voit une pièce à l'effigie d'un Mazarin Ier.

— Et aujourd'hui, combien vaut-elle ?

Comme tout porteur de bonne nouvelle, Mardochée prit un air important pour annoncer :

— Environ cent dix livres...

Environ cent dix livres !

Sans s'être consultés, les trois frères se levèrent d'un même bond et s'étreignirent en poussant d'étranges « huff huff huff », tels trois insensés aux cervelles subitement démontées. Soudain, l'un d'eux s'immobilisa et serra les poings en prenant un air furibond. C'était Charlemagne qui songeait aux sept mille cinq cents louis dans le double plancher.

Le père et le fils Marangus échangèrent un regard perplexe. Tout en ajustant ses manchettes, Dagobert crut utile de les rassurer :

— Faites excuse, mais c'est la première fois que nous sommes riches, c'est pour ça.

Moïse se permit une moue condescendante.

— N'exagérons rien. Certes, je peux vous acheter cette pièce cent dix livres, mais pas plus.

Alors Charlemagne claqua dans ses mains pour dire d'une voix enjouée :

— Pourquoi ne pas nous en aceter deux mille quatre zent quatre-vingt-dix-neuf autres, eh ?

Après un bref calcul mental, Moïse réalisa que ces trois provinciaux si peu dégrossis et qui n'avaient pas vingt ans venaient de lui proposer une affaire supérieure à un quart de million de livres.

En ces temps économiquement calamiteux où le déficit était le trait constant des finances royales, le cours de l'or était au plus haut. Les louis étaient d'autant plus rares que tout le monde en voulait : les gros joueurs qui en avaient un besoin constant, les voyageurs qui en faisaient une grande consommation, les thésauriseurs qui n'en avaient jamais assez, et, plus récemment, les particuliers qui n'avaient pas confiance dans les billets de la Caisse d'escompte.

Moïse prit l'octuple entre pouce et index et fit mine de l'examiner à nouveau, songeant qu'il serait toujours temps, plus tard, de s'interroger sur ses origines. Il rédigea un bon de caisse pour cent dix livres et chargea Mardochée d'aller l'encaisser, puis il se tourna vers les Tricotin qui ne le quittaient pas des yeux.

– Vous m'avez intéressé, jeunes gens. Apportez votre or et nous traiterons sitôt après la comptée et la pesée. (Il ajouta à l'intention de Clodomir :) Une question cependant : cet or est-il rattaché d'une façon ou d'une autre avec votre dernière campagne négrière ?

– Nenni, monsieur, cela ne concerne en rien votre cousin Abraham. A vrai dire, cet or appartient à notre frère... Mais je ne crois pas qu'il ait cœur à vous narrer l'histoire de sa provenance.

Moïse vit Charlemagne croiser les bras et déclarer d'une voix un peu trop forte :

– Z'est un GRAND zecret et ze me le garde, z'est tout.

Il décroisa ses bras tout aussi vite et pointa son doigt vers la fenêtre ouverte.

– Z'avez-vous ze que veulent dire les gribouillis qu'on voit là-bas zur zette maison ?

Moïse suivit la direction indiquée par l'index et vit la synagogue toute neuve construite par le mécène Jacob Rodrigues Pereire, un vieux Juif portugais de Bordeaux, fameux en son temps pour avoir été l'interprète attitré du bien-aimé Louis XV.

– Ces gribouillis, comme vous les nommez si mal, sont des lettres en hébreu.

– Et l'hébreu, z'est du zuif, non ?

– C'est.

– Alors, comme vous êtes zuif vous-même, vous pouvez lire l'hébreu ?

– Je le peux.

Charlemagne en resta là.

Mardochée fut prompt à revenir avec dix-huit écus d'argent de six livres et quatre écus de cuivre de dix sols, tous à l'effigie de Louis le Seizième. Il les remit à son père qui les recompta à voix haute en les déposant sur le bureau en deux piles. Charlemagne les empocha sans façon mais avec un commentaire qui en disait long sur son état d'esprit :

– La vie est belle, caramba !

Chapitre 42

Dieu existe, sinon qui change l'eau du bocal ?

Mémoires d'un poisson rouge

Moïse prit sa canne et se rendit quai Conti où s'élevait l'hôtel des Monnaies royales. Il fut reçu par l'archiviste-conservateur Jacques de Beaussain-Jalmont. Numismate averti, ce dernier, en parallèle avec sa charge d'archiviste-conservateur, tenait au Palais-Royal l'une des bonnes boutiques d'« Achats & Ventes de Monnaies & Médailles Modernes & Antiques » à l'enseigne de *La Fleur de Coin*.

Ses concurrents colportaient les pires horreurs sur ses prétendues méthodes secrètes d'approvisionnement. Tout le monde se souvenait qu'une décennie plus tôt il avait été dûment atteint et convaincu d'avoir siphonné le grand médaillier royal dont il avait la charge. Il avait ainsi revendu la collection de rarissimes « créséides » de Crésus – marquées d'un lion et d'un taureau affrontés – qui étaient les toutes premières monnaies de l'humanité. Propriétaire de sa charge, ne pouvant donc pas être licencié, il avait été cependant condamné à une amende de cent mille livres qu'il n'aurait jamais pu éteindre sans les prêts de la banque Marangus.

Après quelques politesses sur leurs santés respectives, Moïse tendit la pièce de monnaie à l'archiviste-conservateur.

– Hum, hum, fit Beaussain-Jalmont en se grattant le nez, geste rare chez lui révélant la confusion.

Armant son œil droit d'une loupe de bijoutier, il examina l'avers et le revers en poussant plusieurs « hum hum » dubitatifs. Il vérifia ensuite la pureté du métal en faisant rebondir la pièce sur une plaque de marbre placée à cet effet sur son bureau. Il se vantait de savoir reconnaître à l'oreille l'aloi de n'importe qu'elle monnaie, l'aloi étant la proportion de métal précieux composant ladite monnaie.

Le son produit par l'octuple sur le marbre fut un son pur, cristallin, limpide, un bonheur pour trompe d'Eustache de connaisseur.

— A quelques détails près, cette monnaie est identique à un octuple de 1640... Et comme moi vous avez ouï son excessive finesse.

Beaussain-Jalmont revissa la loupe sur son œil pour examiner cette fois le listel et la tranche, poussant de nouveaux « hum hum » fortement marqués par la surprise.

— Je ne vous apprendrai rien en disant qu'aucun Jules Ier n'a régné, conséquemment cette monnaie n'a jamais eu cours. Il s'agit vraisemblablement d'un exemplaire unique. Un essai peut-être, ou un chef-d'œuvre d'un goût particulier... Ou bien l'hommage quelque peu appuyé d'un graveur à monsieur le cardinal...

Moïse s'autorisa un avis différent.

— Permettez, monsieur le conservateur, mais cette monnaie n'a pas été frappée au marteau, elle a été pressée au balancier, ce qui exclut l'ouvrage d'un particulier.

La frappe au balancier était un monopole royal et seuls l'hôtel des Monnaies et ses ateliers avaient le droit de posséder de pareilles mécaniques.

— Hum hum hum.

Beaussain-Jalmont tourna et retourna la pièce devant son œil démesurément agrandi par la loupe.

— Tout ceci est d'autant plus farfelu que je ne trouve aucune marque d'atelier, ni aucune trace de différent.

Chaque atelier était doté d'une lettre identificatrice qui devait figurer quelque part sur la pièce : A pour Paris, B pour Rouen, C pour Lyon, W pour Lille, Z pour Grenoble... et on appelait « différent », la marque personnelle que tout directeur d'un hôtel des Monnaies, afin d'en attester l'authenticité et la régularité, devait obligatoirement apposer sur chaque pièce produite durant son terme d'office.

Le conservateur rendit la pièce à regret.

— Soyez assez bon, monsieur Marangus, et apaisez ma curiosité en me confiant d'où vous vient cette extravagance.

— Bien sûr, monsieur le conservateur, c'est bien naturel. Il s'agit d'un voyageur qui l'a changé avant-hier à notre officine... Nous la lui avons payé cent dix livres.

— Oooouuuuuh, voilà une bien belle opération ! Cette curiosité en vaut le triple, monsieur Marangus, plus sans doute... A ce propos, peut-être savez-vous d'où ce voyageur la tenait ? Simple curiosité, n'est-ce pas... Ah, vous l'ignorez... comme c'est dommage.

Quand Moïse revit les Tricotin en fin de relevée, ils étaient cinq, dont une jeune fille au teint frais et au regard fureteur.

Bien qu'aucun ne portât les mêmes vêtements, leur ressemblance était déconcertante. A part peut-être ce Charlemagne chez qui Moïse sentait une certaine tension qui évoquait celle d'un ressort de pistolet trop tendu.

– Nous sommes les épateurs Tricotin au complet, l'avertit le prénommé Pépin.

– Ce que mon frère veut dire, c'est que nous sommes des quintuplés, traduisit le prénommé Dagobert, celui vêtu pareil à un robin du Palais de Justice.

Chacun d'entre eux déposa sur le bureau dix rouleaux de cinquante octuples et Moïse constata avec émotion qu'ils étaient encore dans l'emballage bleu des ateliers de la Monnaie. Il y avait donc bien eu une frappe « Jules Ier », une frappe de deux mille cinq cents.

Il fit un signe discret à Mardochée qui alla fermer les fenêtres. Le vacarme de la rue s'estompa considérablement. Le jeune homme aida son père à compter et à peser chaque pièce. Les deux mille quatre cent quatre-vingt-dix-neuf octuples se révélèrent tous parfaitement identiques, tous impeccablement « fleurs de coin ».

Moïse décida que le moment était venu d'expliquer à ses visiteurs les avantages de posséder un compte-dépôt. Il s'adressa d'abord à Dagobert qui lui semblait le plus à même de comprendre, puis à Charlemagne qui lui avait été désigné comme le propriétaire, ensuite à Clodomir, l'associé de l'oncle Abraham. Il ignora Pépin qui ne l'écoutait pas et Clotilde qui n'était qu'une garce comptant pour du beurre. Sa voix était souple, modérément timbrée, et il y avait de la conviction dans sa façon de prononcer les mots « intérêts », « liquidités », « taux de change ». Il croyait à ce qu'il disait à mesure qu'il le disait... mais n'était-ce pas le propre de tout bon emberlificoteur ?

Comprenant mal ce que leur débitait le banquier, Charlemagne se fiait à son nez et à ses oreilles pour décider si cet hébraïque emperruqué leur servait des craques ou pas : un cheval, un chien, un loup, un rat, n'aurait pas autrement agi. Il se souleva de son siège pour le flairer à plusieurs reprises, tel un limier tirant au vent, convaincu que la peur, le désir, la colère, la duplicité dégageaient leurs propres odeurs.

Moïse s'en offusqua prudemment.

— Mais qu'est-ce à dire, monsieur ?

Charlemagne se tapota le nez avec son index.

— Zi on nous ment ou zi on veut nous baragouiner, moi ze peux le renifler, z'est tout.

Il se vantait bien sûr, mais pas de beaucoup. Dagobert intervint avec un sourire radoubeur.

— M. Marangus n'a pas tort, Charlemagne, il n'est pas dans les usages de sentir ainsi les gens.

— Ah bon.

L'incident fut clos et Moïse reprit son exposé, jusqu'au moment où Charlemagne l'interrompit.

— Zi z'entends bien, nous vous donnons tout notre or et en contre-partie vous nous donnez le droit de venir le retirer çaque fois qu'on en a le besoin ?

— Oui.

— Mais alors, où zont *nos* avantazes ?

— Comme je viens de vous l'expliquer, vos finances seront en par-faite sécurité, monsieur Tricotin. En outre, je vous garantis une entière discrétion… qui vous mettra ainsi à l'abri de la curiosité de monsieur le lieutenant général Le Noir… A ce propos, puis-je vous demander si nous sommes nombreux à connaître l'existence de… de ce petit trésor ?

— Nous zommes les zeuls, et z'est bien azez.

Ce fut le moment que Charlemagne choisit pour sortir de sa poche une feuille, pour la déplier et pour la présenter à Moïse. Celui-ci vit le dessin d'un objet carré, divisé en douze rectangles multicolores sur lesquels, à sa grande surprise, se lisaient les noms des douze tri-bus d'Israël : Ruben, Siméon, Lévi, Juda, Issachar, Zabulon, Joseph, Benjamin, Dan, Nephtali, Gad, Aser.

— Z'est de l'hébreu, hein ?

— Oui… Mais ceci, qu'est-ce ?

— C'est un bijou grand comme ça, dit Clotilde en mimant la taille du pectoral avec ses mains, et ce sont douze pierres très belles et très précieuses qui y sont incrustées. Pas une n'est la même. Il est juste dommage qu'on ait scribouillé dessus.

Incertain sur ce qu'il devait penser, Moïse répondit :
– Ce sont les noms des douze tribus du peuple d'Israël.
– Le cadre et les crochets sont en or, précisa Clodomir.
– Et les rubans sont en soie, dit Clotilde.
– Et moi, ze zuis zertain qu'il a été porté, car il y a des trazes d'usure zur les rubans qui montrent bien qu'ils ont été zouvent noués et dénoués, ajouta Charlemagne.
– Dans l'éventualité où nous voudrions nous en séparer, vous serait-il possible d'estimer sa valeur ? questionna Dagobert.
– Je ne suis point gemmologiste, mais je connais quelqu'un qui l'est. Bien sûr, il voudra voir le bijou pour l'évaluer correctement.
– Bien zûr.

Il faisait encore chaud et les fenêtres étaient ouvertes mais aucun bruit ne montait de la rue. Moïse Marangus avait posé le dessin de Clotilde en parallèle avec une gravure du *Vestitus Sacerdotalis Hebraicorum*. On voyait Aaron, le frère de Moïse, le premier Grand Prêtre, chevelu, barbu, pieds nus, accoudé à l'échine d'un jeune taureau et portant sur la poitrine un pectoral incrusté de douze pierres gemmes, retenu aux épaules par des crochets, à la ceinture par des rubans identiques en tout point à ceux du dessin.

Moïse l'examina à nouveau et, encore une fois, il frissonna malgré la chaleur ambiante. Si ce pectoral était l'authentique pectoral d'Aaron et s'il parvenait à en prendre possession, alors plus rien ne serait comme avant pour les Marangus et fils de la rue Saint-André-des-Arts.

Il était écrit dans l'Exode que les douze gemmes figurant sur ce bijou avaient la propriété de changer de couleur pour annoncer l'approche d'une mort, l'approche d'une maladie ou la venue d'un désastre. Elles pouvaient aussi prédire la victoire en cas de bataille et signaler la présence de Dieu lors des sacrifices.

Quand Nabuchodonosor s'était emparé de Jérusalem, il avait déporté la population chez lui, à Babylone, et il avait détruit le temple de Salomon. Avec l'Arche d'alliance, le pectoral magique d'Aaron avait disparu du saint des saints où ils étaient conservés. Quelques siècles plus tard, les Juifs étaient retournés de déportation. Ils avaient restauré leur royaume, reconstruit le temple de Salomon et fait réapparaître le pectoral d'Aaron. En 70 après J.-C., le fils de l'empereur Vespasien, Titus, avait conquis Jérusalem et l'avait butiné avec un grand professionnalisme. Les trésors du Temple, dont le pectoral, avaient été emportés à Rome et exposés dans le temple de la Concorde où ils étaient restés jusqu'à l'arrivée, en juin 455, de Genséric et de ses Vandales. Le pectoral avait alors été emporté à Constantinople. Cent cinquante ans plus tard, les Perses pillaient les faubourgs de cette ville et le pectoral disparaissait pour ne plus jamais réapparaître.

La quête sacrée du pectoral magique d'Aaron datait de ce temps-là, et depuis chaque *shaliah* envoyé de Terre sainte pour collecter la *haloukah*, la dîme communautaire, n'oubliait jamais d'encourager les fidèles à chercher encore et toujours.

Moïse Marangus avait bien trop de lumières pour croire au pouvoir de divination de pierres, fussent-elles précieuses. En revanche, les avantages que pouvait apporter la restitution du bijou sacerdotal ne lui avaient pas échappé. Quel syndic, quel rabbin, oserait lancer une *Herem Hayishouv* contre l'inventeur du pectoral magique d'Aaron ?

Chapitre 43

Car c'est bien de l'orgueil que de se vouloir
simple quand on sait ne pas l'être.

Le 5 septembre 1638, après vingt-trois ans d'une stérilité ponctuée par quatre fausses couches, la reine Anne d'Autriche avait enfin donné vie à un dauphin. Mais à un dauphin tout grêle, infiniment souffreteux et quotidiennement au bord de démontrer qu'à peine né il était déjà assez vieux pour faire un mort.

Le 5 octobre de la même année, Louis Dieudonné, dauphin de France, était subrepticement échangé contre... « un biau gaillard né chez les Tripette, vachers au lieu-dit de la Vacheresse ».

La mauvaise ironie du sort voulut que, peu de temps après, Anne l'Infertile accouchât d'un second fils prénommé Philippe, duc d'Anjou.

— Ouille, ouille, ouille !

— Cela fait d'Orléans l'héritier légitime du trône.

— Adécertes... et ça fait notre gros Louis XVI, le descendant direct d'un Louis XIV né Tripette de la Vacheresse.

— Ouille, ouille, ouille !

— Est-ce que le petit était mort quand sa mère l'a remplacé ? demanda Clotilde.

Dagobert hocha la tête.

— Elle écrit « *trocar* », et ça veut dire troquer en espagnol, il était donc vivant s'il a été échangé. Il a même peut-être survécu... Et peut-être même qu'il s'est reproduit ?

Dagobert avait fait preuve d'une belle maturité en recopiant la confession d'Anne d'Autriche et en la faisant traduire par sept personnes différentes ne se connaissant pas. Chacune d'entre elles avait reçu un seul feuillet, caviardé au préalable de toutes indications de noms et de dates.

— C'était peut-être lui le Masque de fer ? dit Pépin qui avait lu l'histoire dans la Bibliothèque bleue familiale.

— Moi, ce que j'aimerais savoir, c'est si Louis XIV a su qu'il était un imposteur. Vous croyez qu'il a lu cette confession ?

— Non, z'il l'avait lu il l'aurait détruite de zuite après. Ze crois, moi, que z'est pour qu'on ne puize jamais la lire que le Mazarin l'a enfouie dans mon mur.

— Ç'aurait été plus simple de tout brûler, objecta Pépin en faisant mine de battre un briquet.

— Non, moi, je pense plutôt qu'il comptait nuire un jour avec, et que c'est pour ça qu'il l'a conservée et si bien cachée. Voyez comme tous ces documents discréditent la famille royale au complet : le roi Louis XIII, la reine Anne et le dauphin Louis Dieudonné... Et puis ces dix mille pièces à son effigie ! Jules Ier ! Voilà qui laisse bien voir sa turpitude au net ! Non ?

Les vingt-deux lettres signées « Votre Bouquinquan qui vous aime tant » étaient des lettres d'amour accréditant une liaison peu platonique entre la jeune reine Anne et le duc de Buckingham, fringant favori du roi Jacques Ier d'Angleterre.

Ce fut auprès du professeur agrégé Ravier des Fauvettes que Dagobert trouva la signification de l'« Irin Amas » écrit en pierres précieuses.

— C'est simplement l'anagramme latin du cardinal Mazarini, monsieur le cancre, et il veut dire « Tu aimes la Paix ». Ce n'est que l'un des nombreux compliments dont il a été affublé après sa paix des Pyrénées... en l'an 1659, autant que je m'en ressouvienne... Mais puisque vous semblez vous intéresser au personnage, ne manquez point de consulter les procès de 1649 et de 1651 que lui a intenté le Parlement en pleine Fronde. Ils sont édifiants à plus d'un titre, notamment sur les méthodes employées par cet « amoureux de la paix » pour se constituer la plus extraordinaire fortune de son temps.

Les Tricotin eurent un long débat sur la meilleure façon de disposer de ce redoutable secret de famille. Clodomir était partisan de le proposer à l'Orléans, en échange d'une forte somme, bien sûr.

— Un million de livres, par exemple, peut-être plus ?

Dagobert fit non en secouant son index.

— Tout le monde sait qu'il n'a que des dettes. Il dira oui et puis il ne paiera jamais.

— Et moi, ze ne l'aime pas, ajouta Charlemagne en guise de veto, se souvenant des Trois Fontaines et de la façon dont l'Orléans l'avait œillé de haut.

— Le plus judicieux serait que tu l'offres au roi sans rien demander et qu'il décide lui-même de la récompense. Qui sait, peut-être qu'il te fera baron ou marquis, ou même duc, pour lui avoir sauvé sa couronne ?

— Oh oui alors, z'aimerais bien être un grand duc ! s'exclama Charlemagne en imitant le hululement profond et lugubre d'un grand duc faisant sa cour.

Tout ce qui était rat dans l'hôtel Tricotin se tétanisa sur place en cherchant à localiser le terrible prédateur.

— Fort bien, mais comme on sait et qu'il le saura, il peut aussi nous faire enfermer pour toujours, comme pour le Masque de fer.

— Et pourquoi il nous ferait za ?

— Pour être sûr qu'on ne dira jamais rien, dit Clotilde d'une voix posée.

— Dans ce cas, il peut aussi bien nous faire assassiner, et ce serait plus simple et plus économique, dit le toujours très pragmatique Pépin avec un geste de trancheur de gorge.

Chapitre 44

En ce pays-ci, on se tient debout toute sa vie.
En ce pays-ci, on va partout sans s'asseoir
nulle part.

Louis Sébastien Mercier visitant la Cour

Château de Versailles, 29 septembre 1783, Saint-Michel-Archange.

Bien que personne n'y ait dormi depuis soixante-huit ans, la cérémonie du Grand Lever se déroulait encore dans la magnifique chambre à coucher de l'aïeul Louis le Grand.

Le cérémonial débuta au moment où monsieur l'huissier entrouvrit la porte de l'Œil-de-bœuf et rugit pour couvrir le brouhaha qui y régnait.

– La garde-robe, messieurs !

Aussitôt, les membres de la famille, les princes du sang, les grands officiers de la Couronne, tels le grand maître de la Maison du roi, le grand veneur, le grand louvetier, le grand maître des Eaux et Forêts, le grand maître de la Garde-Robe et ses officiers, plus une demi-douzaine de seigneurs qui avaient reçu les grandes entrées, s'engouffrèrent dans la chambre où venait d'arriver le grand et gros Louis, souriant dans son habit du matin.

Tous constatèrent sa bonne humeur sans y trouver à redire. Certes le Trésor royal était au bord de la banqueroute, mais la très dispendieuse guerre en Amérique contre les Anglais était terminée, et, grâce à lui, gagnée. Benjamin Franklin ne s'y était pas trompé en le remerciant publiquement d'un retentissant : « Vous êtes le plus grand faiseur d'heureux qu'il y ait en ce monde. »

Louis était content d'avoir employé son entière matinée à traduire de l'anglais le récit du dernier voyage du capitaine Cook. Cette captivante lecture avait ranimé sa flamme pour la géographie et les découvertes ; aussi, l'idée lui était venue d'organiser une expédition qui poursuivrait et achèverait l'œuvre exploratrice du très infortuné navigateur anglais.

Le rituel du Grand Lever se déroulait en quatre temps et permettait aux courtisans d'assister aux étapes de la toilette royale du matin. L'intérêt d'un tel spectacle se perdait dans la nuit des temps. On disait que les courtisans y jaugeaient leur crédit. Plus on approchait de l'intimité du roi, plus on était considéré. Ainsi, les privilégiés des grandes entrées purent voir le roi ôter son habit du matin et passer sa chemise et des bas de soie gris. Sur un signe du maréchal de Duras, premier gentilhomme de la Chambre, monsieur l'huissier entrouvrit la porte de l'Œil-de-bœuf et rugit :

– La première entrée !

La Faculté, le premier médecin et le premier chirurgien par quartier, les valets de Garde-Robe et M. Lucien, le porte-chaise d'affaires, s'empressèrent pour ne pas rater l'instant où le roi enfilait sa culotte de drap gris tandis que deux pages agenouillés le chaussaient de souliers à boucle d'or et à talons rouges.

Monsieur l'huissier ouvrit la porte de l'Œil-de-bœuf pour rugir :

– La Chambre !

Les officiers de la Chambre en second, les pages hors service, les écuyers, les aumôniers et tous les courtisans admis aux entrées de l'Œil-de-bœuf se précipitèrent avec un grand bruit de piétinement sur le parquet pour voir le roi entrer dans un habit brodé couleur trépassé revenu (bistre avec une pointe de jaune).

Lorsque Louis fut vêtu de pied en cap, monsieur l'huissier ouvrit les deux battants de l'Œil-de-bœuf pour laisser entrer qui voulait.

Un jeune hobereau venu pour sa présentation, une dizaine de bourgeois de province dans leur vêture du dimanche, quelques solliciteurs, un auteur voulant offrir la dédicace de son ouvrage sur la flagornerie intitulé *Puisse Tous Vos Ans être de Quinze Mois*, plusieurs étrangers dont un trio de Bavarois, deux Bataves, quatre Suédois, et cinq Tricotin entrèrent dans la magnifique chambre de parade. Monsieur l'huissier leur indiqua avec sa canne les endroits où ils devaient se poster et se tenir quiets.

Mal placés, au dernier rang près des doubles fenêtres qui donnaient sur la cour de Marbre, les Tricotin durent se dresser sur la pointe des pieds pour apercevoir le roi au moment où, encadré de ses quatre aumôniers, il s'agenouillait sur un coussin et commençait une prière en pensant à autre chose.

— Za pue, dit Charlemagne en fronçant du nez.

Il faisait allusion aux odeurs de civette dégagées par les perruques poudrées qui leur bouchaient la vision. Ses frères et sa sœur sourirent avec indulgence. Ils avaient déjà assisté au Grand Lever, le jour de la Saint-Louis où ils étaient venus implorer sa grâce, et ils n'en avaient pas gardé un souvenir impérissable. Seules la hauteur du plafond et les tentures du lit royal de brocart or et pourpre les avaient impressionnés. Clotilde avait aussi remarqué que la pendule qui faisait face au lit était arrêtée à trois heures.

— Il est devenu bien gras, dit encore Charlemagne qui avait gardé le souvenir d'un Louis 1781 moins enveloppé.

Son Pater Noster terminé, le roi se releva, et le premier gentilhomme de la Chambre en profita pour lui présenter son neveu, le jeune hobereau en habit neuf et aux joues roses.

Louis lui rendit son salut mais sans lâcher un petit mot. En dépit de dix ans de règne, il était toujours aussi intimidable et il redoutait ces présentations durant lesquelles il ne savait jamais que dire. Trop souvent, il cachait son embarras par un gros rire benêt, ou, comme maintenant, il s'esquivait en détournant la tête, ce qui était pris pour de la morgue mal venue. Agacé, il se dirigeait vers la porte menant au cabinet du Conseil lorsqu'un individu en cadenettes s'éleva tout à coup au-dessus de la foule des courtisans et lui lança d'une voix forte et très claire.

— Votre Mazesté ! Z'est moi, le Tricotin des Trois Fontaines, et z'ai zela pour vous.

Louis vit qu'il agitait dans sa direction quelque chose ressemblant à un coffret noir.

Charlemagne venait de transgresser presque tous les interdits majeurs de l'étiquette Il ne fallait jamais, jamais, jamais, jamais, adresser la parole au monarque en premier... et encore moins, ma foué, l'apostropher en plein Grand Lever !

Un vide de pestiféré se fit autour des Tricotin. Clodomir et Pépin déposèrent leur frère qui avait cru opportun de se jucher sur leurs épaules pour mieux se faire remarquer.

Monsieur l'huissier rugit :

— Messieurs les fâcheux, cela n'est point l'usage, veuillez vous retirer immédiatement.

Louis se dandinait vers le cabinet du Conseil lorsque Charlemagne récidiva :

— Votre Mazesté ! Ze viens auzi vous remerzier pour m'avoir grazié l'autre fois... Même zi vous avez été un peu long à le faire. (Il désigna ses frères et Clotilde.) Vous les remettez ? Ze zont eux qui zont venus vous la demander.

— C'était le jour de la Saint-Louis, Votre Majesté, précisa Dagobert en faisant sa révérence.

Clodomir, Pépin et Clotilde l'imitèrent avec plus ou moins de bonheur mais beaucoup de naturel. Le visage du roi s'éclaira et il surprit son public en se dirigeant vers les cinq malappris et en faisant une halte devant le plus impudent.

— Je vous remets, monsieur, vous êtes ce mauvais sujet qui m'a trucidé deux ou trois de mes pages aux Trois Fontaines et que j'ai envoyé à la Bastille, n'est-ce pas ?

Le mauvais sujet haussa les épaules sans sourire.

— Et z'y zuis rezté zix zent trente-deux jours, Votre Mazesté.

Louis eut un gros rire (« ho, ho, ho, ho ! ») qui secoua son embonpoint et ses belles décorations. Charlemagne entrouvrit alors le coffret d'ébène et le lui présenta en baissant la voix :

— Z'est un très très très grand zecret de famille rien que pour vos yeux, Votre Mazesté.

Comme le voulait l'étiquette, le premier gentilhomme de la Chambre s'interposa pour recevoir l'objet en place du roi, mais Charlemagne se recula vivement.

— Zurtout pas ! Zeul le roi peut lire za et perzonne d'autre.

Alors, choquant tout ce qui respirait dans la chambre, il *lança* le coffret d'ébène au roi qui eut l'heureux réflexe de le rattraper en poussant un « Eh ! » surpris. Durant une goutte de seconde, plus personne ne bougea, ne parla, ne respira, puis le roi remit en marche la mécanique royale en riant à nouveau (« ho, ho, ho, ho ! ») et en passant dans son cabinet du Conseil où l'attendaient, sans impatience, son secrétaire d'État aux Affaires étrangères, le comte de Vergennes, et son contrôleur des Finances, Lefèvre d'Ormesson.

Les cinq Tricotin quittèrent la chambre sous les regards unanimement désapprobateurs de l'assistance, et, une fois dehors, ils s'en allèrent d'un bon pas visiter Brutus, le lion rugisseur de la Ménagerie.

Chapitre 45

Il a la mémoire excellente, il a les qualités du
cœur disposées au bien. Mais sans caractère
soutenu, sans principe de décision, sans lier
ensemble les conséquences de l'une à l'autre, il
laisse agir et décider, ou il agit et décide en
contradiction d'un jour à l'autre.

Le comte de Maurepas
parlant de Louis XVI

Elle se parait pour être à la mode, elle faisait
des dettes pour être à la mode, elle était esprit
fort pour être à la mode, elle était coquette pour
être à la mode. Être la plus jolie femme la plus à
la mode lui paraissait le titre le plus enviable.

La comtesse de Boigne
parlant de Marie-Antoinette

Château de Versailles, les petits appartements.

La découverte du contenu du coffret sembla plonger le roi dans un
état voisin de la catatonie et les ministres, présents durant sa lecture,
crurent voir un affamé avalant des laxatifs.

— Messieurs, il n'y aura pas de Conseil aujourd'hui.

Chamboulant l'étiquette, Louis se leva, prit le coffret d'ébène et
s'en alla dans sa bibliothèque en oubliant de se dandiner, signe de
trouble.

Il refusa d'abord d'accréditer la traduction établie par Dagobert,
mais comme il parlait et lisait l'espagnol aussi bien que l'anglais, il
fut à même de déchiffrer le texte original et de se livrer à des comparaisons d'écritures. Ensuite, il contrôla l'authenticité des cachets
apposés sur chaque feuillet et dut admettre que cette terrible confes-

sion était bien de la main de son arrière-arrière-arrière-arrière-grand-mère Anne, dite d'Autriche : et la contre-signature était bien celle de monseigneur le cardinal Jules Mazarin.

Découvrir que le « lieutenant de Dieu sur terre » était issu d'une lignée de Tripette de la Vacheresse était plutôt déconcertant... et puis d'abord comment Dieu, qui, à l'instar de monsieur le lieutenant général de police, savait tout sur tout, avait-Il pu autoriser une pareille beuserie ?

Louis se rendit chez son intendant des Menus Plaisirs, M. Papillon de La Ferté, où étaient rangés les registres des Inventaires du château. Il les consulta et dressa une liste de tableaux qu'il remit à son intendant.

– Je les veux au plus vite dans ma bibliothèque, monsieur de La Ferté.

– Si fait, Sire.

La nouvelle que le roi avait annulé son Conseil pour se livrer à des travaux de redécoration de ses petits appartements fit le tour du château à la vitesse d'un cheval qui a une guêpe dans l'oreille. On glosa sur le fait qu'il s'agissait uniquement de portraits de souverains de la troisième race. Le roi se piquait-il en plus de généalogie ?

Louis avait aligné les tableaux contre le mur dans leur ordre chronologique. Le premier montrait Henri IV en majesté et avait été peint l'année de sa mort. Il portait une barbe blanche bien taillée et un air las et triste. Louis plaça en parallèle un portrait de Louis XIII à quinze ans, affublé d'une fraise si vaste qu'on eût dit que sa tête était sectionnée et posée sur un plat ; un portrait d'autant plus intéressant qu'il montrait bien la forme de son grand nez et de son lourd menton arrondi : un nez et un menton qui n'avaient rien de comparable avec les nez et les mentons des Louis XIV, XV et XVI à venir. Il eut une autre confirmation en examinant la toile représentant Anne d'Autriche priant en compagnie de ses deux fils Louis Dieudonné et Philippe, âgés de six et cinq ans. Ils étaient agenouillés de profil et l'on distinguait clairement leur incroyable dissemblance. Sur le portrait suivant, un Louis XIII trentenaire, moustachu et barbichu, posait en armure, l'air bien dégoûté. Louis le compara aux trois tableaux de Louis XIV en majesté à vingt ans, à trente ans et à quarante ans. Là encore, l'absence de ressemblance entre le père et le fils sautait aux yeux. N'était-il pas extraordinaire que personne ne s'en soit rendu compte ?

Le souper en grand couvert eut lieu comme à l'accoutumée dans l'antichambre de la reine et Louis ne démérita pas de son robuste appétit. Il avala cinq assiettes de soupe à la pomme de terre, une cervelle d'agneau en matelote, un émincé de mouton, des filets de poularde à l'extrême, une crépinette aux truffes, trois fromages de chèvre, cinq gâteaux princesse, trois oranges. Il but deux verres de vin et deux carafes d'eau de puits sans faire un seul rot.

Grosse depuis le mois d'août, Marie-Antoinette mangeait d'une bonne fourchette, elle aussi. Radieuse dans une robe de mousseline beige, elle avait coiffé sa tête-à-vent-pleine-de-vide d'un pouf à la cui-cui, surmonté d'un rossignol fait de pierreries qui se balançait sur un perchoir en battant des ailes au moindre de ses mouvements : un succès garanti pour sa partie de pharaon du soir.

— On m'a rapporté que vous aviez été importuné par un solliciteur lors du Grand Lever ?

— Rien de cela, madame, tout benoîtement un provincial ignorant de l'étiquette.

— On parle beaucoup d'un coffret qu'il vous aurait lancé au visage...

Louis se borna à rire (« ho, ho, ho, ho ») et Marie-Antoinette dut s'en contenter. Elle comprit que le moment était mal choisi pour pétitionner en faveur de Vaudreuil, l'amant de sa bonne amie Yolande, qui ambitionnait la charge de grand fauconnier de France, une sinécure à quatre-vingt mille livres l'an.

De retour dans sa bibliothèque, Louis examina une fois de plus le contenu du coffret et s'interrogea sur cette vieille lettre de louanges, signée par Papa-Roi vingt ans plus tôt, qui félicitait la famille Tricotin de Racleterre-en-Rouergue pour l'incomparable exploit d'avoir mis au monde des quintuplés. Un addenda assurait la gratuité de l'éducation de la fratrie dès son âge de raison.

Il sonna Ville d'Avray qui apparut tel un courant d'air de couloir

— Débusque et ramène-moi monsieur le duc de Ruynes.

Chapitre 46

Je saurai vous dire froidement que vous êtes, à mes yeux, la plus vile des créatures et j'ajouterai bien au-dessous de toutes les coquines de la terre.

Lettre d'Alexandre à Rose, juillet 1783

Je voudrais me punir d'avoir été heureuse avant toi.

Lettre de Rose à Charlemagne, décembre 1783

Troisième étage, hôtel Tricotin, rue de Grenelle-Saint-Germain.

– Allez, monsieur, faites donc le grand méchant loup, je vous prie... Pour m'être agréable...

Les rideaux étaient tirés et toutes les chandelles avaient été mouchées, seules les braises dans la cheminée éclairaient faiblement le lit et ses occupants. Ils se connaissaient depuis une semaine et c'était déjà leur quatrième nuit ensemble.

Charlemagne se leva et alla déplier le paravent devant la cheminée, créant ainsi une obscurité presque totale dans la chambre. L'immeuble était silencieux et seules les cavalcades des rats faisaient du raffut dans les étages et les escaliers. Il s'accroupit derrière le paravent, racla sa gorge pour s'éclaircir la voix puis commença à pousser des geignements plaintifs qu'il ponctua de grincements de dents d'un réalisme inquiétant. Il avait toujours entendu geindre les loups ainsi en guise de salut amical, et quand ils grinçaient des crocs, c'était pour signifier leur bonne volonté.

Rose frissonna. Comment pareils bruits pouvaient-ils sortir d'une gorge humaine ? Son frissonnement devint une chair de poule qui lui chatouilla délicieusement les reins, le ventre et même la plante des pieds.

Après les plaintes et les grincements, Charlemagne passa aux grondements de fond de gorge, toujours impressionnants. Le loup grondait lorsqu'il était mécontent et en jouant sur le ton, sur l'intensité et la modulation, il pouvait exprimer chaque nuance de l'agressivité, allant de l'agacement mineur *(Ôte-toi de mon sentier que je passe)* à la fureur noire *(Je vais te déchirer le ventre et me régaler de tes tripes)*.

– Grrrrrrrr... GGGGGGrrrrrrrr... GGGGGGRRRRRRRR !

Rose poussa un couinement de souris en se recroquevillant sous les draps, pareille à une grand-mère de Chaperon rouge. Bien que née à la Martinique, une île aux forêts dépourvues depuis toujours de loups, elle connaissait leur existence à travers la lecture des *Contes de ma mère l'Oye* de M. Perrault d'Armancour, le seul livre sans doute qu'elle ait lu en entier pendant les cinq ans passés à l'institution des Dames de la Providence de Fort-Royal.

Elle ferma les yeux en entendant les lattes du parquet craquer sous le poids de la sournoise malebête. Charlemagne approchait, grondant comme grondait Bien-Noir quand un rival approchait Grondeuse en période de rut.

– Grrrr... RRRRRRRRRRR... RRRRRR !

Cette fois la jeune femme poussa un vrai cri de terreur et pissa partout sur le matelas, pareille à une jeune louvarde marquant son territoire.

Exilé au salon depuis le début de la soirée, son carlin, Roudoudou, se mit à aboyer furieusement de l'autre côté de la porte. La voix d'Euphémie parlant créole le fit taire. Rose sentit soudain deux pattes vigoureuses la saisir aux hanches et la retourner sur le matelas.

– Oooooooh !

Tel un grand-vieux-loup en pleine forme, Charlemagne lui écarta les cuisses et l'aligna sans plus de fioritures et en avant comme avant, caramba ! Ignorant tout du plaisir féminin, il s'affaira uniquement au sien, aussi, dès son bon jus de couillon transvasé, il se retira et déclara d'une voix songeuse :

– Z'ai faim.

Une semaine plus tôt, la jeune femme franchissait le porche du couvent de Pentémont au bras de sa bonne amie Catherine de La Roynette. Elles se dirigeaient vers le véhicule de louage qui les attendait au milieu de la rue, encombrant en toute impunité la circulation, lorsqu'un individu chaussé de grandes bottes et portant une grande épée s'approcha du cheval et se mit à rugir tel un lion de cinq ans qui a faim. Le fiacre fit un bond en avant de plusieurs toises.

– Ah ! mais quel sacré fils de Corydon ! s'exclama le cocher sur sa banquette, outré de se retrouver ainsi mêlé au trafic sans autre possibilité que celle de continuer.

L'insolite s'était alors adressé à Rose pour lui tenir les plus étranges propos qui lui ait été donné d'ouïr depuis son arrivée en France.

– Ze m'appelle Çarlemagne Tricotin et z'est moi votre voisin, zelui qui vous regarde tout le temps avec la longue-vue.

Il montra le balcon du troisième étage du bel immeuble qui jouxtait le couvent.

– De toutes zelles que ze vois entrer et zortir çaque zour, z'est bien vous que ze préfère, caramba. (Ne recevant aucune réponse, il sourit sans se démonter.) Comme vous n'avez plus de fiacre et que vous n'êtes pas près d'en trouver un autre, ze peux vous voiturer là où vous voulez. Zi vous voulez...

Il termina sa phrase avec un geste vers la porte cochère de l'immeuble où attendaient deux beaux bais bruns tachés de feu qui étaient attelés à une berline à l'aspect flambant neuf.

Conquise, Rose coula un regard par en dessous vers son amie qui se montra plus circonspecte.

– Ah ça, monsieur, ce n'est point parce que vous en portez les bottes qu'il faut vous conduire tel un housard !

De cinq ans son aînée, Catherine de La Roynette, épouse du marquis Armand de Jalmince, avait été successivement la maîtresse du vieux prince de Condé et de son fils le jeune duc de Bourbon. En relevailles d'avortement, elle s'était éprise de la petite Créole qu'elle avait la ferme intention de décrasser. Rose apprenait ainsi à marcher en ondulant des hanches, à entrer dans une pièce et à en sortir avec naturel, à s'asseoir et à se lever d'un fauteuil ou d'un canapé avec aisance, à choisir ses vêtements et sa lingerie intime, à se maquiller comme il le faut et à se coiffer pareillement. Mais surtout, Catherine lui enseignait comment une épouse, dont le mari dispose d'un mil lion de rentes, peut en dépenser deux à trois fois plus grâce au concours d'amants généreux.

Après avoir additionné la berline de luxe, l'attelage de qualité, le bel immeuble de cinq étages, le frac brun à revers noirs, les bottes à treize plis, la grande épée, l'air avenant de leur propriétaire, Catherine avait accepté l'invitation. Quelques instants plus tard, ils s'installaient à l'intérieur de la voiture qui sentait bon le cuir neuf. Dehors, Laszlo Horvath, en cocher improvisé, forçait son passage à grands coups de gueule dans le trafic de la rue de Grenelle-Saint-Germain.

– *Achtung, achtung, achtung !*

A l'exception de Macarel et de ses congénères qui se livraient à leurs habituels va-et-vient entre les combles et la cave, tout le monde dormait dans l'hôtel Tricotin lorsque des coups sonores contre la porte cochère retentirent.

– De par le roué, ouvrez ! commanda une voix dans la rue.

Le temps d'allumer un fanal, de passer ses bottes et de mettre son manteau, Laszlo Horvath sortit de l'écurie et se dirigea à petits pas rouillés vers la porte cochère qui vibrait sous les coups. Il déver- rouilla un seul des battants et se trouva face à un géant dans un superbe uniforme, accompagné de quatre exempts de robe courte portant des lanternes et de monsieur le lieutenant général de police Pierre Le Noir. Laszlo vit aussi une berline noire et un carrosse doré attendant au milieu de la rue.

– Jââââh ?

– De par le roué, nous invitons les dénommés Tricotin de Racle- terre à nous suivre, dit le duc de Ruynes en faisant un pas en avant.

Sans reculer d'une ligne, le vieux débourreur toisa le jeune duc qui le dépassait de deux têtes avec leur cou.

- Et *warum* les Tricotin ils vous suivraient dans la pleine nuit, hein ?

Une fenêtre s'ouvrit au premier étage et la voix ensommeillée de Clodomir résonna dans la cour :

– Laisse-les entrer, tonton.

Dans son troisième étage, Charlemagne rêvait qu'il traversait un lac d'encre à bord d'un radeau fait de buvards, quand Rose secoua son épaule flétrie.

– Debout mon ami, éveillez-vous, il est plus de trois heures et il y a des gens en bas qui font tout un charivari.

Elle vit que le premier élan de son nouvel amant était de cacher sa flétrissure en enfilant à la hâte sa chemise tout en marmonnant des crudités dans son patois.

– Caramba de macarel, quoi encore !

Ouvrant la fenêtre, il se pencha au balcon et eut le temps d'apercevoir des exempts à lanterne terminant de traverser la cour. Il enfila sa culotte et ses bas, puis il s'assit et se botta en se demandant si cette visite avait un rapport avec celle rendue au roi la veille au matin.

Rose, de son côté, était bien marrie de s'être endormie. Deux règles régissaient son permissif couvent : l'une était d'assister à la messe tous les jours, l'autre de ne jamais découcher. Rose allait donc devoir sonner la bobinette et affronter l'intraitable Xavier, le concierge, qui avait institué un droit de passage de dix livres passé les mâtines d'une minute, de trente livres passé les laudes d'une minute, et qui ne répondait plus de rien passé prime.

Rose ouvrit la porte du salon pour laisser entrer Euphémie.

– Vous vous êtes endormie, Mimie, et maintenant voyez l'heure qu'il est et l'embarras dans lequel je me retrouve.

– Y a pas que moi qui s'est endormie, répliqua la servante mulâtresse en lançant un regard dégoûté sur les vêtements jetés en vrac sur le parquet poussiéreux.

Euphémie n'aimait pas les maisons où le ménage était mal fait.

Roudoudou s'engouffra dans la chambre à la suite de la servante et se précipita sur sa maîtresse en gémissant et en se tortillant pareil à un asticot fraîchement déterré. Bien que nue, Rose se pencha vers son petit chien pour le calmer.

– Oh, mais il paraîtrait que je vous ai beaucoup manqué mon cher, petit, petit Roudoudou à moi.

Charlemagne aimait presque tout ce qu'il voyait. Agée de vingt ans, haute de cinq pieds deux pouces, Rose avait une figure enfantine aux yeux cernés, des cheveux soyeux châtains à reflets fauve, une belle gorge pigeonnante et une belle croupe évasée – encore toutes deux alourdies par une récente naissance –, des belles cuisses rondes et blanches ponctuées d'un buisson noir de jais, des grands pieds et de belles mains aux doigts déliés, le tout sentant bon à merveille, sauf peut-être si elle ouvrait trop grande sa bouche meublée de méchantes petites dents jaunes. Autant dire qu'elle n'était guère souriante, mais elle avait appris à pallier une telle ingratitude en mettant au point une série de mimiques qui lui permettaient d'exprimer une large variété d'émotions sans jamais avoir à ouvrir la bouche.

Rose leva les bras au plafond pour mieux se faufiler dans la retroussée dans les poches bleu pâle que lui présentait Euphémie.

Délaissé à nouveau, Roudoudou se mit à trottiner dans la chambre en faisant du bruit avec ses griffes sur le parquet. Sautant sur le lit, il renifla le matelas tel un sanglier cherchant des truffes sous un chêne.

— Je me retrouve dans la plus grande confusion, mon ami, aurais-tu l'amabilité de m'avancer cinquante livres afin que je puisse payer mon entrée ? dit Rose d'une voix très dégagée.

Cinquante livres ! En voilà un tarif de bandit de grand chemin.

— Ze vais plutôt t'accompagner et ze vais le perzuader de te faire un zérieux rabattement.

— Et que lui diras-tu, monsieur le matamore ?

Charlemagne bomba le torse, montra ses poings serrés et roula des yeux en gonflant ses joues.

— Ze lui dirai que z'il ne te laize pas tranquillement pazer, ze lui fais manzer toutes zes dents !

Il allait développer et donner plus de détails lorsque la chambre à coucher se remplit d'exempts de police et d'un géant qui dut plier la nuque pour franchir la porte. Charlemagne eut un coup au cœur en reconnaissant le duc de Ruynes.

— Eh ! vous allez me ramener à la Baztille ?

— Non pas, monsieur, c'est mon roué qui vous veut à Versailles.

— Maintenant, en pleine nuit ?

— Oui.

— Et vous ignorez pourquoi, bien zûr ?

— En effet, monsieur, je l'ignore, ce que je sais cependant, c'est que mon roué vous veut tous les cinq en urgence.

De Ruynes ne mentait pas. Il ignorait tout de sa mission, au point qu'il n'aurait su dire s'il s'agissait d'une prise de corps ou d'une amicale convocation. Il était au jeu de la reine, comme chaque soir, et il avait gagné déjà deux cents livres quand Ville d'Avray était venu lui souffler dans l'oreille que le roi le réclamait.

— Le roi ne dort donc pas, monsieur le baron ? s'était étonnée

Marie-Antoinette en remuant sur son siège, ce qui avait eu pour effet d'animer le rossignol de son mirifique pouf à la cui-cui.

Ville d'Avray avait répondu par une révérence silencieuse et s'en était allé en lui tournant le dos. Il n'aimait pas la reine et il trouvait outrageante cette façon pleine de morgue de se gausser publiquement de son époux. Elle oubliait trop souvent qu'elle n'était que la reine et rien de plus. Mais ce que le baron-valet de chambre détestait par-dessus tout c'étaient les entours de l'Autrichienne, les Polignac et leur Vaudreuil, ce vieux Suisse de Bésenval et, peut-être le pire de tous, cet entrouducteur de volaille, Charles Philippe d'Artois, tous avides comme des éponges et méchants comme la vérole.

De Ruynes avait rejoint son roi dans sa bibliothèque.

– Monsieur le duc, je veux que vous me retrouviez au plus vite une famille répondant au nom de Tricotin de Racleterre. Ils sont au nombre de cinq dont un est une. Je vous ai choisi parce que vous avez déjà conduit l'un d'eux à la Bastille après l'incident au bosquet des Trois Fontaines. Consultez vos registres pour connaître son nom entier et faites-vous assister par M. Le Noir pour son adresse.

Malgré l'heure tardive – onze heures trente – le duc de Ruynes avait quitté Versailles dans un anonyme réquisitionné aux Petites Écuries, un anonyme étant un carrosse sans armoiries aux portières, ni livrées royales au cocher et aux chevaux. La rareté de la circulation permit de rouler à tombeau ouvert tout le long du trajet qui s'était achevé devant le Grand Châtelet. Le duc avait trouvé le lieutenant général à son poste et aussi éveillé qu'un hibou affamé.

Les fonctions de Pierre Le Noir étaient si exorbitantes qu'il pouvait, sans jactance, se proclamer l'officier royal le plus occupé du royaume. Cet homme devait veiller à la sûreté et à la propreté générale d'une capitale de six cent cinquante mille Parisiens sans un seul tout-à-l'égout. Il devait arrêter les malfaisants, contrôler la détention et la vente des armes, dissiper les réunions clandestines, assurer l'ordre dans les attroupements et parer aux incendies comme aux inondations. Il devait visiter régulièrement les prisons, les maisons de force, les asiles et les châteaux royaux de la Bastille et de Vincennes.

M. Le Noir était responsable de la voirie, de l'éclairage des rues et de l'approvisionnement de la capitale. Il avait la charge de la surveillance des halles, des foires et des marchés, mais aussi des hostelleries, des maisons garnies, des tavernes et des académies de joueurs d'épée. Il surveillait de près le commerce, les corps de métiers, les manufactures, les Juifs, les protestants, les francs-maçons, les imprimeurs, les colporteurs de livres, les gazetiers et les nouvellistes à la main. Le Noir avait aussi la charge de pourchasser les devins, les sorciers, les mystiques à tête échauffée et les alchimistes hurluberlus. Il devait faire la police des spectacles, des vagabonds, des mendiants, des bordels et des tripots, et il contrôlait les filles de joie des maisons de passade du Palais-Royal, comme la plupart des femmes du monde de l'abbaye de Pentémont.

Pour accomplir cette tâche, monsieur le lieutenant général de police disposait de 48 commissaires de robe longue, de 20 inspecteurs, de 390 exempts de robe courte et de 3 compagnies de gardes de Paris comptant 1 300 archers dont 265 montés. Qu'on se le dise ! Mais cela restait très insuffisant pour quelqu'un qui se devait de tout savoir sur tout. Aussi, M. Le Noir exploitait sans état d'âme un vaste réseau de mouches amoureusement élaboré par ses prédécesseurs d'Argenson et Sartine. Un réseau si élaboré qu'il coûtait chaque année plus d'un million de livres, soit la moitié du budget annuel de sa police.

Le Noir rétribuait ses mouches selon la qualité de leurs renseignements : trois livres pour un on-dit, cinq pour une rumeur, dix pour un bon ragot vérifiable, quinze s'il concernait Versailles et la Cour, trente livres pour une vraie délation conduisant à une prise de corps, et ainsi de suite. Il recrutait ses mouches dans toutes les couches de la société : il y avait ainsi des mouches de qualité, tel le vicomte de Mirabeau, des mouches à étrons, comme le pornographe Restif de La Bretonne ou l'écrivassier Beaumarchais, des mouches égrillardes et des mouches courtiers de fesses, comme la mère maquerelle La Braisée ou le sieur maquereau Brissault. Il est bon de souligner que le plus gros des effectifs venait sans conteste du monde des laquais et des valets de maison.

Lorsque de Ruynes était entré dans le bureau de la lieutenance, Le Noir terminait l'épluchage des rapports de Rigoley d'Oigny, le directeur du Cabinet noir par où transitait le courrier de la capitale pour y être méthodiquement ouvert, lu, et recopié si nécessaire. C'était ainsi que le jeune roi se tenait régulièrement informé des humeurs de ses sujets et de ce qui se passait dans la capitale.

La requête du capitaine de la Garde du corps ne prit pas le lieutenant général au dépourvu.

— Tricotin de Racleterre, dites-vous, monsieur le duc ? J'ai !

Il voulait dire qu'il avait un dossier à ce nom. Le premier rapport mentionnant un certain Charlemagne Tricotin datait du mois de novembre 81 et lui avait été communiqué par l'une des mouches qu'il entretenait dans l'hôtel du sinistre mais tellement raffiné baron-colonel Ocloff du Cap. Plus tard, par une mouche des Grandes Écuries, Le Noir avait eu vent du quadruple duel prévu aux Trois Fontaines, mais il s'était bien gardé d'intervenir dans une affaire où se trouvait mêlé une telle débauche de Princes et de Très Grands et s'était contenté d'une surveillance à distance. C'est ainsi qu'il avait reçu le 1er décembre pas moins de cinquante-sept rapports (57) de mouches dont treize (13) se flattaient d'être *de visu*.

Le lendemain, Le Noir avait reçu les rapports administratifs de monsieur le gouverneur de Launey, de monsieur le lieutenant de roi de Saint-Sauveur et de monsieur le major Losme-Salbray concernant la prise en charge du sieur Charlemagne Tricotin.

Plus récemment, le registre des voyageurs du Lit on Dort indiquait l'arrivée d'une famille de trois frères et d'une sœur du nom de Trico-tin, venant de Racleterre-en-Rouergue par la diligence. Les rapports sur leur visite en grand deuil à Versailles le jour de la Saint-Louis et sur leur intervention auprès de Sa Majesté lui étaient parvenus en même temps que le rapport du gouverneur de Launey et que la copie de la lettre de grâce élargissant le sieur Tricotin de Racleterre.

Ce fut plus tard, par une mouche des cuisines de la forteresse, confirmée par une mouche de la garnison, qu'il avait appris l'évasion du gracié le soir même de sa grâce. Devinant l'embarras du gouverneur, Le Noir s'était abstenu de lui reprocher son silence. Mais, soucieux de rappeler qu'un lieutenant général de police digne de ce titre savait tout sur tout, il s'était présenté à la Bastille et avait demandé à visiter la chambre du Trésor. Il n'avait pas manqué d'essayer le trou, et aussi de prendre un air rêveur en tripotant la corde et l'échelier, preuves tangibles qu'une idée fixe, alliée à l'amour de la liberté et à une patience pénélopienne, pouvait se jouer des plus grandes tribulations.

Au début de ce mois de septembre, la mouche Brissault lui avait rapporté qu'une fratrie de cinq Rouergats nommée Tricotin et recommandée par M. Seguin venait de lui louer son hôtel de la rue de Grenelle. Détail curieux, le loyer annuel de vingt mille livres avait été acquitté par la banque *Marangus & fils*.

Les jours suivants, plusieurs mouches circoncises lui apprirent que le marchand-banquier Moïse Marangus venait de porter à ébullition l'entière communauté hébraïque en prétendant avoir retrouvé un objet sacré perdu depuis mille ans et qu'il réclamait dix millions de livres pour le restituer.

Pour conclure, et pas plus tard qu'en milieu de relevée, Le Noir avait reçu neuf rapports de ses mouches de Cour rapportant un incident qui avait eu lieu à la fin du Grand Lever. Un dénommé Tricotin avait interpellé le roi et lui avait remis un coffret en le lui lançant, une chose tellement inimaginable qu'elle n'était jamais arrivée avant. A cette heure, le contenu du coffret n'était pas connu.

Après un aussi long préambule, on conçoit mieux la grande curiosité du lieutenant général de police en entrant dans l'hôtel Tricotin à trois heures du petit matin, mais aussi sa surprise en découvrant au troisième étage la présence joliment décoiffée de la vicomtesse de Beauharnais, l'une des toutes nouvelles pensionnaires de l'abbaye de Pentémont.

La mouche de qualité que Le Noir entretenait dans cet établissement n'était autre que Marie-Catherine de Mézières, la mère abbesse. Ce couvent de luxe était ouvert exclusivement aux femmes de la première qualité et la pension coûtait huit cents livres annuelles, auxquelles il fallait ajouter trois cents livres pour le plus modeste des appartements et mille pour le plus beau. Les visites, les réunions, les sorties étaient libres, juste astreintes à des horaires d'une grande souplesse.

Le Noir avait été informé de l'existence de la vicomtesse de Beauharnais le jour même de son entrée au couvent. Il avait ainsi appris qu'elle avait vingt ans, qu'elle était créole de bonne souche – Marie-Josèphe Rose Tascher de La Pagerie –, qu'elle était mariée depuis quatre ans au jeune et riche vicomte Alexandre de Beauharnais, un originaire des Isles lui aussi, qui était pour l'heure capitaine au régiment de Sarre-Infanterie.

A l'automne 81, Rose avait eu un premier enfant, un mâle, baptisé Eugène. Fort bien. Mais au printemps 83, elle avait accouché d'une fille, Hortense, et alors, caraboum, plus rien n'alla. Alexandre, qui savait compter au moins jusqu'à neuf, avait découvert qu'à l'époque de la conception de cette Hortense il était en Italie. Furieux, l'âme toute corrodée de bile verte, humilié à en perdre les cheveux, il avait sommé son épouse de s'exiler en urgence dans un couvent, commettant toutefois l'imprudence de lui laisser le choix de l'établissement.

Toujours pas l'intermédiaire de la mère abbesse, Le Noir savait que cette jeune vicomtesse venait de se lier d'amitié avec Louise de Polastron, l'actuelle maîtresse du comte d'Artois, présentement grosse jusqu'aux sourcils et qui occupait l'unique suite à deux mille livres du couvent.

Sa présence à trois heures de la nuit dans la chambre à coucher d'un locataire de l'entremetteur de fesses Brissault signifiait-elle que madame la vicomtesse de Beauharnais avait pris du service chez ce dernier ?

Chapitre 47

En ce pays-ci, la probité est considérée comme
une nuance de bêtise.

Louis Sébastien Mercier, 1781

Versailles.

L'anonyme se présenta devant les grilles du château. Les Suisses s'empressèrent de les ouvrir. Le carrosse s'immobilisa le long de la cour de Marbre. Un valet déplia le marchepied et ouvrit la portière. Les Tricotin sortirent un à un.

Des gardes du corps à pied apparurent de la salle de garde avec des lanternes et vinrent relever les gardes du corps à cheval qui prirent la direction des Petites Écuries. A leur souffle et à la façon dont leurs sabots attaquaient les pavés, Charlemagne devina que les chevaux étaient à la fois harassés et impatients de rejoindre leur écurie.

Le duc de Ruynes vérifia que la fenêtre de la bibliothèque du roi, au premier étage, était éclairée avant d'inviter les cinq jeunes gens à le suivre dans le château bourdonnant déjà d'activités domestiques.

Le vieux Suisse de l'Œil-de-bœuf rangeait son lit de camp derrière un paravent quand le capitaine de Ruynes et ses gardes du corps entrèrent, suivis des cinq méchants esclandreurs repérés lors du Grand Lever de la veille.

— Bonjour, monsieur Buchs, lui lança le duc en s'arrêtant devant la porte de la chambre d'apparat.

Elle n'était pas fermée à clef, mais l'étiquette voulait que seul le Suisse puisse l'ouvrir.

— C'est que j'en sais point rien encore si le roi est réveillé.

— Moué, je le sais, le roué nous attend.

Le Suisse ouvrit et ils entrèrent dans la chambre du Grand Lever. Les lattes du parquet craquèrent. La voix de Clotilde résonna sous le haut plafond.

– Cette pendule est donc encore cassée.

– Elle n'est pas cassée, elle a été arrêtée à l'heure du décès de Sa Majesté Louis XV, expliqua de Ruynes qui était à Versailles ce jour-là et qui se souvenait surtout de l'abominable puanteur dégagée par le moribond.

– De quelles trois heures s'agit-il, monsieur le duc ? Trois heures de relevée ou trois heures de la nuit ? demanda Dagobert.

– Trois heures de relevée, monsieur.

– Et ça sert à quoi d'avoir une pendule qui sert à rien ? demanda Pépin sans obtenir de réponse.

Ils entrèrent dans le cabinet du Conseil, puis dans la chambre à coucher des petits appartements. Les lanternes des gardes éclairèrent un instant les murs bleus semés de lys d'or.

Le premier gentilhomme de la Chambre attendait dans la pièce suivante en compagnie des quatre valets de la Garde-Robe. Il y avait aussi le baron de Ville d'Avray, assoupi dans une bergère et qui s'éveilla à leur arrivée.

– Enfin, vous voilà, monsieur le duc.

Le baron-valet de chambre se leva et défroissa machinalement sa belle livrée bleu, rouge et argent.

– Le roi ne s'est pas couché, il est toujours dans sa bibliothèque.

Tout en regardant les Tricotin avec curiosité, il gratta le battant du bout des doigts et attendit un instant avant d'entrer, refermant vite la porte derrière lui.

Le temps de compter jusqu'à trente et Ville d'Avray revint et annonça d'une voix sépulcrale :

– Sa Majesté vous attend.

Ils entrèrent et chacun y alla de sa révérence. Les fenêtres étaient grandes ouvertes et il faisait froid dans cette bibliothèque.

Charlemagne vit le roi debout au centre de la pièce. Les murs étaient couverts de bibliothèques vitrées remplies de livres reliés à l'identique. Le coffret de Mazarin était ouvert sur la table où deux globes terrestres entouraient une imposante pendule. Des chandeliers en argent à trois branches éclairaient plusieurs tableaux de monarques alignés comme pour une exposition. Charlemagne se tourna vers les siens et leur désigna les portraits d'un air amusé. Eux aussi s'étaient livrés à des comparaisons de physionomies royales, mais à partir de mauvaises gravures trouvées dans des livres, ce qui n'avait rien donné de probant.

– Laissez-nous, messieurs, dit Louis à ses laquais.

Dépités, la curiosité plus que jamais exacerbée, un peu jaloux même, le capitaine de la Garde du corps et le valet de chambre laissèrent le roi en tête à tête avec ces cinq parfaits inconnus. Encore une situation inhabituelle qui contrevenait à l'étiquette mais aussi à toutes les règles de sécurité, règles qui avaient été sérieusement renforcées autour du roi depuis l'attentat de Damiens, vingt-six ans plus tôt.

Durant un instant, personne ne bougea ni ne souffla mot. Louis resta les bras ballants avec cet air fuyant qu'affectionnent les grands hypocrites et les grands timides. Il allait parler lorsque la grande pendule entra en action. Des coqs en or apparurent poussant des cocoricos triomphants, puis un jeune Louis XIV alangui sur un char fleuri surgit au son d'un carillon jouant les premières mesures de *Frère Jacques*. Alors la Renommée, dépoitraillée, juchée les pieds nus sur un nuage en argent, sortit de la pendule et vint ceindre le front du roi d'une couronne de laurier… Et tout ça pour annoncer la demie de six heures.

Les Tricotin éclatèrent de rire. Une telle synchronisation était toujours une curiosité pour qui y assistait pour la première fois. Louis baissa la tête pour dire de sa voix nasillarde :

– J'ai pris connaissance des documents que vous m'avez remis et je n'en suis guère heureux.

Il releva les yeux et vit qu'ils le regardaient avec bienveillance.

Pendant que Charlemagne découvrait que l'oint du Seigneur avait la barbe qui poussait et qu'il devait, lui aussi, se raser tous les jours, Clotilde s'épatait devant la quantité de taches de graisse sur le gilet et la culotte qui démontraient que Sa Majesté mangeait comme un cochon.

Clodomir, Pépin et Dagobert, eux, s'ébaudissaient que ce roi en ait si peu les apparences : sans sa haute taille et ses habits brodés, il aurait pu passer pour un bon gros bourgeois bien joufflu, bien fessu, bien ventru, bien cocu.

Louis approcha de son mauvais sujet pagicide et nota son maintien débraillé, son teint frais pareil à celui d'une truite de torrent.

– Je veux savoir, monsieur, d'où vous est venu ce coffret et son contenu.

Charlemagne croisa les bras avant de répondre.

– Ze l'ai trouvé dans un mur... Votre Mazesté.

– Vous voulez dire *à l'intérieur* d'un mur ?

– Oui, en plein mitan, Votre Mazesté.

– Et où est ce mur, monsieur ?

– A la Baztille, z'était le mur de ma çambre, dans la tour du Trésor, là où vous m'avez oublié zix zent trente-deux zours, Votre Mazesté...

Louis hocha la tête, comme s'il comprenait ce qu'il venait d'ouïr.

– Je me dois d'insister en vous demandant d'être plus précis. Comment êtes-vous *exactement* entré en possession de ce coffret ?

Charlemagne fut content de pouvoir se vanter au roi en personne.

– Tout d'abord, z'ai dézidé de m'évader quand z'ai compris que z'étais oublié, Votre Mazesté...

Il raconta et Louis ne l'interrompit que lorsqu'il débuta le récit de son évasion.

– Halte là, j'ai souvenir de vous avoir gracié, monsieur... à la demande de vos parents ici présents.

– Oui, oui, mais votre grâze, elle a pris zix zent trente-deux zours pour arriver... et mon trou, il était fini... alors za aurait été trop bête de ne pas m'en zervir, eh !... après toute la peine que ze me zuis donné pour le faire... (Il décroisa les bras pour montrer les cals sur ses paumes.) Et le grès, caramba, z'est de la pierre bien dure, Votre Mazesté.

Louis désigna le coffret sur la table.

– Y avait-il d'autres documents ?

Ce fut Dagobert qui répondit et qui ne jugea pas opportun de mentionner la présence des octuples Jules Ier, des pierres précieuses ou du pectoral d'Aaron :

– Juste une vingtaine de lettres entre la reine Anne et lord Buckingham, Votre Majesté. (Et désireux de lui montrer qu'il entendait le pourquoi de toutes ces questions, il ajouta, l'air de rien :) Nous sommes les seuls à connaître l'existence de ces documents, Votre Majesté, et notre discrétion vous est acquise.

Pépin battit un briquet imaginaire.

– Et puis si Votre Majesté brûle tout ça, bien malin qui pourra prouver quoi que ce soit après, eh !

Louis sortit la lettre de louanges du coffret et la leur montra d'un air sévère.

Charlemagne haussa les épaules.

— Z'est moi qui l'y ai mis, Votre Mazesté, z'était pour que vous n'oubliiez pas notre nom... Au cas où vous auriez voulu nous récompenzer.

Les coqs en or, le jeune Louis XIV et la Renommée sur son cumulo-nimbus en argent choisirent cet instant pour surgir du Temple et sonner triomphalement sept heures du matin.

— Après tout, on aurait pu tout remettre à votre cousin Orléans, hein... Et alors, Zésus-Christ en montgolfière, hein, Votre Mazesté ?

Louis dodelina du chef. Décidément, il était toujours aussi épuisant de vouloir comprendre quelqu'un qui n'était pas de votre monde.

— Évidemment, évidemment, mais moi, là maintenant, tout de suite, en cet instant précis, je suis en droit de me demander ce que je vais bien pouvoir faire de vous...

En guise d'Épilogue

Le 8 octobre 1783, Charlemagne, Clodomir, Pépin, Dagobert et Clotilde Tricotin recevaient de monsieur le juge d'armes de la noblesse de France, Bernard Chérin, cinq lettres patentes les autorisant à porter le titre de chevalier, et de ce fait, à ne plus payer l'impôt.

Le 9 octobre 1783, le chevalier Charlemagne et le chevalier Pépin Tricotin entraient comme cadets à l'École royale militaire de Paris, sise dans la plaine de Grenelle, auprès de l'hôtel des Invalides, à neuf minutes à pied de l'hôtel Tricotin de la rue de Grenelle-Saint-Germain.

Le 11 octobre 1783, Mlle la chevalière Clotilde Tricotin était admise sur recommandation particulière de Sa Majesté à l'Académie royale de peinture.

Le 1er novembre 1783, à Versailles, Marie-Antoinette faisait une fausse couche qui devait l'aliter plusieurs jours durant.

Le 2 novembre 1783, Louis manquait une nouvelle fois le dix-cors Lèse-Majesté dans le canton de Fausses-Reposes du bois de Meudon.

Le 17 janvier 1784, livraison à l'hôtel Tricotin de la centième lettre d'amour adressée à *Mon Grand Méchant Loup*, signée *Ta Rose qui t'aime tant*.

Le 21 février 1784, messieurs les chevaliers Clodomir et Dagobert Tricotin se lançaient dans le commerce triangulaire en s'associant, par contrat, avec M. Moïse Marangus.

Le 2 juin 1784, Alexandre François-Marie vicomte de Beauharnais se faisait refuser les honneurs de la Cour par monsieur le juge d'armes Chérin sous prétexte que ses preuves de noblesse étaient fausses.

Le 19 octobre 1784, messieurs Montarby de Dampierre, Castries de Vaux, Cominges, Laugier de Bellecour et Napoleone Buonaparte entraient comme cadets à l'École royale militaire de Paris.

Le roi-de-rats

RÉALISATION : PAO ÉDITIONS DU SEUIL
IMPRESSION : S.N. FIRMIN-DIDOT AU MESNIL-SUR-L'ESTRÉE (EURE)
DÉPÔT LÉGAL : MAI 2001. N° 50728-2 (55706)

Ville de Montréal

**Feuillet
de circulation**

À rendre le

06.03.375-8 (05-93)